LET THE GAMES BEGIN

Rufaro Faith Mazarura

LET THE GAMES BEGIN

Vertaling Rosalyn van Moorselaar

HarperCollins

Voor het papieren boek is papier gebruikt dat onafhankelijk is gecertificeerd door FSC® om verantwoord bosbeheer te waarborgen.
Kijk voor meer informatie op www.harpercollins.co.uk/green.

HarperCollins is een imprint van Uitgeverij HarperCollins Holland, Amsterdam.

Oorspronkelijke titel: *Let the Games Begin*

Vertaling: Rosalyn van Moorselaar
Omslagontwerp: Villa Grafica
Omslagbeeld: © Shutterstock
Zetwerk: ZetSpiegel B.V., Best
Druk: ScandBook UAB, Lithuania, met gebruik van 100% groene stroom

ISBN 978 94 027 1541 5
ISBN 978 94 027 7194 7 (e-book)
NUR 302
Eerste druk juli 2024

Originele uitgave verschenen bij Penguin Random House UK, Londen.

www.harpercollins.nl

Pap en mam, bedankt voor alles.
En de andere twee, tijd voor hapjes!

Londen, Verenigd Koninkrijk

Zomer 2024

1

Zeke

Vier dagen voor de openingsceremonie

Ezekiel Moyo had er nog nooit zo knap uitgezien als op de voorkant van de augustuseditie van het mannenblad GQ. Het was het jaarlijkse sportnummer en aangezien het hele land de hoop gevestigd had op Ezekiel (of Zeke, zoals iedereen hem noemde) voor het behalen van een gouden medaille op de Olympische Spelen deze zomer, was het niet meer dan terecht dat hij op de voorpagina te zien zou zijn.

Zeke had gedurende de hele fotoshoot iedereen op de set gecharmeerd. Hij had met de receptioniste gepraat over de foto op haar bureau en de cateraar gecomplimenteerd met de lekkere hapjes. 'Tante,' had hij gezegd, want zijn moeder had hem geleerd iedere zwarte vrouw tante te noemen, 'dit is de beste ossenstaartstoofpot die ik ooit heb gehad, terwijl mijn moeder er ongelooflijk goed in is.' Ze had gegrinnikt en hem nog een portie gegeven. Dit paste eigenlijk niet in Zekes dieet voor een wedstrijd, maar als er één ding was dat hij tijdens zijn jeugd had geleerd, was het dat als een tante hem een lunchtrommeltje gaf, hij dat niet moest weigeren.

Zeke had wat met de beveiligers staan praten over de voetbalwedstrijd van aankomend weekend, totdat hij een groepje assistenten zag die verlegen een glimp van hem probeerden op te vangen vanaf de andere kant van de ruimte. Hij wist dat ze te professioneel waren om een foto te vragen, ook al wilden ze dat overduidelijk wel graag. Aan het einde van de shoot was hij dan ook met zijn charmantste glimlach naar hen toe gelopen en had hij gezegd: 'Dit is mijn eerste grote fotoshoot en ik wil het liefst elk detail onthouden. Mag ik een foto met jullie?' De blijdschap op hun gezichten was overduidelijk.

De beveiligers hadden vervolgens aan iedereen die ze tegenkwamen verteld dat hij 'de gewoonste jongen was die ooit het kantoor van GQ was binnengelopen'. Een van de productieassistenten plaatste een foto uit de reeks die ze hadden gemaakt met het volgende onderschrift: 'Dit is nu een Ezekiel Moyo-fanpagina'.

'Kijk je ernaar uit om dit jaar iemand in het bijzonder te zien bij de Spelen?' vroeg de journalist die het interview leidde met een licht opgetrokken wenkbrauw.

Zeke glimlachte; hij wist precies waar ze heen wilde. Maar hij was niet van plan daarin mee te gaan. 'Ik kijk er vooral naar uit om al mijn vrienden van het Britse team aan te moedigen,' zei hij.

'Is er naast het Britse team nog een speciaal iemand die je graag zou zien tijdens de Spelen?' vroeg de journalist terwijl hij een beetje naar voren leunde, alsof de kans groter zou zijn dat Zeke het achterste van zijn tong zou laten zien als hij dichter bij hem zou zitten. Het maakte hem juist vastbeslotener om niets te zeggen. 'Iemand van... de overkant van het water misschien?' werd eraan toegevoegd. Zeke had zijn hoofd schuin gehouden, alsof hij geen idee had waar de journalist op doelde.

Diezelfde vraag probeerden ze hem de hele dag al te stellen, op allerlei manieren. Maar Zeke kon een valstrik al op anderhalve kilometer afstand ontdekken.

'Ik heb geen idee waar je het over hebt, zullen we verdergaan?' vroeg hij beleefd maar beslist. Zeke kwam op veertienjarige leeftijd voor het eerst voor het Britse team uit, had zijn eerste grote persmoment gehad toen hij zestien was, en had op zijn twintigste voor het eerst een relatie gehad die in de schijnwerpers kwam te staan. Hij had dan ook al jarenlang geoefend hoe hij net voldoende kon delen voor een goed verhaal en tegelijkertijd de gesprekken kon vermijden die hij niet wilde voeren. Hij maakte zijn antwoorden altijd interessanter door grappige anekdotes te vertellen en gebruikte zijn charme om te verhullen dat hij interviews gaf met de tact van een ervaren politicus.

Het had gewerkt.

Maak kennis met Zeke Moyo: de (bijna) goudenmedaillewinnaar van het Britse team

Zeke huiverde een beetje bij de titel. Het laatste waar hij behoefte aan had was nog een kop die hem eraan herinnerde dat hij deze zomer goud zou kunnen winnen. Hij stond al genoeg onder druk. Maar hij las toch door.

Ezekiel 'Zeke' Moyo was altijd al op weg om een ster te worden. Hij is ervoor geboren. Hij koos voor de sprint en wist de zilveren medaille te veroveren op de Olympische Spelen. Maar met zijn natuurlijke charisma, brede glimlach en ontwapenende charme had hij alles kunnen worden wat hij maar wilde.

Zeke had zo de hoofdrol kunnen spelen in een Hollywoodfilm en volle bioscopen kunnen trekken. Hij had model kunnen staan voor een designermodelabel, waarna de hele collectie van de ene op de andere dag uitverkocht zou zijn.

Zeke beschikt namelijk over die zeldzame combinatie van een echte ster en een gewone vent. Hij is de jongen op wie je op school tot over je oren verliefd was of de adembenemende vreemdeling voor wie je viel op een feestje. We gebruiken de termen 'it-girl' en 'it-boy' te pas en te onpas, maar zodra ik Moyo ontmoette, wist ik dat hij dat ongrijpbare had waar veel moderne sterren jaren naar streven.

Op de voorkant van GQ was precies te zien waar de journalist het over had.

Ze hadden de foto's voor de omslag geschoten op de atletiekbaan in West-Londen, waar Zeke was opgegroeid. In plaats van het Britse tenue droeg hij een strakke blauwe *athleisure*-set, speciaal ontworpen door Zeus Athletics, zijn grootste sponsor. Hij stond op de atletiekbaan waar hij al sinds zijn elfde op geoefend had, met zijn allereerste paar hardloopschoenen in zijn handen. Maar niemand die het tijdschrift oppakte, keek naar de schoenen of dacht aan zijn succesverhaal. Ze waren allemaal gefascineerd door Zeke. Hij flirtte zo moeiteloos met de camera, de fotograaf of wie dan ook die het tijdschrift oppakte – door zijn onbevangen oogopslag, zijn glimlach en de lichte druk van zijn tanden op zijn lip – dat iedereen dacht zijn volle aandacht te hebben. Wat 'het' ook was, Zeke had het.

Het opende deuren – en zorgde voor sponsordeals met zeven nullen, maar de mensen van wie hij hield, gaven niets om fotoshoots, onderscheidingen of het feit dat dit de zomer zou kunnen zijn waarin hij zijn eerste olympische gouden medaille won. Eerlijk gezegd plaagde zijn familie hem meedogenloos.

'Niet weer dat pruilmondje!' zei zijn oudste broer Takunda, voordat hij het tijdschrift doorgaf aan Zekes andere oudere broer Masimba, die één blik op de omslag van het tijdschrift wierp en begon te grinniken.

‘Hij zet een trend… couture… mannelijk model,’ zei Masimba lachend.

‘Zie je die poses?’ vroeg Takunda, Zeke imiterend. Masimba deed mee en ze deden al snel een fotoshoot na in het gangpad met ingeblikt voedsel. Ze hielden ervan hem in verlegenheid te brengen.

‘We proberen gewoon net als jij te zijn, kleine z,’ zei Masimba terwijl hij tegen de plank met ingeblikte groenten leunde. Hij was dertig, maar nu Takunda foto’s van hem maakte en overdreven tegen hem schreeuwde om hem op te jutten, leek hij wel weer dertien.

De rest van de wereld zag Zeke als een olympischemedaillewinnaar en hartenbreker. Zij zagen hem gewoon als hun jongere broer.

‘Mama zal in tranen uitbarsten als ze dit ziet,’ zei Masimba toen ze in Zekes zwarte Ferrari stapten en op weg naar huis gingen. Zeke glimlachte en knikte, omdat hij wist dat zijn moeder inderdaad een traantje zou wegpinken als ze de omslag van het tijdschrift zou zien. Ze vormden een hechte familie en Mai Moyo, de matriarch van de familie Moyo, huilde bij bijna alle prestaties van haar zoons. De omslag van het tijdschrift, die symbool stond voor het feit dat haar jongste zoon voor de derde keer deel zou nemen aan de Olympische Spelen, zou haar zeker emotioneel maken.

Zeke had een nieuw huis voor zijn moeder willen kopen toen hij zijn eerste deal met zes nullen had gesloten, maar ze had geweigerd en gezegd dat ze liever in het huis bleef wonen waar ze haar gezin had grootgebracht. Hij wist dat de echte reden was dat het huis, met de ingelijste foto’s en de afbladderende verf, al haar geliefde herinneringen levend hield aan haar man, de vader van Zeke, die tien jaar geleden was overleden. Zeke was toen nog maar veertien. In dat huis waren ook veel herinneringen aan zijn vader ontstaan, dus in plaats van een nieuw huis voor haar te kopen in een chiquer deel van de stad, gingen Zeke en zijn broers elke zondagavond naar huis om met elkaar te eten.

Maar deze zondag wist hij dat er iets niet klopte zodra hij de voordeur opendeed. Zijn moeder draaide meestal oude Zimbabwaanse gospelmuziek terwijl ze iets heerlijks aan het koken was, een diner dat zeker niet door de diëtist van het Britse team goedgekeurd zou worden. Maar toen hij binnenkwam en hallo riep, bleef het muisstil in huis. Er was iets aan de hand. Hij zette nog een stap. Plotseling was het een lawaai van jewelste, overal vrolijkheid en mensen die riepen: 'Verrassing!'

De menigte familieleden die zich in de gang hadden verstopt en de kamer in waren gestroomd, wierpen blauwe, witte en rode ballonnen naar hem toe en schreeuwden van opwinding. Alle familie en vrienden van Zeke hadden zich naar de woonkamer van zijn moeder gehaast om zijn succes te vieren voordat hij naar Athene vloog voor de Olympische Spelen van 2024. Hij voelde een golf van blijdschap; iedereen van wie hij hield was er. Althans, iedereen behalve zijn vader.

Hij dwong zichzelf te glimlachen terwijl de muziek door de luidsprekers schalde en zijn moeder naar hem toe rende om hem te omhelzen.

'Ezekiel!' riep ze terwijl ze hem bijna fijnkneep. Mai Moyo was twee keer zo oud als hij en bijna half zo lang, maar ze probeerde hem nog steeds op te tillen alsof hij een klein kind was als hij thuiskwam. Ze omhelsde hem en keek trots naar hem op, voordat ze een stapje achteruit deed om te pronken met het nieuwe shirt dat ze had laten bedrukken met een van zijn babyfoto's op de voorkant en TEAM MOYO 2024 op de achterkant. Ze had minstens twintig shirts met zijn gezicht erop.

'Dit is de beste tot nu toe,' zei Takunda lachend bij de foto waarop Zeke te zien was met een paar hardloopschoenen die tien keer groter waren dan zijn dertien maanden oude voeten.

'Mama, ik dacht dat we gewoon met elkaar zouden eten,' zei hij geamuseerd terwijl hij de volle kamer rondkeek.

'Ik heb maar een páár mensen uitgenodigd. Alleen familie en vrienden, *chete chete*,' zei ze ondeugend terwijl ze gebaarde naar een groep van minstens vijftig mensen.

Zeke begroette al zijn ooms en tantes en maakte vervolgens foto's met zijn neven en nichten, wetende dat ze deze onmiddellijk online zouden plaatsen om hun vrienden eraan te herinneren dat ze familie waren van een beroemd persoon.

Hij werd echter niet door iedereen op dezelfde manier begroet. Terwijl hij de tuin in liep, kwam er een meisje met felblauwe vlechten en een spijkerjasje bedekt met linkse, feministische, maatschappijkritische speldjes op hem af. Toen ze dichterbij kwam, merkte Zeke dat ze een nieuw vrolijk lapje op haar jasje had genaaid met het bekende citaat van Audre Lorde: 'Het gereedschap van de meester zal het huis van de meester nooit afbreken.' Zeke zuchtte. Hij wist nu al welke kant het gesprek op zou gaan.

'Hoe voelt het om het koloniale instituut Groot-Brittannië te vertegenwoordigen op de Olympische Spelen, georganiseerd door het corrupte Internationaal Olympisch Comité?' vroeg Rumbi, zijn zeventienjarige aangenomen nichtje dat de geschiedenis van het Britse rijk gedurende één semester op het gymnasium had bestudeerd en daarna geen blik meer waardig had gegund.

'Het voelt niet zo fout als je denkt, Rumbi,' zei Zeke. Rumbi was de dochter van een van de beste vrienden van zijn moeder. Hij kende haar vanaf de dag dat ze werd geboren en hoewel ze technisch gezien niet zijn kleine zusje was, zat ze hem achter de vodden over zijn politieke voorkeuren – of beter gezegd: het gebrek daaraan – met de intensiteit van iemand die het als haar persoonlijke verantwoordelijkheid zag om hem met beide benen op de grond te houden. De laatste tijd stuurde ze hem wekelijks artikelen waarin alle tekortkomingen van zijn sponsors werden beschreven, met een bijschrift als 'dit leek me belangrijk om te delen'. Hij ging met Rumbi's opmerkingen over 'neokolonialisme en de onvriendelijke omgeving die je bewust opgezocht hebt' op dezelfde manier om als met de orkaan aan reacties op zijn tweets als hij een mening durfde te uiten over iets anders dan sport. Hij onderdrukte de angst, probeerde het de manier waarop hij zichzelf zag niet te laten beïnvloeden en concentreerde zich gewoon op zijn volgende race.

Toen grote atletiekcoaches interesse in Zeke begonnen te tonen tijdens zijn tienerjaren, had hij oprecht overwogen om voor het Zimbabwaanse team te gaan in plaats van voor het Britse team. Maar het Britse team had een aantal van de beste coaches en trainingsfaciliteiten ter wereld en... nou ja, veel geld. Dus de keuze was snel gemaakt: hij wist dat hij zich nooit meer zorgen hoefde te maken over sponsoring of reis- en verblijfkosten bij wedstrijden.

Gezien de verdeeldheid zaaiende politiek en anti-immigrantenretoriek waarmee hij het grootste deel van zijn leven geconfronteerd was, voelde hij zich geen echt Britse chauvinist, alleen als het over voetbal of zijn vrienden bij de gezondheidszorg ging. Maar hoewel zijn familie uit Zimbabwe kwam, was Groot-Brittannië het enige land waar hij ooit had gewoond. Daarom koos hij voor het vertegenwoordigen van het land waar en het volk bij wie hij zich thuis voelde. Hij wist dat als hij dit aan Rumbi zou proberen uit te leggen, ze hem waarschijnlijk de les zou lezen over het feit dat de Britse welvaart gebaseerd was op kolonialisme, en dat ze zou vragen of hij zijn integriteit verkocht voor een paar mooie hardloopschoenen. Dan zou ze een boek van Afua Hirsch in zijn koffer stoppen als 'lichte lectuur'. Hij had zijn beslissing echter genomen en het was te laat om van gedachten te veranderen.

Ze haalde haar schouders op. 'Zolang je maar met jezelf kunt leven, en met de wetenschap dat dit land alleen mensen zoals wij duldt als we de rol van de goede immigrant spelen,' zei ze met het onwrikbare gevoel van goed en kwaad, waarover je alleen kon beschikken als je zeventien was.

'Dat lukt wel, bedankt voor je goede zorgen,' zei hij, terwijl hij een hand op zijn hart legde.

'De zwakste schakel,' mompelde Rumbi binnensmonds.

'Trouwens, heeft de referentie die ik voor je heb geschreven voor die Oxbridgezomerschool nog geholpen?' vroeg hij terwijl hij een wenkbrauw optrok.

'Ja... Ik mag deelnemen,' zei Rumbi, die er een beetje beschaamd uitzag. Rumbi liet nooit een gelegenheid voorbijgaan om hem uit te dagen, maar ze was ook niet te trots om hem om lovende referenties te vragen voor stages en cursussen ter voorbereiding op de universiteit. Ze mompelde een bedankje. Vervolgens ging de rest van zijn neven en nichten, zowel biologische als alleen in naam, hem voor naar de woonkamer. Zijn tantes zongen oude Zimbabwaanse hymnen, zijn ooms hielden lange toespraken en zijn moeder ging vijftien minuten lang bidden.

'Lieve Heer! Moge Ezekiel goede beslissingen nemen,' bad ze, en een symfonie van ooms en tantes zei amen.

'Moge hij veilig naar Athene reizen,' bad ze, onder instemmend gejuich en geklap vanuit de hele kamer. Zeke geloofde niet echt in God, maar zijn moeder had een persoonlijke band met Jezus. Hij had dus allang geaccepteerd dat elk verjaardagsdiner, elke familiebijeenkomst en elk afscheid voor een wedstrijd op deze manier zou eindigen, voor de rest van zijn leven. Met een langdradig, niet zo subtiel gebed waarin meestal iemands vuile was buiten werd gehangen.

'Moge hij tot een hoofd en niet tot een staart gemaakt worden,' bad ze, terwijl alle volwassenen in de kamer haar bijvielen.

Een oom, van wie iedereen wist dat hij een gokprobleem had en dat hij doorgaans een paar honderd pond inzette op een overwinning van Zeke, zei extra luid amen.

'Moge zijn inspanning tot eer zijn van het Britse team! Van Zimbabwe! En van de naam Moyo!' Een tante die nooit zonder tamboerijn op pad ging, liet die instemmend rinkelen. Zeke was dankbaar dat ze niet luidkeels had verklaard dat hij een gouden medaille mee naar huis zou nemen. Toch voelde hij hoe de druk om te winnen zich opstapelde.

'En moge hij niet op een dwaalspoor worden gebracht,' bad zijn moeder op de plechtige toon die ze bewaarde voor de laatste zinnen van haar gebeden. Ze liet een dramatische stilte vallen en begon toen te huilen.

Zeke probeerde niet met zijn ogen te rollen. Hij kende zijn moeder goed genoeg om precies te weten waar ze naartoe wilde.

'Almachtige Vader, bescherm Ezekiel tegen de zonde!' schreeuwde ze, en de ooms begonnen te klappen. 'Bescherm hem tegen de geest van het kwade!'

Een tante wier dertienjarige zoon een soort lopend hoofdpijndossier was, knikte instemmend en fluisterde uitgeput: 'Ja, Heer.'

Zeke beet op zijn tong.

'Red hem van trots! Van... dronkenschap,' vervolgde zijn moeder. Technisch gezien bad zijn moeder voor Zeke, maar iedereen in de kamer bewoog onbedoeld het hoofd in de richting van oom Jesaja, die berucht was omdat hij bij elk familiefeest een black-out kreeg en al aan zijn zesde blikje van de avond zat.

'Heere God, hemelse Vader... bewaar Zekes hart voor losbandigheid,' schreeuwde zijn moeder, zijn tantes aansporend om dat te beamen. Zeke keek naar zijn broers die hun best deden niet te lachen. Het was weer een ouderwetse familiebijeenkomst van de Moyo's.

Uiteindelijk was het gebed voorbij en stond hij in het midden van de kamer terwijl al zijn ooms en tantes naar hem toe kwamen om hem te omhelzen, hem advies te geven en te vertrekken met ieder minstens drie lunchboxen met restjes. Het huis liep langzaam leeg totdat alleen hij en zijn broers nog over waren.

'Veel succes, kleine z,' zei Takunda terwijl hij zijn autosleutels pakte. 'Je gaat ons zeker trots maken.' Zeke vertrouwde zijn zorgen aan niemand toe, zelfs niet aan zijn broers. Maar ze kenden hem beter dan wie dan ook. Hij kon zien dat ze voelden dat de druk om te winnen zwaar begon te wegen, omdat ze hem er de afgelopen weken aan hadden herinnerd dat ze hoe dan ook trots op hem zouden zijn; hoewel ze net zo graag als de rest van het land wilden dat hij zijn eerste olympische gouden medaille zou winnen.

'Zorg ervoor dat je geniet, oké?' zei Masimba.

Zeke knikte.

'Ik meen het,' zei Masimba, en hij keek hem in de ogen.

'Gewoon de ene voet voor de andere,' zei Zeke.

'Maar sneller dan ooit tevoren,' zeiden zijn broers, de woorden herhalend die hun vader tijdens hun jeugd altijd tegen hen gezegd had. Zeke voelde zijn ogen prikken, een zeldzaamheid, maar hij knipperde de tranen weg voordat ze konden vallen. Takunda keek net zo bezorgd naar Zeke als toen hij veertien was. Maar het was al bijna tien jaar geleden en Zeke was er nog steeds niet klaar voor om echt over zijn vader te praten. Gelukkig was Masimba er altijd goed in om het gesprek op een ander onderwerp te brengen.

'Waarschijnlijk zou ik je ook moeten vertellen dat je je moet gedragen en zo, maar...' zei Masimba met een veelbetekenende glimlach.

'Wat er in het dorp gebeurt... blijft in het dorp,' zei Zeke.

'Geen malle praatjes tegen mijn zoon!' zei hun moeder, terwijl ze door de woonkamer naar hen toe kwam om hen uit te foeteren. Ze had er een handje van om te vergeten dat het juist altijd Zeke was die zijn broers aanspoorde om streken uit te halen.

'Kon je vader je nu maar zien,' zei Mai Moyo met tranen in haar ogen.

Zeke was een paar koppen groter dan zij, maar naast zijn moeder voelde hij zich weer klein. Alsof hij weer de veertienjarige jongen was die hij was geweest toen zijn vader stierf, compleet machteloos tegenover het verdriet. Hij deed het enige wat hij kon, het enige wat ze ooit van hem verwachtte. Hij legde zijn arm om haar schouder en gaf haar een knuffel. Dat was voor haar genoeg.

'Hij zou zo trots op je zijn geweest,' zei ze zachtjes.

Zeke knikte, maar hij voelde het vertrouwde schuldgevoel dat zo nu en dan in hem opkwam. Ja, zijn vader zou trots zijn geweest. Maar het zou een ingewikkeld soort trots zijn. Zijn vader zou juichen en blij voor hem zijn, maar met een vleugje moeilijk te verbergen teleurstelling in zijn ogen. Want Zeke had zoveel compromissen gesloten. Hij was zich scherp bewust van de schijnbaar onbetekenende beslissingen die zijn integriteit aan het wankelen hadden gebracht en van alle punten waarop hij er niet in was geslaagd het soort man te worden op wie zijn vader trots zou zijn. Maar hij wist ook dat een leven volgens zijn eigen voorwaarden nooit helemaal volgens de regeltjes zou zijn. De enige belofte waaraan hij zich hield, was dus dat hij altijd finishte in de wetenschap dat hij zijn uiterste best had gedaan.

Toen Zeke het huis verliet waarin hij was opgegroeid en terugreed naar zijn appartement, keek hij naar de zonsondergang en begon zich voor te stellen hoe de volgende drie weken van zijn leven eruit zouden zien. De wedstrijden die hij zou lopen, de vrienden die hij weer zou ontmoeten en alle herinneringen die hij zou gaan maken. Het was zijn grootste prestatie ooit om voor de derde keer mee te doen aan de Olympische Spelen. Hij had er zijn hele jeugd over gedroomd en het grootste deel van zijn leven voor getraind. Hij was de favoriet bij de bookmakers om eerste te worden in de finale van de honderd meter en overal waar hij kwam, zeiden mensen dat ze erop vertrouwden dat hij die gouden plak mee naar huis zou nemen. Zeke wilde die gouden medaille ook dolgraag winnen. Hij wilde het publiek horen applaudisseren wanneer hij over de finish kwam. Dan zou hij eindelijk het hoogtepunt van zijn carrière hebben bereikt.

Maar terwijl hij bij zijn koffer stond om te controleren of hij alles had ingepakt wat hij nodig zou hebben, kon Zeke niet langer ontkennen dat in zijn borst langzaam een gevoel van angst ontstond. Nu hij alleen in zijn kamer was, waar hij op niemand indruk hoefde te maken, voelde hij zijn twijfels naar boven borrelen.

Er kon zoveel gebeuren op deze Spelen. Er was een gouden medaille te winnen, een persoonlijk record te breken en een land om trots te maken. Hij wist dat hij de race kon lopen, maar hij was doodsbang voor wat er zou gebeuren na de finish. Toen hij de medaille had gewonnen die boven de schoorsteenmantel van zijn moeder hing – een prachtige zilveren herinnering aan zijn laatste Olympische Spelen – had hij meer vreugde gevoeld dan ooit tevoren.

Maar toen hij eenmaal het stadion, het publiek en het applaus had verlaten, was die vreugde snel vervaagd tot iets donkerders, iets wat niet goed te duiden was. Het gevoel had hem bijna op de knieën gebracht. Voor het eerst in zijn leven was hij echt ingestort.

En Zeke wilde niet nog eens instorten.

2

Olivia

Vier dagen voor de openingsceremonie

'Kun je me vertellen over een uitdaging die op je pad kwam en hoe je die hebt overwonnen?' vroeg de man aan de andere kant van de camera.

Olivia Nkomo kwam volkomen beheerst over terwijl ze via de lens oogcontact hield. Ze keek even op alsof ze diep in gedachten verzonken was. Maar de realiteit was dat ze haar antwoord op deze vraag al honderd keer had gerepeteerd. Haar sollicitatiegesprekken voor felbegeerde stageplaatsen verliepen succesvoller dan die van ieder ander. Ze wist dus meestal precies wat de persoon aan de andere kant van de tafel wilde horen. Als ze eerlijk was, dan was dit ook nog eens een gemakkelijke vraag, omdat Olivia Nkomo meer dan genoeg uitdagingen tegen was gekomen op haar werk.

Ze had haar tijd op de universiteit goed benut door zoveel mogelijk zaken aan haar cv toe te voegen. Ook al was het soms ongemakkelijk… Zoals toen ze haar toezichthouder op de investeringsbank aantrof, die tien minuutjes na de door het bedrijf gesponsorde welkomstdrankjes een lijntje snoof van de wasbak van het damestoilet. Of de vreemde zomer bij een crisis-pr-bureau, voor muzikanten wier problemen varieerden van gelekte privéfoto's tot strafzaken. De tweede week was haar gevraagd om met de ongelooflijk dure Mercedes van haar manager door Londen te rijden, om een pakket af te leveren bij het huis van een beroemdheid die ternauwernood een gevangenisstraf voor dood door schuld had ontlopen.

'Onschuldig totdat het tegendeel bewezen is,' had haar manager haar in herinnering gebracht.

'Maar de enige reden dat het bewijsmateriaal werd afgewezen, is...' begon Olivia.

'Onschuldig. Totdat. Het. Tegendeel. Bewezen. Is,' zei haar manager.

Olivia wilde er niet aan denken wat er verborgen werd gehouden om de personeelsetentjes van bijna tweehonderd euro per persoon bij een Michelinrestaurant te laten bekostigen. Ze had stilletjes haar ontslag ingediend en een klein deel van haar spaargeld aan een goed doel geschonken. Maar alle donaties en lange hete douches ter wereld konden haar niet bevrijden van de duistere fluistergesprekken die ze had opgevangen terwijl ze wachtte tot de waterkoker op kantoor kookte.

In de zomer van haar tweede jaar aan de universiteit liep Olivia stage bij een bekend technologiebedrijf. Juist, dát technologiebedrijf. De stagiaires kregen een gratis uitgebreid ontbijt om te vergeten dat ze vier weken onbetaald aan de slag gingen. Bovendien was het een stilzwijgende herinnering aan het feit dat deze zomer hun cv zou opdoffen met wat prestige en dat ze de giftige cultuur voor lief zouden moeten nemen. Toen de dag van hun zogenaamd vrijwillige, maar uiteraard verplichte zomerborrel op kantoor aanbrak, vond Olivia een excuus om haar team te verlaten, zodat ze met de andere stagiaires kon gaan snookeren. Ze had toegegeven dat ze de spelregels niet echt kende, maar in plaats van dat een van de andere stagiaires haar tips gaf, dook er een man op die in de boekhouding werkte. Hij was groter dan zij, en ook wat ouder. In de veertig misschien. Hij legde traag zijn hand op haar schouder en mompelde dat hij 'haar wel zou leren spelen'.

Voordat ze beleefd kon weigeren, had hij zijn lichaam tegen het hare gedrukt en de snookerkeu tussen haar vinger en duim geplaatst. Haar hele lichaam verstijfde toen hij haar handen bedekte met zijn zweterige handpalmen. Er waren te veel mensen in de ruimte om een scène te schoppen. Het hoofd van haar afdeling stond een paar stappen verderop met de top van het bedrijf te praten. De andere stagiaires stonden daar maar, haar ongemak in zich opnemend alsof ze zelf het slachtoffer waren. De boekhouder perste zijn hele lichaam tegen het hare, terwijl zijn naar wodka en limoen geurende adem kleine vochtdruppeltjes op haar schouder achterliet.

Maar ze kon geen scène maken. Dus was ze gewoon verstijfd, had ze tot tien geteld en toen gezegd dat ze naar het toilet moest, waarna hij haar eindelijk liet gaan.

In de toiletten zei ze tegen zichzelf dat als ze uit was geweest, ze iets zou hebben gezegd. Ze zou iets hebben gedaan. Als een griezelige oudere man in een bar zijn lichaam tegen het hare had gedrukt, zou ze hem weg hebben geduwd, tegen hem hebben geschreeuwd en zijn vertrokken. Maar in een ruimte met mensen die haar na haar afstuderen een lovende aanbeveling of een prestigieuze baan zouden kunnen geven, zou het haar niets opleveren als ze een scène zou schoppen. Dus had ze wat water in haar gezicht gesprenkeld, had ze gedaan alsof er niets was gebeurd en was ze verdergegaan.

Ongebruikelijke, dure en soms ongemakkelijke ervaringen waren gewoon de prijs die je moest betalen om voor prestigieuze bedrijven te werken, een paar maanden voor de recessie. Dus toen de interviewer haar vroeg: 'Kun je me vertellen over een uitdaging die op je pad kwam en over hoe je die hebt overwonnen?', gaf ze haar meest gepolijste antwoord. Ze vertelde over een stage die ze afgelopen zomer had gelopen bij een stichting en liet een cryptische referentie op sportgebied vallen, waardoor hij rechtop ging zitten en breed glimlachte. Olivia wist dat ze het redelijk goed had gedaan, maar zelfs zij was verrast geweest toen ze de e-mail in haar inbox ontdekte met 'Gefeliciteerd!' als onderwerpregel. Ze had uren in de bibliotheek doorgebracht, tijdens elke universiteitsvakantie stage gelopen en haar carrière minutieus uitgestippeld in de hoop dat die zou leiden tot waar ze haar hele leven van had gedroomd. En nu ze eindelijk de stap had gezet, had Olivia haar droombaan op de Olympische Spelen gevonden, een droom waar ze naartoe had gewerkt vanaf haar achtste jaar.

Het begon allemaal tijdens de zomer van de Olympische Spelen van 2008 in Peking. Haar ouders hadden drie grote schalen popcorn klaargemaakt, de televisie aangezet en tegelijkertijd met miljoenen mensen van over de hele wereld naar de openingsceremonie gekeken. Olivia had een vage herinnering aan een lerares die haar klas over de Olympische Spelen vertelde, maar pas toen ze als achtjarige op de bank voor de tv zat en zag hoe het begon, begreep ze voor het eerst waarom haar ouders er zo enthousiast over waren. Ze had gezien hoe de deelnemers aan de openingsceremonie het podium vulden en een verhaal vertelden door middel van zang en dans, en ze was volledig gebiologeerd geweest door wat zich voor haar ogen ontvouwde. Ze had de volgende dag naar het schoonspringen gekeken en vol ontzag naar de tv gestaard toen ze beseft had hoeveel discipline en oefening het hen had gekost om dat punt te bereiken. Ze had een documentaire gezien over een wielrenner die was opgegroeid in een sloppenwijk en goud had gewonnen. Ze verwonderde zich erover hoe sport iemands leven kon veranderen. Die zomer bracht Olivia urenlang voor de tv door en keek ze verschillende wedstrijden. Ze ging naar de bibliotheek om over de sporten te lezen en bladerde vervolgens door de tv-gids om documentaires en films over de meest legendarische sporters te vinden. Tegen de tijd dat zij en haar ouders weer voor de tv zaten om naar het vuurwerk van de afsluitingsceremonie te kijken, was Olivia zo onder de indruk van de omvang van dit alles dat haar visie op wat ze wilde doen – of beter gezegd: waar ze wilde werken – haar helder voor ogen stond.

De magie van dit alles betoverde haar tegen wil en dank. Olivia hing haar muren vol met posters met de officiële logo's van alle zomerspelen van de afgelopen vijftig jaar. Haar ouders struinden vintagewinkels en online veilingen af om olympische memorabilia voor haar verjaardag te kopen. Sinds die eerste olympische openingsceremonie droomde Olivia ervan haar hele leven lang de wereld rond te reizen om die vijf met elkaar verbonden ringen te volgen. In het dagelijkse leven was ze niet echt een idealist, maar iets in de manier waarop de Spelen de landsgrenzen, talen en politieke grenzen overschreden, gaf haar een reden om ergens in te geloven. Een geloof dat sterk genoeg was om haar leven omheen te bouwen. Nu stond ze op het punt dat eindelijk werkelijkheid te zien worden. Ze zou stage gaan lopen bij de Spelen en vertrok over een paar dagen naar Athene om haar droom te verwezenlijken. Daar had ze gewoon de perfecte outfit voor nodig.

'Olivia, meisje, wat zie je er fantastisch uit,' zei haar moeder, Mai Nkomo, terwijl ze haar ogen depte met een tissue. Ze zat op een stoel bij de paskamers. Zelfs als Olivia naar buiten was gekomen in een jutezak, zouden haar ouders nog hebben gezegd dat ze eruitzag als een supermodel.

Maar toen ze zichzelf in de spiegel bekeek, besefte ze dat ze er echt goed uitzag. Ze droeg een indrukwekkend smaragdgroen pak dat haar perfect paste. Ze had naar het prijskaartje gekeken terwijl ze zich had aangekleed, en een grimas getrokken vanwege het bedrag. Ze wist dat haar ouders het niet zouden kunnen betalen. Ze was van plan het weer uit te doen en tegen hen te liegen en te zeggen dat het niet paste, zodat ze iets goedkopers kon zoeken, maar ze hadden haar geroepen voordat ze een redelijk excuus had kunnen verzinnen.

'Mijn mooie, slimme, succesvolle meisje. Draai eens rond!' zei haar vader, Baba Nkomo.

Olivia draaide een rondje voor hen en deed haar best zich niet opgelaten te voelen toen ze de winkelbedienden aan de andere kant van de kleedkamers zag glimlachen.

'Ik zie het al,' zei haar moeder terwijl ze opgewonden opstond. 'Je loopt die kantoren binnen, ziet eruit als een slimme, gedistingeerde professional en je maakt indruk op iedereen.'

'Vooraanstaande mensen de hand schudden, indruk op ze maken met je genialiteit... Dat is nu mijn dochter, de olympische advocaat.'

'Ik ben nog geen advocaat, pa.' Olivia had een driejarige rechtenstudie afgerond, maar was nog niet begonnen aan haar praktijkopleiding. 'En het is nog geen baan, het is gewoon een stage,' zei ze, terwijl ze probeerde het verhaal in goede banen te leiden voordat ze het onderwerp van gesprek werd in de WhatsApp-groepen waarin haar ouders en hun vrienden berichten uitwisselden over hoe goed hun kinderen het deden.

'Maar ik kan de finish al zien,' zei haar moeder, terwijl ze naar haar toe liep om haar te omhelzen en ze samen in de spiegel keken.

Olivia beantwoordde haar omhelzing en glimlachte naar hun spiegelbeeld. Ze probeerde haar ouders ervan te overtuigen het niet te kopen. Ze zei dat ze de perfecte outfit al in huis had. Maar ze drongen erop aan. Ze wist dat ze te trots waren om toe te geven dat ze het zich niet konden veroorloven en dat ze diep beledigd zouden zijn als ze zou aanbieden het zelf te betalen. Dus omhelsde ze haar moeder en besloot ze hen terug te betalen door de boodschappen voor die maand te kopen. Ze zouden nooit geld van haar aannemen, maar ze zouden geen nee zeggen tegen een keuken vol eten.

Olivia's ouders hadden haar sinds haar zesde elk jaar meegenomen om een nieuw schooluniform te kopen voor de eerste schooldag. Zelfs als er weinig geld was, en ze beter iets tweedehands hadden kunnen kopen. Dus toen ze stage begon te lopen en nieuwe banen kreeg, hadden ze de traditie voortgezet en waren ze met haar naar de opruiming van warenhuizen en uitverkoopdagen in de winkelstraten gegaan in plaats van naar door school verplichte uniformwinkels. Haar vader herinnerde haar er altijd aan dat ze zich netjes moest kleden, en haar moeder vertelde haar dat de juiste outfit de sleutel was om elke ruimte binnen te lopen met het gevoel dat ze daar thuishoorde. Dus toen ze het prachtige smaragdgroene pak in de etalage zag hangen, besefte ze meteen dat ze de perfecte outfit had gevonden om een vliegende start te maken voor de belangrijkste baan van haar leven. En daarmee de doelen te bereiken waar haar ouders het grootste deel van hun leven naartoe hadden gewerkt.

Toen Olivia's ouders in de jaren negentig vanuit Zimbabwe naar Groot-Brittannië waren geëmigreerd, waren het jonge, hoopvolle twintigers geweest. Ze jaagden de droom na waarnaar zovelen voor en na hen hadden gestreefd: een beter leven opbouwen in Groot-Brittannië. Ze hadden elkaar ontmoet bij hun rechtenstudie, waren binnen een jaar getrouwd en waren vol goede moed in Engeland aangekomen, klaar om een leven voor zichzelf op te bouwen.

De desillusie kwam echter snel. Eersteklas diploma's uit derdewereldlanden betekenden niets in hun koude, grijze nieuwe thuisland. De studiejaren waren verloren tijd geweest. Vooraanstaande advocatenkantoren wilden geen immigranten in dienst nemen met een zwaar accent, uit een land dat ze alleen kenden in termen van dictators en armoede. Ze hadden zich dus allebei omgeschoold en zichzelf beloofd ooit weer advocaat te worden. Die dag was echter nooit aangebroken. Haar vader had een baan gekregen als maatschappelijk werker; hij bracht zijn dagen en nachten door met het helpen van kwetsbare volwassenen, terwijl het budget van de gemeente elke week verder gekort werd. Haar moeder had een baan gekregen als docente in rechten. De middelbare scholieren aan wie ze lesgaf, lachten om haar accent en deden alsof ze niet begrepen wat ze zei. Maar ze bleef tot laat telefonisch bereikbaar om hulp te kunnen bieden waar nodig en runde een wekelijkse zomerclub met lunches voor kinderen die waarschijnlijk geen goede warme maaltijd zouden krijgen als ze niet op school waren.

Het betere leven waarvan ze hadden gedroomd, bestond uit lange werkdagen, terwijl ze nauwelijks rond konden komen; en uit wonen aan de andere kant van de wereld, in een stad die nooit als thuis zou voelen. Maar nu ze haar aankeken, wist Olivia dat al hun harde werk in hun ogen de moeite waard was geweest. Zij zou alles bereiken wat zij niet hadden kunnen bereiken. Hun dochter, hun enige kind, was het product van hun stoutste dromen.

3

Olivia

Drie dagen voor de openingsceremonie

'Ben je er klaar voor om halsoverkop verliefd te worden op een knappe Griekse jongen, te veranderen in een zonnegodin en de mooiste zomer van je leven te ervaren?' vroeg een bekende stem. Even later werd Olivia omhelsd door haar favoriete persoon ter wereld, omgeven door een geur van espresso. Aditi Sharma.

'Eh, ik ben er klaar voor om deze stage tot een succes te maken, een fulltimebaan bij het Internationaal Olympisch Comité aangeboden te krijgen en de mooiste zomer van ons leven te ervaren,' zei Olivia, terwijl Aditi haar nog steviger omhelsde.

Aditi Sharma was zo'n type aan wie je al je geheimen kon toevertrouwen zonder ook maar een moment bang te zijn dat die de kamer zouden verlaten. Haar lange golvende zwarte haar, goudbruine huid en rondingen zagen er in alles goed uit. Ze hadden elkaar op vijfjarige leeftijd op de speelplaats ontmoet en sindsdien waren ze onafscheidelijk. Ze was de zon in menselijke persoon.

'Ik ben zo trots op je Liv!' zei Aditi, terwijl ze haar handen aan weerszijden van Olivia's gezicht legde. Ze hadden het al jaren over haar olympische droom. Zodra Olivia de stageplaats had veiliggesteld, had haar beste vriendin gesmeekt om met haar mee te mogen. Aditi was een fulltime-influencer met een bijbaantje als grafisch ontwerper voor een technologiebedrijf. Ze kon eigenlijk overal werken, dus hadden ze voor de zomer een appartement in Athene geregeld.

Olivia's stage was onbezoldigd, wat niet echt een verrassing was, dus kwam ze in het rood door de kosten van de vlucht en moest ze haar creditcard aanspreken om de airbnb te kunnen betalen. Ze negeerde het gevoel dat ze in een financiële hel terechtkwam, want dit was voor de Olympische Spelen! Ze zou dat allemaal afhandelen zodra ze haar uiteindelijke baan zou hebben gevonden.

Ze liepen over het vliegveld, gingen door de douane en snuffelden wat rond in de boekwinkel terwijl ze wachtten tot hun gate bekend werd gemaakt. Ze probeerden luxeparfums uit in de taxfreewinkels en dachten aan de weken die voor hen lagen als ze eenmaal in Griekenland waren geland.

'Zo, dus het zonnetje Olivia is er weer?' Olivia stopte even waar ze mee bezig was en draaide zich om naar Aditi.

Zij en Aditi hadden jarenlang gespaard voor de zomer na hun negentiende verjaardag. Ze waren geen van beiden ooit op vakantie naar het buitenland geweest, dus hadden ze al dromend een meidentrip gepland. Ze hadden reisblogs gelezen, vakantievlogs gekeken en gezocht naar 'veilige, niet-racistische steden voor jonge vrouwen' voordat ze Portugal hadden uitgekozen. Aditi gaf het geld uit dat ze had verdiend met haar vroege sponsordeals, en Olivia combineerde de inkomsten uit haar parttimebaan met een aanzienlijk deel van haar studentenkrediet. Ze hadden een geweldige tijd gehad. Toen, op de vierde dag dat ze Lissabon verkenden, ontmoette Olivia Tiago: een lange, woest aantrekkelijke Portugese jongen die werkte in het hostel waar ze logeerden. Hij nam ze mee naar zijn favoriete bakkerij om heerlijke *pastéis de nata* te proeven, liet hen prachtige uitzichten op de skyline zien vanaf elk punt in de stad, en toen had hij Olivia gekust terwijl ze bij zonsondergang over het strand liepen. Olivia was als een blok voor hem gevallen. Op een gegeven moment had ze zich tot Aditi gewend en gezegd: 'Ik denk dat de zon naar mijn hoofd is gestegen. De zomer maakt me roekeloos.' En zo was de bijnaam geboren. Maar ze was vastbesloten om dit jaar haar hoofd erbij te houden.

'Het zonnetje Olivia is voorgoed met pensioen,' zei Olivia vastbesloten.

'Maar ze is zo leuk,' zei Aditi met een ondeugende glimlach.

'Ze is leuk totdat ze afgeleid raakt en slechte beslissingen begint te nemen, een zonnesteek oploopt en mijn leven bijna op zijn kop zet,' zei Olivia, zich de laatste keer herinnerend dat het zonnetje Olivia de touwtjes in handen had genomen. Uiteindelijk had ze haar creditcard gebruikt om een lastminutevlucht te boeken en had ze de hele reis naar huis in het vliegtuig gehuild.

'Maar weet je nog hoeveel plezier we hadden?'

'En weet je nog dat ik bijna daar gebleven was?'

'Zou dat zo erg zijn geweest?' Aditi glimlachte opnieuw.

'Dat zeg je alleen maar omdat je een reden gehad zou hebben om elk jaar in augustus naar een Portugese badplaats te vliegen als ik mijn leven voor die jongen op zijn kop had gezet,' zei Olivia, en ze trok een wenkbrauw op. Ze lachte toen de uitdrukking op Aditi's gezicht veranderde. 'Deze keer gaat het plan vóór alles,' zei ze, terwijl ze op de bovenkant van haar koffer tikte om elk woord te benadrukken.

Na de impulsieve, bijna rampzalige zomer van 2019 was Olivia naar huis gegaan en had ze minutieus in kaart gebracht hoe ze de komende jaren wilde leven. Ze had een vijfjarenplan gemaakt, dat boven haar bureau geplakt en zichzelf beloofd dat ze er alles aan zou doen om elk doel op haar lijstje te bereiken.

'En wat is ook alweer het plan?' Aditi kende elke stap van het plan, maar ze wist ook hoe graag Olivia erover praatte.

'In het eerste tot en met het derde jaar cum laude een graad in de rechten behalen aan de universiteit van Londen en stage lopen bij de grootste vier bedrijven,' zei Olivia.

'Check,' zei Aditi glunderend.

'In het derde jaar loop ik in New York gedurende de zomer stage bij bedrijven die zich voor de Olympische Spelen inzetten en ga ik naar de Londense beurs voor mijn master.'

'Check,' zei Aditi terwijl ze een vinkje in de lucht tekende.

'In het vierde jaar ga ik mijn masterprogramma even halen, win ik een academische prijs en loop ik stage bij een aantal techstart-ups en goede doelen.'

'Check!' schreeuwde Aditi, terwijl ze een kneepje in Olivia's arm gaf.

'In het vijfde jaar ga ik stage lopen op de Olympische Spelen, waardoor ik een vast contract krijg voor mijn droombaan bij het Internationaal Olympisch Comité, of de VN,' zei Olivia terwijl ze naar hun gate liepen. 'En de rest van mijn twintiger jaren? Dan ga ik het helemaal maken. Op mijn negenentwintigste sta ik op de Forbes Thirty Under Thirty-lijst of ben ik genomineerd voor de Nobelprijs.' Olivia lachte, maar ze wisten allebei dat ze geen grapje maakte; ze leefde voor pure ambitie.

'Of allebei,' zei Aditi.

Olivia kon altijd op haar beste vriendin rekenen als haar grootste fan. In het vliegtuig sloten ze hun schermen op elkaar aan om tijdens hun vlucht samen naar dezelfde film te kijken. Toen ze halverwege Engeland en Griekenland boven de Oostenrijkse bergen waren, haalde Aditi haar toilettas tevoorschijn en begon – tot grote verbijstering van de man van middelbare leeftijd die naast hen zat – aan haar zesdelige huidverzorgingsroutine. Olivia nam een gezichtsmasker van haar aan, sloot haar ogen en glimlachte.

Deze zomer kreeg ze de kans om het begin van haar levensdroom te verwerkelijken. En om het helemaal te maken, iets wat haar ouders zelf niet hadden kunnen bereiken. Ze kon het zich gewoon niet veroorloven om af te wijken van het plan dat ze zorgvuldig voor zichzelf had opgesteld.

'Dames en heren, hier spreekt uw piloot,' klonk de stem uit de luidsprekers hierboven. 'We staan op het punt te landen in Athene, waar het momenteel 34°C is. Aan uw linkerhand ziet u de majestueuze heuvels en de Akropolis liggen.'

Olivia keek naar links en ving een glimp op van de stad door de ramen aan de andere kant van het vliegtuig.

'Aan uw rechterhand ziet u waarvoor zovelen van u deze zomer naar Athene zijn gereisd,' zei hij.

Olivia keek uit haar raam toen het vliegtuig aan de afdaling begon. Ze zag hoe de stad zich uitstrekte aan de horizon. En toen keek ze wat beter. Daar was het, een beetje afgezonderd van de rest van de stad. Olivia had er jarenlang plannen voor gemaakt, zich maandenlang voorbereid en haar hele leven ervan gedroomd. Nu was het eindelijk binnen handbereik.

4

Zeke

Twee dagen voor de openingsceremonie

De kleding van het Britse team werd persoonlijk bij Zekes appartement afgeleverd, in dozen met een grote blauwe strik erom. Hij was bezig met gewichtheffen terwijl hij een van zijn eerdere wedstrijden bekeek en analyseerde. Maar zodra de koerier arriveerde, legde hij alles terzijde. Hij zette de eerste doos op zijn salontafel, maakte voorzichtig de strik los en tilde traag het deksel op. Er zat een fonkelwit jasje in. Op de linkerkant van de borst zat een Britse vlag, op de rechterkant was TEAM GB geborduurd en op de achterzijde zijn volledige naam. Terwijl hij in de spiegel keek, drong de realiteit tot hem door: hij ging echt naar Athene om hopelijk voor de eerste keer goud op de Olympische Spelen binnen te halen. En voor het eerst in maanden zou hij al zijn sportvrienden weer zien.

Toen Zeke aankwam bij de luchthaven op de dag dat het team naar Griekenland zou vliegen, werd hij omringd door een opgewonden menigte die met Britse vlaggen zwaaide, juichend voor elke atleet die passeerde. Aan weerszijden van de ingang stonden verslaggevers en tv-camera's opgesteld. Een groep schoolkinderen hield bloemen vast en borden met gelukwensen erop. Eén meisje zag hem en stootte haar vriend aan, waardoor er een rimpeling door de zee van supporters ontstond totdat ze allemaal zijn naam riepen.

'Zeke!' riep een stem die hij onmiddellijk herkende. Hij draaide zich om en zag een van zijn vrienden: Anwar, een speerwerper van het Britse team. Het hele team was in de luchthaventerminal en herenigde zich met vrienden die allemaal verschillende sporten beoefenden en elkaar maar een paar keer per jaar zagen.

'Ik zie dat je weer een shirt hebt besteld dat twee maten te klein is,' zei Camille, een van de hoogspringers.

'Speciaal voor jou, Camille,' zei Zeke. Hij glimlachte naar haar.

'Waar luister je momenteel naar, Frankie?' vroeg Zeke. Frankie was een langeafstandsloper die tijdens zijn marathontrainingen altijd naar audioboeken luisterde.

'*Een klein leven*,' zei Frankie.

'Wauw, zie je het nog zitten?' vroeg Zeke verbaasd. Hij had het boek afgelopen zomer gelezen en net als alle andere lezers had hij zich een beetje verloren gevoeld toen hij het uit had.

'Het is niet echt luchtige stof, hè?' zei Frankie. 'Maar het duurt tweeëndertig uur, dus perfect voor training.'

Het team controleerde zijn tickets om te zien wie naast wie in het vliegtuig zat. Er waren meer dan vierhonderd atleten op de luchthaven. Schermers, wielrenners, roeiers, turners, boksers en atleten die deelnamen aan sporten waarvan de gemiddelde mens nog nooit had gehoord. Dat was het mooiste aan de Spelen: deel uitmaken van iets wat veel groter was dan jezelf. In een team zitten met atleten die in alle uithoeken van het land waren opgegroeid en zich nu thuis voelden in stadions, op sportvelden en in of op het water. Er hing opwinding in de lucht toen de realiteit tot hen begon door te dringen. Zeke en zijn teamgenoten hadden de afgelopen vier jaar allemaal voor dit moment getraind. Ze hadden elke dag aan hun sport gewijd, waardoor ze verjaardagsfeestjes, vakanties en zorgeloze weekenden met vrienden hadden gemist. Het was die tijd meer dan waard geweest, want nu stonden ze op het punt de strijd aan te gaan met enkele van de beste atleten uit de geschiedenis.

Zeke dacht terug aan de dag waarop hij werd gebeld. Hij had tijdens zijn jeugd deelgenomen aan lokale en regionale hardloopwedstrijden en hij en zijn vader hadden in de loop der jaren veel coaches ontmoet. Ze hadden hele autoritten gemaakt om zijn carrière uit te stippelen en hardlopers als Linford Christie, Usain Bolt en Tyson Gay te bestuderen, om van hun techniek te leren. Maar Zeke kreeg het telefoontje van coach Adam, met de uitnodiging om zich bij het Britse team aan te sluiten, pas een kleine maand na de begrafenis van zijn vader.

Hij had zich dankbaar bij het team aangesloten, maar hij had een diepe golf van verdriet gevoeld door het besef dat zijn vader er niet meer was om hem advies te geven. De dood van zijn vader was zeer plotseling geweest, een hartaanval die niemand had zien aankomen. Zeke was te jong geweest om te beseffen hoeveel vragen hij hem nog had willen stellen. Als hij vermoed had dat zijn vader er niet zou zijn bij de Olympische Spelen, zou Zeke veel meer aandacht aan zijn woorden hebben besteed. Hij zou in de auto naar elke preek en elk ongevraagd advies hebben geluisterd. Hij zou zijn koptelefoon hebben afgezet en gevraagd of hij alle favoriete verhalen van zijn vader mocht horen. Hij zou hem vragen hoe hij moest leven, hoe hij een goed mens moest zijn en hoe hij kon weten of hij het goed deed. Want ondanks de geruststelling van zijn moeder en broers was hij er nooit helemaal zeker van dat hij het goed deed.

Zeke en de andere atleten van het Britse team begaven zich naar de hal van de luchthaven en stelden zich op. Ze trokken hun sporttenues recht terwijl fotografen hun camera's richtten op het vliegtuig dat hen naar Athene zou vliegen.

'Wanneer heb je Miss USA voor het laatst gezien?' vroeg Anwar, terwijl hij Zeke een elleboogstoot gaf toen er een tijdschrift uit Camilles tas viel.

'Ik heb geen idee waar je het over hebt,' loog Zeke. Zijn vrienden keken hem met geamuseerde, vragende ogen aan.

'O, dus je kent haar niet?' vroeg Camille terwijl ze het tijdschrift oppakte en het aan hem overhandigde.

Op het julinummer van de Amerikaanse *Vogue* stond een groepsfoto van de sterren van het turnteam van Team USA op de cover, The Fearless Five. Daar stond Sade Ambrose, een negentienjarige uit Michigan die een salto had gemaakt waarvoor slechts twee andere turnsters ooit eerder dapper genoeg waren geweest. Verder had je Ming Zhang, een tweeëntwintigjarige uit Maine, wiens sprongen ongeëvenaard waren. En dan waren er nog Kristen Lewis, een drieëntwintigjarige uit Arizona, die ieder naar adem deed happen met haar prestaties aan de ringen, en Ava Johnson, een achttienjarige New Yorker wiens oefeningen op de vloer viraal gingen.

Op de voorkant stond de tekst 'The Fearless Five'. Ava, Ming, Kristen en Sade stonden allemaal midden in een boomgaard met prachtig versierde bladgoudkronen. In het midden van de foto, met lang krullend bruin haar en doordringende donkergroene ogen, stond het meisje over wie iedereen meer wilde weten. Valentina Ross-Rodriguez. Ze was de vijfvoudig medaillewinnaar en steraanvoerder van het turnteam van Team USA. Op vierentwintigjarige leeftijd werd ze al erkend als een van de grootste atleten van haar generatie. Ze was Zekes ex-vriendin.

De chef de mission van het Britse team liep naar voren, keek naar de atleten en zei: 'Goed, allemaal glimlachen en op drie zeggen we "team"!'

Zeke negeerde de vragen van zijn teamgenoten, keek in plaats daarvan rechtstreeks in de camera en glimlachte. Het zou een heel interessante zomer worden.

Athene, Griekenland

Zomer 2024

5

Olivia

Eén dag voor de openingsceremonie

'Je moet echt *Wees de regisseur van je eigen leven* lezen, Olivia,' drong Aditi aan.

'Aditi, je bent een schat. Maar ik ga geen boek lezen dat *Wees de regisseur van je eigen leven* heet.' Olivia stond zeer sceptisch tegenover de 'levensveranderende' zelfhulpboeken van haar beste vriendin. Vooral omdat ze oubollige titels hadden als *De wereld ligt aan je (zweterige) voeten* en *Wees de regisseur van je eigen leven.*

'Goed, aangezien je nooit een van mijn goede adviezen opvolgt… Het idee is dat alles mooi is, áls je het maar op die manier bekijkt.'

'Hoe maak ik hier iets moois van?' Olivia richtte de camera van haar telefoon op de automaat naast de bushalte waar ze stonden te wachten om naar het olympisch dorp gebracht te worden.

'Het is een Griekse automaat! Heb je dat chocolademerk ooit eerder gezien?'

'Nee. Ik zal een foto maken voor mijn plakboek. En hoe zit het met die telefooncel?'

'Dat is een eeuwenoud artefact uit de periode vóór Uber bestond.'

'Je doet belachelijk,' zei Olivia, geamuseerd door de onwrikbare vastbeslotenheid van haar beste vriendin om magisch te denken.

'Ik ben een verhalenverteller.' Aditi grijnsde aan de andere kant van de lijn. Dat meisje ging soepel door het leven, met ogen vol van verwondering. Ze zag overal magie in, en hoewel Olivia dat niet deed, bleef haar beste vriendin ervoor zorgen dat ze dat wel zou willen. Dat was waarschijnlijk de reden dat ze zo lang vriendinnen waren gebleven. Op alle punten die ertoe deden zaten ze op één lijn, maar ze verschilden op alle punten die het leven leuk maakten. Aditi probeerde er altijd voor te zorgen dat Olivia meer plezier had.

'Ik zat nog aan het zonnetje Olivia te denken,' begon ze.

'Niet weer,' zei Olivia hoofdschuddend, terwijl ze een slok water uit haar fles nam. De hitte van Athene begon haar in zijn greep te krijgen.

'Luister nu eens. Wat als die zomer geen toevalstreffer was?'

'Het was geen toevalstreffer, het was een vergissing,' hield Olivia vol, terwijl ze zich herinnerde hoe ze zichzelf had toegestaan zo verliefd te worden op Tiago dat ze had overwogen haar laatste jaar uit te stellen om met hem de wereld rond te reizen. Toen was ze op een avond naar zijn appartement gegaan om hem te verrassen. Daar werd ze bij de deur begroet door zijn prachtige, ongelooflijk boze vriendin, die hij al járen had. Tiago had hen de hele zomer voor elkaar verborgen gehouden. Olivia was te zeer in beslag genomen geweest door haar gevoelens om de tekenen te zien.

Het impulsieve, zorgeloze zonnetje Olivia zou dus niet in Athene verschijnen. Maar voordat ze ophing, had ze Aditi wel beloofd dat ze die ochtend zou vereeuwigen met een foto van de eerste dag.

Ze liep naar het standbeeld van de vijf olympische ringen en zette haar telefoon op een hek om te proberen een foto te maken. Uiteindelijk, na haar derde poging, kwam er een man naar haar toe om haar te helpen.

Olivia's ogen werden groot. Ze had geweten dat ze uiteindelijk een atleet in het echt zou zien; het was tenslotte het olympisch dorp. Ze had alleen niet verwacht zo snel na haar aankomst al een sporter te ontmoeten. Hij droeg een wit-rood trainingspak en had het soort lange, sterke postuur waardoor het duidelijk was dat hij daar was om deel te nemen aan een wedstrijd. Maar Olivia zou hem ook midden in een overvolle supermarkt hebben herkend. Omdat hij niet zomaar een atleet was. Het was Haruki Endō. De topper van het Japanse zwemteam. Hij had op de laatste Olympische Spelen een gouden plak gewonnen, had net meegedaan aan een grote modecampagne van Louis Vuitton en was op weg om die zomer nog meer medailles te winnen. Olivia was compleet onder de indruk.

'Ik kan een foto voor je maken als je wilt,' zei hij, terwijl hij glimlachend naar haar toe liep.

'Bedankt, mijn beste vriendin zou me vermoorden als ik geen goede foto zou maken,' zei Olivia.

'Je móét een foto maken op de eerste dag. Je weet nooit wat die over vijf jaar voor je zal betekenen,' zei hij.

Olivia glimlachte naar de camera en probeerde er niet aan te denken dat ze met een meervoudig medaillewinnaar van de Olympische Spelen sprak.

'Zijn deze goed?' vroeg hij, terwijl hij naar haar toe liep zodat ze de foto's kon bekijken. Haar vlechten zaten in een paardenstaart en twee perfecte losse krullen omlijstten haar gezicht, waardoor ze een zacht trekje kreeg. Bovendien droeg ze gloednieuwe hakken en het nauwsluitende groene pak dat haar ouders speciaal voor vandaag voor haar hadden gekocht. Olivia straalde.

'Het is perfect, bedankt,' zei ze, knikkend als een hondje dat op de hoedenplank van een auto stond. Ze had zoveel moeite om kalm te blijven, dat toen ze hem de hand schudde, het notitieboekje – dat gevaarlijk uit haar tas hing – eruit viel.

Haruki bukte zich om het op te rapen. 'Graag gedaan,' zei hij, terwijl hij zijn hand uitstak om de hare te schudden. 'Ik ben Haruki.'

'Ik ben Olivia,' zei ze.

'"Ik voel me erg olympisch vandaag"?' zei hij vragend, terwijl hij de woorden las die op het notitieboekje stonden.

Olivia voelde een vleugje schaamte, zo uit de context klonk het maar oubollig. 'Het is een citaat uit...'

'*Cool runnings*?' vroeg Haruki, die het leek te herkennen.

'Ja,' zei Olivia aangenaam verrast.

'Ik ben dol op die film,' zei Haruki, terwijl hij haar blik beantwoordde met het soort glimlach waardoor tienermeisjes zich meteen tot zijn schare fans zouden rekenen.

'Het is mijn favoriete film,' gaf Olivia toe. 'Niets is zo mooi als het verhaal van een underdog.'

'Het is een van die zeldzame waargebeurde films met een vrolijk, maar geloofwaardig slot,' zei Haruki. 'Ik hou ook wel van een goed underdogverhaal.'

Olivia wist dat Haruki niet uit een rijke familie kwam. Hij was olympisch zwemmer geworden door te trainen bij een plaatselijke zwemclub terwijl zijn moeder in de weekenden werkte. Ze voelde dat ze elkaar begrepen.

'Nou, ik moet nu naar de training... Maar ik zie je vast nog weleens.' Hij liep weg met een knikje en een laatste glimlach.

Misschien zou ze hem nog eens zien. De zomer die voor haar lag, leek zo vol mogelijkheden dat het bijna te mooi voelde om waar te zijn. De zon scheen en het dorp was mooier dan ze zich had voorgesteld. Leden van de organisatie liepen doelbewust rond met keycords om de hals en oortelefoontjes in, en overal waren energieke vrijwilligers die aanwijzingen gaven terwijl ze felgekleurde borden vasthielden. De energie die er heerste voelde hetzelfde als op de eerste ochtend van een festival. Voor het eerst sinds lange tijd had Olivia het gevoel dat ze precies was waar ze moest zijn.

6

Olivia

Eén dag voor de openingsceremonie

Ze zag er goed uit, ze voelde zich goed en de komende drie weken zou Olivia als zomerstagiaire deel uitmaken van het team Internationale Betrekkingen en Diplomatie van de Olympische Spelen. Ze keek naar haar telefoon om te zien hoe laat het was. Ze was een uur te vroeg, alles verliep volgens plan.

Toen ze bij de eerste veiligheidscontrole kwam, liet ze de beveiliger haar e-mailbevestiging zien. Hij controleerde haar paspoort en wees haar vervolgens in de richting van de lange rij voor de volgende controle. Haar voeten begonnen na vijf minuten pijn te doen, na tien minuten betreurde ze het dat ze hakken aan had gedaan en na achttien minuten overwoog ze om op blote voeten verder te gaan. Het was echter haar eerste dag en ze moest een goede indruk maken. Ze zou niet het meisje zijn dat midden in het olympisch dorp haar pumps uittrok. Ze had gewoon iets nodig om haar af te leiden van de pijn. Dus opende ze LinkedIn en begon te typen.

@OliviaDNkomo: Dolblij en trots deel ik het geweldige nieuws dat ik de eer heb om de zomer door te brengen bij het Internationaal Olympisch Comité als stagiaire Internationale Betrekkingen en Diplomatie.

Ze voegde de foto toe waarop ze naast de olympische ringen stond en plaatste die online. Ze voelde de veerkracht in haar stap toen ze naar de laatste controle liep.

Tegen de tijd dat ze vooraan in de rij stond, had haar moeder – die pushmeldingen voor activiteit van haar account aan had staan – al gereageerd: 'Van Harare naar Athene! Ongelooflijk! Dit ga ik met mijn studenten delen!'

Olivia schudde haar hoofd en lachte, wetende dat er waarschijnlijk al een screenshot onderweg was naar een van de vele Zimbabwaanse WhatsAppgroepen waarvan haar moeder deel uitmaakte. Maar voor één keer vond ze het niet erg. Was niet elk verhaal van de dochter van immigranten een underdogverhaal?

'Welkom in het olympisch dorp, scan alsjeblieft je QR-code om jezelf te identificeren,' zei de verveelde beveiliger in een hokje achter glas.

Olivia had echter geen QR-code om zich te identificeren. Ze zocht in haar e-mail en keek ook in de spam, maar er was niets te vinden.

'Welke afdeling zei je ook alweer?' vroeg de beveiliger.

'Internationale Betrekkingen en Diplomatie,' zei ze.

'Hm, je staat niet op die lijst. Weet je zeker dat je de juiste afdeling hebt?'

Olivia stak haar hand in haar tas om de bevestigingsbrief eruit te halen, maar terwijl ze dat deed, veranderde er iets. De beveiliger keek haar vreemd aan, pakte zijn portofoon en mompelde er een paar onbegrijpelijke woorden in. Meteen werd Olivia omringd door een groep zeer ernstig uitziende mannen die haar wegleidden bij de poort, waarbij ze haar perfect gestoomde pak kreukten.

'Hé! Wat doen jullie? Waar brengen jullie me naartoe?' vroeg ze, terwijl ze haar voortduwden. Haar hielen deden al pijn, maar nu ze zo snel over het geplaveide trottoir moest lopen, werd het nog erger.

'Je kreeg geen toestemming om het dorp te betreden,' zei een van de beveiligers streng. 'En zo te zien is dit een frauduleuze bevestigingsbrief,' zei hij terwijl hij haar achterdochtig aankeek.

'Frauduleuze... Waar heb je het over?' vroeg ze, terwijl ze haar wegvoerden. Olivia had geen idee waar ze het over hadden. Maar ze had tijdens haar tweede jaar aan de universiteit precies twee weken arrestatie in het buitenland bestudeerd en besloot dat dit hét moment was om voor zichzelf op te komen. 'Jullie kunnen me niet zonder reden opsluiten! Jullie moeten mij mijn rechten voorlezen!' riep ze uit, twijfelend of dit wel op de beveiligers van toepassing was. 'Jullie hebben niet eens een politiebadge.'

Maar ze begeleidden haar gewoon richting een discreet gebouw net buiten het dorp.

Terwijl ze protesteerde, zag ze dat een groep vrijwilligers naar haar keek en vervolgens wegkeek. Alsof oogcontact met haar hen ook erbij zou betrekken. Ze was doodsbang.

De beveiligers droegen haar over aan een vrouwelijke beveiliger die haar haar schoenen liet uittrekken, haar bezittingen aannam en door een nieuwe metaaldetector liep. Ze was opgelucht dat ze de hakken even uit mocht, maar ergerde zich eraan dat ze haar telefoon hadden afgenomen voordat ze op Google had kunnen opzoeken wat ze op zo'n moment moest doen.

Ze plaatsten haar in een geheel witte kamer zonder ramen en zetten haar op een stoel die aan de grond was vastgespijkerd. Was dit een olympische gevangenis? Ze vroeg het zich af. Had ze een advocaat nodig? Stond ze op het punt om ondervraagd te worden? Olivia bedacht diverse scenario's en probeerde zich te herinneren wat ze had geleerd over gevangenschap in het buitenland, toen de deur openging en een lange, slungelige man met een bezorgde blik op zijn gezicht binnenkwam.

'Ik vind het heel erg dat ze je zo hebben vastgehouden,' zei hij paniekerig. 'Ik sta aan de zijde van de Black Lives Matter-beweging en –'

Olivia deed haar uiterste best om niet met haar ogen te rollen. Natuurlijk begon hij dit gesprek met een dooddoener. Ze wilde zeggen dat hij moest kalmeren en ter zake moest komen, maar de man was op dreef.

'– het is niet acceptabel om een gekleurde persoon zonder reden vast te houden. Deze beveiligers vertegenwoordigen niet de waarden van diversiteit en inclusiviteit die centraal staan bij de Olympische Spelen en het Internationaal Olympisch Comité en –'

Olivia wist dat hij zich al had voorgesteld met wat voor pr-ramp hij zou worden geconfronteerd als er iets ergs met haar zou gebeuren. Maar ze had echt niet de energie om een witte man gerust te stellen die zo graag wilde horen dat zij hem niet racistisch vond.

'Kun je me even vertellen wat er aan de hand is?' zei ze met een zucht. Hij zag er nerveus uit.

'Ik ben Noah, hoofd Recruitment hier op de Olympische Spelen in Athene, en er is wat verwarring geweest over jouw rol.'

Olivia's moed zakte haar in de schoenen, zoals altijd als ze een donkere wolk aan de horizon zag verschijnen.

'In eerste instantie zouden er twee stagiaires Internationale Betrekkingen en Diplomatie komen. We hebben honderden sollicitaties doorgenomen en deze rigoureus tegen elkaar afgewogen,' zei hij.

Olivia knikte.

'We hebben echter een… administratieve fout gemaakt.'

Olivia ging rechtop in de stoel zitten en fronste.

Noah keek alle kanten op behalve in haar richting. 'Tijdens het wervingsproces besloot het team er een betaalde stage van te maken, maar de afdeling beschikte niet over het budget voor twee betaalde stages, dus moesten we het terugbrengen tot slechts één stagiaire. Helaas koos het team voor de andere aanvrager. Hoewel ik de volledige verantwoordelijkheid voor deze fout op me neem, had iemand contact met je moeten opnemen en je van de mailinglijst voor nieuwe rekruten moeten halen, maar helaas...'

Noah praatte nog steeds, maar Olivia luisterde niet meer.

Ze had jarenlang haar pad naar de Olympische Spelen uitgestippeld en vrijwel alles in haar leven was ondergeschikt geweest aan het verwezenlijken van haar grootste droom. Ze had haar rekening geplunderd, had haar creditcard veel te zwaar aangesproken en haar hoop gevestigd op deze ene perfecte zomer. Maar haar visioen verdween. Teleurstelling kende ze al goed, maar deze deed echt pijn. 'Dus als ik het goed begrijp, ben ik naar Athene gevlogen voor een stage die niet doorgaat?' vroeg Olivia kalm.

Noah huiverde. 'Het spijt me, maar dat is inderdaad het geval,' zei hij, terwijl hij naar het plafond, naar de grond en vervolgens naar de deur keek om oogcontact te vermijden.

Olivia wilde protesteren. Ze wilde voet bij stuk houden dat ze de verkeerde keuze hadden gemaakt, en wilde vechten voor de plek waarvan ze wist dat ze die verdiende. Ze had in gedachten al een lijst met vragen opgesteld om Noah voor het blok te zetten. Maar terwijl ze om zich heen keek, zuchtte ze alleen maar. Net zoals eerder – met de Mercedes waarmee ze naar het huis van een vermoedelijke moordenaar was gereden en de griezelige snookertafelman door wie ze de geur en smaak van limoenen was gaan haten – was het soms makkelijker om het los te laten en verder te gaan, dan om te vechten. Ze had er niets bij te winnen door op een plek als deze haar mening te uiten. Het label opgeplakt krijgen van opstandige zwarte meid zou de doodsteek zijn, terwijl ze hier ooit een baan wilde krijgen. Dus in plaats van ertegenin te gaan, besloot ze het te omzeilen. Haar beste optie, zo redeneerde ze, was hen ervan te overtuigen haar een baan te geven, wat voor werk dan ook. Dan zou ze zelf wel een weg naar de top vinden.

'Nou, Noah, ik ben helemaal naar Athene gekomen.' Ze deed haar best om haar kalmte te bewaren. 'Er moet toch iets zijn wat ik de rest van de zomer kan doen, toch?' Ze wilde vastberaden overkomen en niet opdringerig. Mijn hemel, het enige wat ze ooit deed was proberen vastberaden over te komen en niet opdringerig.

Noah friemelde en keek om zich heen alsof hij verwachtte dat de oplossing op de muren geschreven stond. Toen klaarde zijn gezicht op. 'Ja, er is wel iets. We hebben nog een laatste plek op een andere afdeling waar je deel van uit kunt maken.'

Olivia klemde haar tanden op elkaar en luisterde naar wat komen ging.

7

Zeke

Eén dag voor de openingsceremonie

'Zeke, wakker worden! Kijk!' riep Anwar.

Zeke was vrijwel onmiddellijk in slaap gevallen nadat hij in de shuttlebus van het Britse team was gestapt vanaf de internationale luchthaven van Athene. Maar door het geluid van Anwars stem werd hij wakker en keek uit het raam. Zijn ogen werden groot toen hij besefte wat hij zag. De poort; de borden; de rode, blauwe, groene, gele en zwarte ring.

'Het dorp…' zei Frankie.

Plotseling keek iedereen in de shuttlebus uit het raam. De weg naar de toegangspoort was omzoomd met een rij platanen die er magisch uitzagen in het zonlicht. De nieuwgebouwde trainingsfaciliteiten, accommodatieblokken en wedstrijdlocaties waren pure hightech. En atleten van over de hele wereld stroomden in kleurrijke teamuniformen uit de shuttlebussen.

Zeke was in Rio en Tokio geweest, maar het eerste moment op het terrein van het olympisch dorp was altijd adembenemend. De ernst van dit alles was overweldigend. Het was een vreemde mengeling van verdriet en vreugde. De Olympische Spelen waren de droom van hem en zijn vader geweest, maar slechts een van hen trad ooit het dorp binnen. Zeke probeerde de ingewikkelde gevoelens van zich af te schudden. Hij had zijn hele leven hiervoor offers gebracht. Maar er was meer aan de Olympische Spelen dan alleen meedoen.

Toen de GQ-journalist die Zeke had geïnterviewd, hem had gevraagd wat hem het meest aansprak aan de Spelen, had Zeke onmiddellijk geantwoord: het dorp – omdat de Olympische Spelen honderden jonge, knappe, atletische twintigers van over de hele wereld bij elkaar brachten en ze twee weken lang konden sporten en feesten. Nou ja, feesten tot op zekere hoogte.

'Wat er in het dorp gebeurt, blijft in het dorp...' zei Zeke en de hele bus begon te kreunen. Het was Zekes favoriete spel. 'Wat er in het dorp gebeurt, blijft in het dorp, maar herinneren jullie je nog die keer dat iemand dronken werd en de beveiliging hem om drie uur 's nachts door het stadion zag rennen in een Speedo van het Britse team... en verder niets?'

Jack, de kogelstoter die daar schuldig aan was, lachte vanaf de voorkant van de shuttlebus. 'Oké, wat er in het dorp gebeurt, blijft in het dorp, maar herinneren jullie je nog die ochtend dat we twee leden van het Kroatische roeiteam de kamer van Frankie zagen verlaten...'

Frankie riep protesterend: 'Wat er in het dorp gebeurt, blíjft in het dorp!' Frankie was niet zo onschuldig als hij eruitzag. 'Ik meen het,' zei hij blozend. 'Oké, wat er in het dorp gebeurt, blijft in het dorp, maar herinneren jullie je nog die keer dat iemand vuurwerk afstak om iemand te vragen zijn vriendin te worden en dat diegene vervolgens werd ondervraagd door de Japanse FBI?'

'Het waren gewoon heel actieve sterretjes!' protesteerde Zeke. 'En trouwens, ze waren niet boos op me, ze begrepen gewoon niet hoe ik die het dorp in had gekregen,' zei Zeke schouderophalend.

'Nu ik erover nadenk, hoe héb je dat vuurwerk eigenlijk het dorp in gekregen?' vroeg Anwar.

'En wat nog verbazender was, hoe heb je Valentina Ross-Rodriguez over weten te halen je vriendin te worden?' vroeg Camille met een grijns.

De hele bus lachte.

'En hoe heb je het zo erg kunnen verknoeien?' vroeg Frankie.

Ze plaagden hem altijd met Valentina.

Valentina Ross-Rodriguez was Zekes eerste liefde. Toen hij verliefd was geworden, was dat halsoverkop geweest. Zeke en Valentina hadden elkaar ontmoet op de Olympische Spelen in Tokio, toen ze twintig waren. Hun blikken hadden elkaar ontmoet tijdens de slotceremonie en ze waren onafscheidelijk geweest gedurende de rest van de maand dat ze Japan hadden verkend. Tegen het einde van de zomer waren ze begonnen aan wat een driejarige latrelatie zou worden. Zeke was tot over zijn oren verliefd op haar geweest en was in de veronderstelling geweest dat ze zielsverwanten waren. Als zij er geen punt achter had gezet, zou hij haar waarschijnlijk ten huwelijk hebben gevraagd. Maar dat was verleden tijd.

'Oké, oké. Ik ben begonnen, dus is het mijn eigen schuld,' zei Zeke. 'Maar weten jullie nog die keer dat iemand een feestje gaf waar iedereen welkom was, dat zo wild werd dat we allemaal in een disciplinair proces terechtkwamen?' vroeg Zeke.

Het hele team juichte toen ze terugdachten aan hun epische feest in Tokio.

'Maar het was het waard, toch?' vroeg Camille, terwijl iedereen instemmend schreeuwde.

Het hele atletiekteam had een uitgaansverbod vanaf zeven uur 's avonds gekregen gedurende de rest van de Spelen, vanwege de 'ernstige verstoring' die ze veroorzaakt hadden, maar het was een van de beste feesten ooit geweest.

'Ik heb vier jaar de tijd gehad om te oefenen, dus de feesten van deze zomer worden legendarisch,' zei ze, en het hele team juichte. De feesten van Camille waren sowieso legendarisch. In de zalen van de appartementengebouwen van de atleten hing dezelfde energie als in een studentenhuis, de nacht na de examenweek.

Maar voordat ze haar konden vragen wat ze dit jaar van plan was, stond een van de Britse relatiemanagers voor in de shuttlebus op. 'Jongens, ik moet ook al op het rugbyteam passen, aangezien ze overal een puinhoop maken,' zei hij, terwijl hij zijn hoofd schudde met de vermoeidheid van een man die te veel disciplinaire commissievergaderingen met betrekking tot feestjes had bijgewoond.

Camille draaide zich om en fluisterde door de opening tussen haar stoelen tegen Zeke en Anwar. 'Ik heb een hele tas feestversiering meegenomen.'

Ze stapten uit de bus, pakten hun koffers en liepen tussen alle anderen die sporttenues van het Britse team droegen naar het atletengedeelte van het dorp. Vrijwilligers keken naar hen en wezen naar hen, het olympisch personeel keek opgewonden naar hen. Toen ze het atletengedeelte bereikten, keek Zeke op. Daar hingen de internationale vlaggen, aan de appartementsgebouwen waar alle atleten logeerden. Dit jaar waren het hoge, moderne gebouwen, omringd door nieuw geplante bomen en perfect aangelegde tuinen.

'Neem me niet kwalijk, bent u Ezekiel Moyo?' vroeg een zachte stem, die op het einde een beetje piepend klonk.

Hij keek omlaag en glimlachte naar de twee meisjes die het tenue van het Italiaanse team droegen.

'Mogen we met je op de foto?' vroeg het meisje rechts.

'Natuurlijk,' zei Zeke hartelijk terwijl Anwar een van hun telefoons pakte om de foto te maken.

De meisjes gilden en renden toen terug naar hun team.

'Turnen gok ik. Ze zien er ongeveer uit als twaalf,' zei Frankie.

Ze maakten er altijd een spelletje van om te raden welke sport iemand beoefende op basis van hun eerste indrukken.

'Ik ga voor schoonspringen,' zei Camille. 'Ze zijn klein en zien er precies hetzelfde uit. Het zou zonde zijn als ze dat niet in hun voordeel zouden gebruiken.'

'De Carusotweeling?' vroeg coach Adam, de hoofdcoach van het atletiekteam. 'Viervoudig goud in het schermen, ze zijn absoluut onoverwinnelijk als ze hun maskers ophebben.'

'Hoe weet je dat eigenlijk?' vroeg Zeke.

'Ik weet alles,' zei coach Adam zakelijk. 'Zoals ik ook weet dat iemand een feest wilde plannen op de eerste avond.'

Ze kreunden allemaal.

'Maar coach, we moeten toch aan teambuilding doen?' vroeg Camille.

'Morgen kunnen jullie aan teambuilding doen, op de baan. Kom op, jij weet wel beter. Ondermaatse atleten feesten...'

'Terwijl de medaillewinnaars slapen,' zeiden ze in koor toen ze bij het appartementengebouw van het Britse team aankwamen en de trap op renden om hun kamers te gaan bekijken.

Het favoriete moment van Zeke na aankomst bij een wedstrijd was altijd om vanuit zijn tijdelijke slaapkamer het uitzicht te zien. Hij trok de gordijnen open en staarde naar de zee van appartementencomplexen van atleten. Hij zag tientallen gebouwen, stuk voor stuk versierd met vlaggen. De Zweedse residentie en het Peruaanse blok, de Nigeriaanse appartementen en het gebouw van Italië. Hij maakte een foto van een paar ramen die versierd waren met Zimbabwaanse vlaggen, stuurde die naar zijn familie en opende vervolgens het appje dat hij intussen gekregen had.

Haruki: WE ZIJN BUREN!

Haruki Endō, zijn beste vriend, was een zwemmer voor het

Japanse team. Dit jaar lag het appartementengebouw van Japan op slechts drie minuten lopen; een stuk beter ten opzichte van de gebruikelijke veertien uur durende vlucht. Maar voordat hij Haruki kon antwoorden, kwam er een ander bericht binnen. Zeke glimlachte. Het was van Valentina Ross-Rodriguez. Hij voelde dat zijn hart even sneller ging kloppen, zoals altijd wanneer hij een appje van haar kreeg. Maar daarna vertraagde zijn hartslag weer. Ze waren nu tenslotte gewoon vrienden.

Valentina: ik kan niet geloven dat je mij helemaal naar Griekenland bent gevolgd.

Zeke: je hebt het uitgemaakt via een FaceTime-gesprek, je hebt me geen andere keuze gelaten.

Valentina: het is voor mij ook niet gemakkelijk dat ik overal een spoor van gebroken harten achterlaat.

Zeke lachte. Hij kon het Valentina zo horen zeggen.

Zeke: wanneer zie ik je?

Valentina: coach Lydia heeft het team opgesloten tot de competitie.

Zeke: afterparty van de ceremonie dan?

Valentina: als je mij kunt vinden.

8

Olivia

Eén dag voor de openingsceremonie

Noah, Hoofd Recruitment, had haar verteld dat ze een 'allroundvrijwilliger' nodig hadden die op verschillende afdelingen kon inspringen wanneer ze hulp nodig hadden. Haar opties waren óf terug naar huis gaan in de wetenschap dat ze honderden ponden had verspild om naar Athene te reizen, óf dankbaarheid veinzen en ja zeggen tegen nóg een zomer koffie halen, toiletrollen vervangen en enveloppen dichtplakken zonder het zelfs maar een stage te kunnen noemen.

Wat ze eigenlijk had willen doen, was hem duidelijk maken dat hij zijn verzonnen 'allroundrol' op een plaats kon steken waar de zon nooit scheen. Maar Olivia had genoeg tijd besteed aan het afluisteren van gesprekken in bedrijfskantoren om te weten dat alles wat ze in woede zei, tegen haar kon en zou worden gebruikt, vooral als haar cv opnieuw in de inbox van de hr-afdeling van de Olympische Spelen terecht zou komen vanwege een toekomstige baan. Dus had ze zijn magere aanbod aanvaard, was ze Noah uit de gevangenis van de Olympische Spelen gevolgd en had ze zichzelf een beetje gehaat omdat ze zo meegaand was.

Hij had haar naar de andere kant van het dorp geleid en haar voorgesteld aan een van de managers van de vrijwilligers, die haar de meest gedetailleerde trainingssessie van haar leven had gegeven. Het bleek dat de vacature van de 'alleskunner' wel degelijk bestond en dat er behoorlijk wat bij kwam kijken. Ze was bij een trainingsdag voor nieuwe vrijwilligers terechtgekomen en de afgelopen zeven uur had ze geleerd hoe ze eerste hulp moest verlenen, hoe ze een golfkarretje moest besturen en hoe ze met succes tweeduizend mensen uit een brandend gebouw kon dirigeren. Ze had een uiterst gedetailleerde rondleiding door het dorp gekregen om alle hoeken en gaten te leren kennen en vervolgens was ze naar het vrijwilligerscentrum gegaan voor een felblauw met geel vrijwilligersuniform, dat ze tijdens de Spelen zou kunnen dragen. 'Vrijwilligerswerk doen op de Olympische Spelen' had niet dezelfde prestigieuze klank als 'werken voor het Internationaal Olympisch Comité in het team Internationale Betrekkingen en Diplomatie'. Tegen het einde van de dag had Olivia haar lot echter aanvaard. Ze ging op een bankje midden in het dorp zitten en gunde haar voeten een moment om te herstellen van de hel die ze had doorstaan.

Toen ze op haar telefoon keek, zag ze een golf aan binnengekomen berichten van oude vrienden, collega's en verre familieleden die haar feliciteerden met de stage. De trotse screenshot van haar moeder was zo snel als de wind verspreid via de groepschats. Ze trok een grimas toen ze besefte dat ze er uiteindelijk allemaal achter zouden komen dat alles niet zo soepel was verlopen als ze had gepland. Haar ouders zouden verdrietig zijn als ze beseften dat het succesverhaal van hun dochter – waarover ze hun vrienden, studenten en collega's hadden verteld – toch anders was uitgepakt. Ze zouden niet teleurgesteld ín haar zijn, ze zouden teleurgesteld vóór haar zijn en op de een of andere manier was dat nog erger.

Maar Olivia was vastberaden; ze zou de weg naar de top bereiken voordat iemand thuis erachter kwam.

Als ze haar telefoon niet had gepakt met de intentie om het

bericht te verwijderen, had ze het misschien allemaal van zich kunnen afschudden en kunnen besluiten dat iedere kans mogelijkheden bood, mits ze er maar het beste van maakte. Maar tijdens het scrollen viel haar oog op een foto van een man van ongeveer haar leeftijd, die in een perfect maatpak poseerde voor de olympische ringen. Tijdens het lezen kreeg ze een bittere smaak in haar mond.

'Lars Lindberg,' fluisterde ze zodra Aditi de telefoon opnam.

'Dat gefluister klinkt een beetje onheilspellend. Je jaagt me de stuipen op het lijf,' zei Aditi.

'Die vervloekte Lars Lindberg,' zei ze, en haar gefluister klonk nu als gesis.

'Bedoel je die jongen die ook op de universiteit zat?'

'Ik bedoel die jongen die met een zilveren lepel in de mond geboren is, die de winters in Aspen doorbracht en die zelden op kwam dagen bij colleges. Hij heeft mijn baan ingepikt! Nou ja, hij heeft mijn baan gekregen. Als mijn bronnen juist ingelicht zijn, staat hij op het punt naar de openingsceremonie te gaan,' zei Olivia, denkend aan de foto die hij zojuist via zijn Instagramverhaal had gedeeld.

'En met bronnen bedoel je... Instagram?'

'Misschien,' zei ze op verdedigende toon.

Olivia had Lars Lindberg en paar weken na haar eerste semester op de universiteit voor het eerst ontmoet. Hoewel hij dezelfde rechtenstudie had gevolgd als zij, had ze hem bijna nooit bij de colleges of seminars gezien. Maar Lars was een beroemdheid op de campus, hij was allesbehalve een underdog. Hij organiseerde grootse feesten in het huis van zijn familie in Chelsea, zijn moeder was een belangrijke sponsor, met haar eigen plaquette bij de universiteitsbibliotheek, en het familiegeschiedenisgedeelte van de wikipagina van zijn vader stond vol met hyperlinks. Lars was niet alleen welgesteld, hij was ongelooflijk rijk zonder daar ook maar iets voor gedaan te hebben, en zijn leven bestond uit privéjets en exclusieve scholen.

Zijn Instagram barstte van de foto's waarop hij met wereldleiders praatte tijdens chique blacktiegala's, hij in overloopzwembaden sprong waarvan het water goud kleurde door de ondergaande zon en hij piepkleine gerechten at tijdens vijfgangendiners in Michelinrestaurants. Dan waren er natuurlijk nog de foto's in het kader van 'Ik ben sociaal vooruitstrevend en geef om mensen en de planeet' als tegenwicht voor het 'Nee, ik kan je vraag niet beantwoorden over waar het geld van mijn familie vandaan komt of waarom de zaakvoerder van mijn vader zoveel tijd besteedt op de Kaaimaneilanden'. Lars viste plastic op uit de oceaan, Lars hielp bij het bouwen van een school in Nepal, natuurlijk poseerde Lars met een groep zwarte kinderen die hij niet kende bij een bouwvallig hutje in Kenia.

Het was echter niet het oude geld of het gemaakte activisme – wat hij alleen aan de dag leek te leggen als het familiebedrijf in het nieuws kwam vanwege een duister ethisch zaakje – dat haar stoorde. Het was het feit dat Olivia iedere stap had moeten uitdenken, plannen en erover had moeten onderhandelen om een stapje hoger op de ladder te komen, terwijl Lars fluitend de universiteit had gehaald. Zonder al te veel moeite kreeg hij elke stageplaats, prijs en kans waar zij op geaasd had. En nu was hij hier met zijn grote zegelring en slappe, chique kapsel. De baan waar Olivia al jaren van droomde was voor hem gewoon een leuk verhaal. En in tegenstelling tot Liv, die in een financiële hel beland was vanwege een onbetaalde stage die niet door zou gaan, kreeg Lars betaald.

'Olivia? Gaat het goed?' vroeg Aditi.

Olivia zat op een bankje midden in het dorp, zwaar ademend en woest door haar telefoon scrollend. Het ging absoluut niet goed met haar. Ze kon zich alleen maar voorstellen hoe vreemd ze eruitzag in een zee van vrolijk lachende vrijwilligers.

'Ik moet gaan,' zei Olivia terwijl ze opstond.

'Weet je het zeker? We kunnen erover praten.'

Olivia wist dat Aditi haar niet zou veroordelen, maar jaloezie was een lelijke emotie en sommige dingen hield ze liever voor zichzelf. 'Ja, tot later,' zei Olivia, die zich doodmoe voelde zodra ze het gesprek beëindigde.

Op een bepaald punt tijdens elke stage had de hr-afdeling de meisjes en de zwarte en Aziatische stagiairs apart genomen voor een bijeenkomst die bijna altijd draaide om het bedriegerssyndroom. De spreker zou vertellen over hoe zij – ondervertegenwoordigd als ze waren in de branche – zich bedriegers hadden gevoeld en steeds weer de vraag hadden gekregen of ze echt slim, getalenteerd en competent genoeg waren om zo goed in hun werk te zijn. Elke keer knikte Olivia en klapte ze mee omdat ze wist dat dit was wat ze moest doen. Maar het punt was dat Olivia zich nooit een bedrieger had gevoeld.

Toen ze op negentienjarige leeftijd voor het eerst in de zomer (onbetaald) stage had gelopen bij een groot advocatenkantoor, had ze rondgekeken in de kamer van jongens die naar een privéschool gingen en kinderen van vennoten en gedacht: *als iemand hier een bedrieger is, zijn zíj het, want ik heb tenminste hard gewerkt om dit te bereiken.* Ze ging een uur eerder naar kantoor dan nodig was, zodat ze hogerop kon komen. De weekenden las ze rechtszaken door, zodat ze altijd tot in de puntjes voorbereid was. En ze had haar rekening de hele zomer geplunderd om het woon-werkverkeer naar de stad te betalen, nieuwe outfits te kopen om erbij te passen en naar alle mogelijke borrels en sociale activiteiten na het werk te gaan voor het contact met haar collega's.

Dus toen ze om zich heen keek en mensen zag die slechts een fractie van het werk hadden gedaan van wat zíj had gedaan om daar te komen, en half zo hard werkten als zij... dacht ze: *waarom zou ik mezelf een bedrieger voelen terwijl ik duidelijk beter ben dan zij?* Maar het deed nog steeds pijn eraan herinnerd te worden dat rijke jongens met vaders met goede connecties altijd op de eerste plaats zouden komen.

Terwijl ze het Instagramverhaal van Lars bekeek, bekroop Olivia een bekend gevoel van desillusie. Elk jaar werd dat haar duidelijker. Ja, het was vooral jaloezie – en Olivia haatte het om zich zo te voelen. Maar het was meer dan dat. Het bevestigde iets wat Olivia allang wist, maar ze was al die tijd dwaas genoeg geweest om te geloven dat ze het kon trotseren; dat het niet uitmaakte dat ze altijd drie keer zo hard moest werken om maar half zo ver vooruit te komen in haar carrière. Welke nieuwe hobby's ze ook oppikte, welke boeken ze ook las en welke anekdotes ze ook repeteerde, ze zou nooit de eerste keuze zijn als ze tegenover een man als Lars werd gezet. Hoeveel geld ze ook uitgaf aan mooie kleding, de wereld waarin ze wilde werken was niet gemaakt voor mensen zoals zij.

Terwijl ze door het olympisch dorp liep, begon de teleurstelling die ze eerder had gevoeld te vervagen. Er kwam een stille, verschroeiende, beheerste woede voor in de plaats. Het enige soort woede dat ze zichzelf toestond te ervaren; en het kwam sneller op dan ooit tevoren.

Ze had een groot deel van haar leven besteed aan haar emoties beheersen en een goede indruk maken, zodat niemand haar ooit die 'opstandige zwarte meid' zou kunnen noemen. Maar ze was opstandig. Opstandig, omdat ze zo hard had gewerkt maar op het allerlaatste moment werd afgewezen. Opstandig, omdat ze zo'n groot deel van haar spaargeld had uitgegeven om een zomer te financieren die recht voor haar neus werd weggekaapt. En opstandig, omdat ze terug naar de tekentafel moest om een nieuwe manier te bedenken om haar vijfjarenplan te laten uitkomen. Dus die dag in Athene liep Olivia door het dorp met bloed in haar schoenen en een frons op haar gezicht.

9

Zeke

Eén dag voor de openingsceremonie

Zeke en Haruki Endō hadden elkaar voor het eerst ontmoet tijdens hun eerste Olympische Spelen in Rio. Ze waren zestien jaar oud geweest en hadden een band gekregen doordat ze allebei enorm competitief waren als het om hun sport ging, maar tegelijkertijd ongelooflijk gemakkelijk in de omgang op alle andere terreinen. Inmiddels waren ze vijfentwintig. Haruki was één meter tachtig lang en had enorm brede schouders. Hij had het soort opgewekte, jongensachtige gezicht dat hem veel fans opleverde – er waren duizenden fanaccounts aan hem gewijd en net zoveel pittige roddels. Meestal schilderden de tieners uit zijn achterban hem af als de intense, sombere atleet die tot nu toe veel te gefocust was op het winnen van gouden medailles in plaats van op uitgaan. In verhalen was Haruki het introspectieve type dat alleen tijd had voor informele, maar ongelooflijk erotische situaties, waarin meestal nachtelijk zwemmen en haastige momenten in kleedkamers voorkwamen. Maar in werkelijkheid was Haruki een hopeloze romanticus. Toen hij verliefd was, was zijn beste vriend Zeke de eerste die het wist.

'Eerlijk gezegd heb ik gewoon het gevoel dat de liefde van mijn leven ergens in de stad is,' zei Haruki terwijl ze samen door de sportschool richting de loopbanden liepen. Ze trainden altijd samen op de ochtend van hun eerste dag in het dorp.

'Ik dacht dat de liefde van je leven in Tokio, of Rio, of Londen verbleef,' zei Zeke plagerig.

Haruki was nog nooit eerder verliefd geweest, maar elke keer in het olympisch dorp had hij gezegd dat hij verliefd zou worden, al zolang ze elkaar kenden. 'Nee, deze keer echt. Het voelt als het lot.'

Ze stapten op de loopbanden en begonnen te trainen. Zeke was gewend aan de theorieën van zijn beste vriend over de liefde én aan zijn veel langzamere looptempo. Dit was niet de eerste keer dat Haruki vijf minuten met een meisje sprak en over het lot begon te praten.

Haruki had twee oudere zussen die hem hadden grootgebracht met de nodige romcoms. Zijn ouders hadden elkaar vijfentwintig jaar geleden ontmoet in een zwembad, op nieuwjaarsdag. Dat waren alle ingrediënten om een hopeloze romanticus te worden.

'Wat is er deze keer anders?'

'De chemie, Zeke. De chemie. Het enige wat ik deed was een foto van haar maken bij de olympische ringen, maar het klikte gewoon,' zei hij, met een glimlach in de verte starend, zoals hij altijd deed als hij een meisje had ontmoet dat hij leuk vond.

'Heb je haar nummer?' vroeg Zeke.

'Nou, nee,' zei Haruki, die er nog niet echt lang over nagedacht had hoe hij de liefde van zijn leven weer zou kunnen ontmoeten.

'Haar achternaam dan?' vroeg Zeke.

'Je bent zo geobsedeerd door praktische zaken, Zeke. De liefde vindt wel een weg,' zei Haruki.

'Hoelang heb je met haar gesproken?' vroeg Zeke.

'Drie minuten... Maar we hebben dezelfde favoriete film! Had ik dat al verteld? Ze is ook gek op *Cool Runnings*. Dat is vast een teken,' zei Haruki.

Zeke had het hart niet om hem te vertellen dat vrijwel iedereen weg was van *Cool Runnings*.

'Ik heb gewoon het gevoel dat ik haar al veel langer ken, weet je? We spraken maar een paar minuten, maar het voelde gewoon... vloeiend.'

'Hoe heet ze?' vroeg Zeke nieuwsgierig.

'Ik...' begon Haruki nerveus. Haruki was niet alleen een goed presterende atleet; hij was een beroemdheid. Als hij uitging, moest hij altijd aandacht besteden aan tientallen fans en hij hoorde daarbij zoveel namen dat hij ze niet allemaal kon onthouden. Maar hij vergat nooit gezichten. 'Iets met een "a" of een "v" of een "o"?' zei Haruki twijfelend, met een paniekerige blik. Hij realiseerde zich nu pas dat er elke dag duizenden mensen het dorp in en uit liepen. 'Hé, ik kom haar nooit meer tegen, of wel?' vroeg hij, wanhopig lachend over dat reële scenario.

'Eens zul je de ware ontmoeten,' zei Zeke plagerig.

'Jij hebt makkelijk praten. Valentina en jij hebben elkaar ontmoet in het dorp en kijk hoe dat is afgelopen,' zei hij, zijn snelheid verhogend om Zeke in te halen, die van elke training een wedstrijd maakte. Haruki was in bijna elk opzicht sterker dan Zeke, want hij was tenslotte een zwemmer. Maar Zeke was een van de snelste mannen ter wereld.

'Valentina en ik zijn uit elkaar gegaan, weet je nog?' zei Zeke, terwijl hij het tempo verhoogde.

'Dat geloof ik geen seconde,' zei Haruki, terwijl hij hetzelfde tempo aannam. Haruki stond vooraan bij de ValenZeka-fanclub, hij was op dit punt niet te overtuigen.

'Toch is het zo,' zei Zeke. Het afgelopen jaar had hij geprobeerd Haruki ervan te overtuigen dat ze gewoon vrienden waren en nooit meer een stel zouden vormen.

‘Laat het me weten als je de verlovingsring hebt uitgekozen,’ zei Haruki op zangerige toon. Ondertussen probeerde hij de snelheid waarmee Zeke de olympische medaille won, bij te houden, waardoor hij naar adem snakte.

‘Zeke, je bent zo competitief dat het vervelend is,’ zei Haruki terwijl hij het tempo op zijn loopband verhoogde.

‘Dat zeg je alleen omdat je aan het verliezen bent,’ zei Zeke, opnieuw het tempo opvoerend.

Haruki keek om en deed hetzelfde.

Zeke voelde het zweet langs zijn rug druppelen en Haruki raakte buiten adem. Verslagen hief Haruki zijn armen ten hemel en stapte van de loopband. Hij liep weg, richting de fontein.

Zeke volgde hem.

‘Op welk ander moment zijn we omringd door zoveel mensen die ten eerste: even oud zijn als wij, en ten tweede: zo geobsedeerd door sport zijn als wij? En ten derde: die precies weten hoe het is om zo’n leven te leiden,’ zei Haruki terwijl hij naar het raam aan de andere kant van de ruimte liep.

‘Als er één plek is om verliefd te worden, dan is het het dorp wel,’ zei Haruki terwijl hij naar buiten gebaarde.

Haruki had een punt. Er hing een zekere romantiek rond het dorp. Zelfs geharde cynici begonnen te geloven dat er van alles kon gebeuren als ze het terrein op liepen.

10

Zeke

Eén dag voor de openingsceremonie

Als Zeke Olivia had ontmoet toen ze twaalf waren geweest, zouden ze waarschijnlijk vrienden zijn geworden. Zeke zou hebben gelachen om Olivia's gevatte, broeierige grapjes, en Olivia zou hebben geglimlacht om Zekes jongensachtige gevoel voor humor. Ze zouden in groep zeven bij wiskunde naast elkaar hebben gezeten, omdat een leraar erachter zou zijn gekomen dat Zeke zich beter zou concentreren door Olivia en Olivia wat gemakkelijker zou worden door Zeke.

Als ze elkaar op zeventienjarige leeftijd hadden ontmoet, zouden ze zich kandidaat hebben gesteld voor klassenvertegenwoordiger en zouden ze elkaar voortdurend op de kast gejaagd hebben. Olivia zou met haar ogen hebben gerold vanwege Zekes tienerhumor, en Zeke zou zijn hoofd hebben geschud over het feit dat Olivia altijd gelijk moest hebben. Ze zouden vóór de uitslagen voor de examenfeesten een stel zijn geworden en iedereen om hen heen geschokt hebben.

Als ze elkaar op hun negentiende op de universiteit hadden ontmoet, zouden ze allebei lid zijn geworden van een debatvereniging. En als ze elkaar op zesentachtigjarige leeftijd in een verzorgingshuis hadden ontmoet, zouden ze felle bingorivalen zijn geworden. Er waren een tiental alternatieve omstandigheden waarin Olivia en Zeke elkaar voor het eerst hadden kunnen ontmoeten. Maar op die dag in Athene, eind juli, ontmoetten ze elkaar toen Olivia zwaar in de put zat en Zeke compleet naast zijn schoenen liep.

Na zijn ochtendtraining met Haruki verzamelden Zeke en zijn teamgenoten zich rond de baan voor hun eerste training. Een van de tradities van het team was dat iedereen op de eerste dag kwam kijken hoe de anderen presteerden. Meestal vonden de wedstrijden tegelijkertijd plaats, dus elkaar aanmoedigen zat er dan niet in. Maar die eerste dag zaten ze allemaal rond het lege atletiekveld en keken hoe hun teamgenoten deden waar ze goed in waren. Ze klapten toen Sammy Nolan, de hinkstapspringer, de drie geplande bewegingen maakte en op de zestienmeterstreep belandde. Ze juichten toen Amina Abbas, de polsstokhoogspringster, de zwaartekracht trotseerde door de vijf meter te halen. En ze schreeuwden van opwinding toen Harry Campbell, de kogelwerper, ronddraaide met de elegantie van een danser en vervolgens de bal gooide met de kracht van een worstelaar.

Toen Zeke aan de beurt was voor de oefening op de honderd meter, gaf hij alles. Bij de teamtrainingen ging het niet om snelheid, die waren gewoon bedoeld als opwarmertje. Maar Zeke verraste zichzelf, zijn teamgenoten en al hun coaches door zó snel de finish te bereiken dat hij onbedoeld zijn eigen record verbeterde. Hij zat vol adrenaline en ambitie.

Terwijl hij door het dorp liep, kwam er een opgewonden groep tieners, gekleed in de Guatemalteekse outfits, naar hem toe rennen. Er waren die zomer tientallen atleten in Athene, maar Zeke was een topatleet. Andere atleten waren vol ontzag als ze Zeke Moyo ontmoetten, net als wanneer ongelooflijk beroemde acteurs aan de voeten van Beyoncé lagen of bekroonde muzikanten in de buurt van Meryl Streep kwamen. Hij was een beroemdheid en hij had geen hekel aan de aandacht.

Hij maakte een groepsfoto met de Guatemalteekse tieners en wenste hun veel succes met hun duikwedstrijd. Toen hij een smoothie ging halen om bij te komen van de work-out, zag hij dat het meisje dat bij de sapbar werkte, haar ogen op hem liet rusten toen hij binnenkwam. Toen hij weer naar buiten liep en hij het nummer ontdekte dat ze op de achterkant van zijn bekertje had gekrabbeld, glimlachte hij in zichzelf. Misschien zou hij haar nog bellen.

Hij bladerde door de vermeldingen en lachte om de hijgerige tweets die mensen hadden geschreven naar aanleiding van de foto's van zijn GQ-covershoot. Op de een of andere manier was hij de internethit van de maand geworden. Met de zon op zijn armen en de wereld aan zijn voeten begon Zeke door het dorp te lopen alsof het zijn eigen persoonlijke koninkrijk was.

Zijn moeder citeerde altijd Bijbelverzen over nederigheid en berispte hem met gerichte gebeden als: 'Maak mijn zoon nederig, almachtige God! Herinner hem eraan dat een olympiër ook een jongen is die bij zijn moeder thuis de vuilnisbakken moet buitenzetten.'

Zijn broers plaagden hem, waardoor hij met beide benen op de grond bleef staan, en zijn teamgenoten waren zo getalenteerd dat hij nooit zelfgenoegzaam werd. Maar als Zeke een goede dag had, was hij zo zelfverzekerd als wat en werd hij Ezekiel Moyo met hoofdletters.

Als Zeke die ochtend zijn persoonlijke record niet had gebroken, zou hij zijn ruis onderdrukkende koptelefoon niet hebben opgezet om naar zijn favoriete afspeellijst te luisteren. Als de Guatemalteekse tieners hem niet als een halfgod hadden behandeld, zou hij zich die middag niet zoals zodanig hebben gevoeld. Als hij dit alles niet naar zijn hoofd had laten stijgen, zou hij

Olivia die vierde donderdag van juli om twee minuten voor half-vier door het paviljoen hebben zien lopen.

Als Olivia's eerste dag volgens plan was verlopen, zou ze die dag niet eens langs de appartementen van de atleten zijn gelopen. Als ze de Instagrampagina van Lars niet had gezien, zou ze niet zo geïrriteerd zijn geweest als die middag. Als ze niet zo gefocust was geweest op de foto van Lars, die zijn arm om een lange sprinter had geslagen die zilveren medailles op zijn naam had staan, zou ze Zeke hebben opgemerkt toen hij die vierde donderdag van juli om twee minuten voor halfvier door het paviljoen liep.

Als Olivia niet zo'n vreselijke dag had gehad en Zeke niet zo'n geweldige dag, zouden ze elkaar nooit tegen zijn gekomen. Maar dat was wel zo. Voordat een van hen de kans kreeg om op te kijken en te beseffen dat ze niet de enige persoon op het pad waren, botsten ze tegen elkaar op.

11

Olivia

Eén dag voor de openingsceremonie

Olivia botste tegen een hoge, stevige muur op. De muur viel en zij tuimelde mee naar beneden. Het ene moment staarde ze naar het scherm van haar telefoon, en het volgende moment was ze op weg naar de grond en hield ze zich vast aan wat in feite geen muur was, maar in plaats daarvan een lange, gespierde man. Het ging zo snel dat ze niet begreep wat er nu precies gebeurd was. Toch was ze er vrij zeker van dat hij degene was die het had veroorzaakt. Maar in plaats van haar per ongeluk omver te lopen – wat gezien zijn lengte en gewicht het natuurlijke gevolg van de zwaartekracht had moeten zijn – was zij degene geweest die boven op hem terecht was gekomen. Hij had zijn evenwicht verloren, was achterovergevallen en had haar meegenomen in zijn val.

Ze keek naar beneden en herkende de man op wie ze was terechtgekomen meteen. Zeke Moyo. De ster van het Britse atletiekteam, die de zilveren medaille bij de sprint op zijn naam had staan. Ze had vanuit de woonkamer van haar ouders gezien hoe Zeke zilver had gewonnen bij de finale van de honderd meter op de Spelen van Tokio, en ze had met de rest van het land gejuicht toen hij het podium op stapte. Iedereen thuis was fan van Zeke Moyo, hij was nationaal geliefd. Terwijl ze op hem neerkeek, werd het vrij duidelijk waarom hij ook de status van hartenbreker had verworven. Zijn belachelijk fris geschoren, perfect gevormde gezicht en warme bruine ogen waren onmogelijk te missen. Objectief gezien was hij een verbluffend knappe man. Als ze die ochtend buiten de poort van het dorp tegen hem aan was gelopen, zou ze op een heel andere manier van haar sokken zijn geblazen. Maar Olivia had Zeke op het slechtst mogelijke moment ontmoet. Slechts enkele seconden nadat ze ontdekt had dat Lars Lindberg bevriend was met Zeke.

Olivia had zojuist een foto gezien van Lars, aan een prachtig gedekte eettafel buiten, met uitzicht op een kristalblauw stukje van de zee voor de Amalfikust. En Zeke zat bij hem aan tafel. Sterker nog, Zeke had net een deal van meerdere miljoenen gesloten met Zeus Athletics. Het familiebedrijf van Lindberg was een van de grootste sponsors van de Spelen van dit jaar en dat was ongetwijfeld de reden geweest waarom Lars de stage had gekregen waarvoor zíj zo hard had gewerkt. Nou ja, dat dacht Olivia tenminste.

Ze moest dus wel een hekel hebben aan Zeke.

'Koop in ieder geval een drankje voor me voordat je je op me stort,' zei Zeke met zachte stem terwijl hij haar in de ogen keek en glimlachte. Het was een glimlach die hem geweldig stond. Een die zich langzaam vormde, waarbij zijn lippen aan de rechterkant wat opkrulden en waarmee hij duidelijk iedereen die hij tegenkwam charmeerde. Als ze niet zo'n slecht humeur had gehad, zou ze hebben toegegeven dat er ergere plekken waren om te vallen dan op de borst van Zeke Moyo. Maar hij had haar pak verpest.

Haar ouders hadden veel meer geld uitgegeven dan ze zich konden veroorloven om haar het gevoel te geven dat ze op een plek als deze thuishoorde. En nu zat het pak onder het groene sap en rook het naar appels en limoen. Olivia had een hekel aan limoen.

'Sorry,' zei ze zonder dat ze het meende.

'Het geeft niets, het was maar een ongeluk, er is niets aan de hand...' begon hij. Hij had duidelijk niet goed aangevoeld hoe ze het bedoelde, dus onderbrak ze hem.

'Nee. Sorry is eerder iets wat jij zou moeten zeggen,' zei ze ronduit. 'Je zou moeten zeggen: "Het spijt me dat ik over het openbare pad rende, tegen je aan botste en een hele beker groen sap over je gloednieuwe pak heb gemorst..." want dat is wat je zojuist hebt gedaan,' zei ze. De vlek was de kers op de taart van een toch al slechte dag.

'Nou, een deel van het sap is ook op mij terechtgekomen. En ik ben er vrij zeker van dat ik tegen de grond werd gegooid,' zei hij terloops.

'Dus je geeft míj de schuld?' vroeg ze verontwaardigd.

'Nou, jij keek anders ook niet waar je liep,' zei hij schouderophalend.

Olivia kon het niet hebben dat hij naar haar glimlachte, alsof hij dacht dat ze blij was hier te liggen. Ze kon er evenmin tegen dat ze het oogcontact met hem niet kon verbreken. En dat ze niet kon ontkennen hoe knap hij van dichtbij was. Dus klom ze van hem af en stond op. Ze had er meteen spijt van toen ze de blaren aan de achterkant van haar enkels voelde steken. Ze probeerde zichzelf af te leiden van de pijn door in haar tas naar natte doekjes te grijpen om wat sap van haar pak te deppen.

Hij stond ook op. 'Voor de goede orde: ik rende niet. Ik heb gewoon lange benen, dus ik loop snel...'

Olivia keek hem boos aan. Ze was er meestal behoorlijk goed in om op haar tong te bijten en dergelijke voorvallen los te laten. Maar na deze helse dag kon ze niet anders dan precies zeggen wat ze dacht. 'Je weet dat wie je bent geen excuus is om te doen wat je wilt, toch?' vroeg ze. 'Dat het feit dat je een atleet bent of wat dan ook, niet betekent dat je gewoon door het dorp kunt lopen alsof het je eigen persoonlijke koninkrijk is?'

'Ik weet niet wat je probleem is, maar ik denk niet dat ik de oorzaak daarvan ben,' zei Zeke ronduit. Toen stak hij zijn hand uit, legde zijn hand op de hare en haalde drie natte doekjes uit haar bijna lege pakje om de spetters van zijn shirt te vegen. Hij keek geen seconde weg.

Olivia was zo geschokt dat ze sprakeloos was. Deels doordat hij gelijk had, maar vooral doordat hij het lef had om ongevraagd iets van haar af te nemen. Het was de tweede keer op één dag dat haar dit overkwam. Ze wist dat, als ze bleef, ze zeker iets zou zeggen waar ze spijt van zou krijgen. Dus hing ze haar tas over haar schouder en draaide haar ongelooflijk pijnlijke enkels om, om te vertrekken.

Maar Zeke praatte nog steeds. 'Als je wilt, kan ik de stomerij betalen. Om het goed te maken,' zei Zeke met een verbijsterde glimlach.

De neerbuigende manier waarop hij 'om het goed te maken' zei en het feit dat hij zich nog steeds niet had verontschuldigd, maakte haar woedend. 'Ik kan zelf de stomerij wel betalen,' was haar venijnige reactie.

'Probeer iets aardiger te zijn tegen vreemden, dan kom je een stuk verder,' zei hij, terwijl hij haar met een opgetrokken wenkbrauw aankeek.

Olivia had een hekel aan het woord 'aardig'. Aardig zijn zorgde er alleen maar voor dat andere mensen zich op hun gemak voelden terwijl ze haar dwarszaten. Aardig zijn was niet langer een prioriteit. En hoewel het waarschijnlijk niet verstandig was om een olympiër te beledigen terwijl haar toekomst al aan een zijden draadje hing, kon het haar deze keer gewoon niets schelen.

Ze haalde diep adem, hield zijn blik vast en opende toen haar mond. 'Oké, ik zal aardig zijn. Zak in de stront.' Ze had er meteen spijt van, maar de woorden waren al uitgesproken. Dus huiverde ze en liep weg.

12

Zeke

Eén dag voor de openingsceremonie

Zeke stond midden in het dorp, onder het groene sap, wankelend door het feit dat een meisje dat hij nog nooit eerder had ontmoet hem had gezegd dat hij in de stront kon zakken. Als hij eerlijk tegen zichzelf was, deed het hem waarschijnlijk nog meer pijn omdat hij het grootste deel van de tijd had nagedacht over het feit dat ze verbluffend mooi was. Hij had zich verwonderd over de manier waarop de zon haar silhouet omlijnd had met goud, was gefascineerd geraakt door de manier waarop haar ogen glinsterden terwijl ze naar hem keek, en had gezien dat haar zachte, volle lippen omlijst waren met de vage rimpeltjes van iemand die veel glimlachte.

Maar dat was niet het echte punt. In zijn hart was hij beledigd. Ze kende hem niet, maar op basis van een interactie van drie minuten had ze zijn hele karakter bekritiseerd. Ja, hij had waarschijnlijk gewoon sorry moeten zeggen, want hij had inderdaad niet gekeken waar hij liep. Misschien was het niet de beste beslissing geweest om tegen haar te zeggen dat ze aardig moest zijn en zonder het te vragen een paar van haar vochtige doekjes te pakken. Maar toch, had ze echt zo'n slechte indruk van hem gekregen als uit haar reactie was gebleken?

In zijn hoofd ging hij het gesprek nog eens na om erachter te komen of hij iets onvergeeflijks had gezegd of haar per ongeluk pijn had gedaan tijdens de val. Maar zijn gedachten bleven maar naar haar afdwalen; naar haar lange bruine vlechten en de drang die hij had gevoeld om een paar losse krullen achter haar oren te doen; naar de manier waarop haar huid een beetje glinsterde in de zon en naar het korte moment dat hun lichamen tegen elkaar aan gedrukt waren. Ze had naar een bedwelmende mengeling van vanille en zomer geroken. En ze had zo sexy geklonken toen ze hem op zijn plaats zette.

Terwijl hij wat sap van zijn shirt veegde, zag Zeke een groen notitieboekje op de grond liggen. Het was ingebonden en de woorden IK VOEL ME ERG OLYMPISCH VANDAAG stonden op de voorkant. Op de rug van het boekje stond een naam. Olivia Nkomo. Haar achternaam was Zimbabwaans, net als de zijne. Hij schudde zijn hoofd. Als hij zijn moeder ooit zou vertellen dat hij binnen enkele uren na aankomst in het dorp een Zimbabwaans meisje had ontmoet, zou ze er nooit over ophouden.

Hij opende het notitieboekje. Het was leeg, op de eerste pagina na.

Olivia's post-olympisch plan (volgens Aditi, je beste vriendin die je beter kent dan wie dan ook ter wereld)

1. Maak het helemaal bij je stage voor het Internationaal Olympisch Comité, zodat ze je smeken om voor altijd te blijven (dat gaan ze doen, dat kan niet anders).
2. Zoek uit hoe je een ethische miljardair kunt worden en kom op de Forbeslijst.
3. Bereik WERELDDOMINANTIE (op een aardige manier).

PS: VEEL PLEZIER!

Aditi xxx

Zeke glimlachte in zichzelf terwijl hij de laatste stap in het driestappenplan las. Aditi schilderde een behoorlijk interessant beeld van het meisje dat Zeke zojuist had ontmoet. De Olivia die hij zojuist had ontmoet was vurig, bijzonder geïrriteerd en misschien had ze wel een beetje gelijk. Maar de versie van Olivia die Aditi kende, leek vastberaden, strategisch en zeer geliefd bij haar beste vriendin. Als hij op zijn gevoel kon vertrouwen, was zij het soort meisje dat niet zonder haar notitieboekje zou kunnen leven. Zeke had dus geen andere keuze dan haar te vinden en het terug te geven. Hij moest alleen uitzoeken waar hij haar kon vinden.

13

Zeke

De dag van de openingsceremonie

De olympische openingsceremonie was altijd een spektakel, en Athene 2024 was daarop geen uitzondering. Omdat Griekenland de geboorteplaats van de Olympische Spelen was, had het Griekse comité de lat nog hoger gelegd dan alle andere gastlanden. De bouw van het olympisch stadion had ruim 1,1 miljard euro gekost en toen mensen over de hele wereld, in alle 24 tijdzones, hun tv-schermen aanzetten om die allereerste avond te kijken, wisten ze meteen waarom.

Het was zeven uur 's ochtends in Sydney en een vrouw was net thuisgekomen van het baantjes trekken. Ze zette haar laptop aan terwijl ze wat fruit sneed en haastte zich naar haar bank om de eerste maten van de introductiemuziek niet te missen.

Het was net na middernacht in Dubai en drie generaties van een familie zaten samen in hun woonkamer. De jongste zoon, een vijfjarige die de week ervoor was begonnen met voetbal, keek vol ontzag toe hoe de eerste flitsende kleuren op het tv-scherm verschenen.

In Nairobi was het tien uur in de avond en een groep universiteitsstudenten had zich rond een groot scherm in de buitenlucht verzameld. In São Paulo was het vier uur in de middag en een man die er ooit van had gedroomd turner te worden zette de vergrendeling voor automatisch draaien op zijn telefoon uit. In Jakarta, om twee uur 's nachts, zochten twee pasgetrouwden naar de afstandsbediening om de tv in hun hotelkamer aan te zetten. Iedereen wachtte met ingehouden adem, klaar om de openingsceremonie te beleven.

Het stadion werd in volledige duisternis gehuld en op de tv-schermen gebeurde er niets. De commentatoren stopten met praten en iedereen keek vol verwachting toe. Toen begon het.

Een heldere flits verlichtte het stadion toen zich een gouden bliksemschicht op de grond begon te vormen, die zich knetterend over de bodem verspreidde, opvlamde en het stadion met licht vulde. Het licht onthulde een prachtig podium in de vorm van een berg. Het was de berg Olympus, de thuisbasis van de Griekse goden. En terwijl de muziek het stadion begon te vullen, begonnen mensen in witte gewaden en met groene kransen op hun hoofd de verborgen deuren uit te lopen en het podium te beklimmen, waarbij ze een menigte mensen vormden die de rol van de oude Atheners speelden.

Zeke Moyo was sinds zijn zesde altijd laat opgebleven of vroeg opgestaan om geen enkele olympische openingsceremonie te missen. Maar als je dit zag en wist dat je tegen het einde van de avond zelf in het stadion zou staan, voelde het geheel nog magischer aan.

Zeke, het Britse team en alle andere olympische teams konden het stadion pas betreden als het tijd was voor de atletenparade. Dus zaten ze op een veld buiten het stadion en volgden ze de ceremonie op een reeks grote schermen.

Een man verkleed als Zeus, de Griekse god van de hemel en de donder, liep de toneelversie van de berg Olympus op, die midden in het stadion was gecreëerd. Hij had een lange witte baard en de houding van een koning. Er volgde een majestueuze voorstelling die het verhaal van de oude Olympische Spelen uitbeeldde met verhalen, liedjes en zorgvuldig gechoreografeerde dans.

Zeke vroeg voortdurend aan een van de Griekse vrijwilligers wat bepaalde dingen betekenden. Maar hij hoefde niet elk detail van het verhaal dat zich voor hem ontvouwde te begrijpen om volledig gebiologeerd te zijn. Het was het geweldigste optreden dat hij ooit had gezien.

Steeds meer mensen, van allerlei leeftijd, uiterlijk en ras verschenen op het podium naarmate de muziek luider en etherischer werd. Het publiek was onder de indruk van het oude Griekenland dat zich voor hun ogen ontvouwde. Ze leerden van alles over de geschiedenis van het land en ontdekten welke rol de stad had gespeeld bij de totstandkoming van de oude Olympische Spelen.

Zeke keek naar zwaartekracht tartende stunts, verwonderde zich over de diepgang van de show en klapte na elk nummer, elke dans en elke uitvoering die het eerste deel van de ceremonie vormde.

Toen de optredens klaar waren en het publiek opstond om te applaudisseren voor de show, vormden Zeke en de rest van het Britse team opgewonden een rij achter hun vaandeldragers om zich bij de atletenparade aan te sluiten. Bij binnenkomst van elk team, verwelkomde het publiek hen met applaus, of ze nu meer dan tweehonderd atleten hadden zoals Team USA of een kleine maar krachtige delegatie zoals het olympisch vluchtelingenteam. Toen het tijd was voor het Britse team om naar binnen te gaan, liepen Zeke en zijn teamgenoten het stadion in onder een nog luider applaus dan Zeke zich herinnerde uit Tokio.

Zekes ogen werden groot; hij had kippenvel over zijn hele lichaam. Want de ceremonie volgen via het scherm was totaal anders dan het in het echt ervaren. Het publiek scheen een glinsterende golf van kleurrijke shirts en stralende glimlachen. Hij zag aan de dakspanten de vlaggen hangen van elk land dat hij zich maar kon voorstellen. De positieve energie werkte aanstekelijk. Terwijl hij met zijn teamgenoten en oudste vrienden een paar minuten lang rond de atletiekbaan liep, rende en danste, verdwenen al zijn zorgen en vragen over wat er zou volgen. Het enige wat hij kon doen was zijn vrienden stevig vasthouden en vol ontzag naar het stadion staren. Als dit het hoogtepunt was, zou dat meer dan genoeg zijn.

Zodra het team van elk land was binnengelopen en de atleten rond het podium waren gepositioneerd, werd het stadion volledig donker. Klassieke muziek vulde de lucht en de schermen lichtten op met een livevideo van een man die met een fakkel in zijn hand door Athene rende. Hij werd omringd door een zee van opgewonden kinderen die naast hem renden met geïmproviseerde fakkels in hun handen. Vervolgens gaf hij de fakkel door aan een oudere vrouw, wier ogen zich met tranen vulden toen ze het stadion naderde. De wereld keek toe terwijl nerveuze lokale helden, beroemde atleten en legendarische Atheners de fakkel doorgaven, totdat ze uiteindelijk het stadion bereikten. De laatste schakel in de ketting liep het podium op en stak het vuur aan. De menigte barstte in applaus uit.

De Olympische Spelen van 2024 in Athene waren officieel begonnen.

14

Olivia

De dag van de openingsceremonie

Toen Olivia die ochtend op pad was gegaan, had ze niet gedacht dat ze de avond zou afsluiten door samen met een Bulgaarse gewichthefster een duet van Mariah Carey te zingen voor een luidruchtige groep Australische watersportkampioenen. Maar niets was gelopen zoals ze had verwacht sinds ze in het olympisch dorp was.

Maar Olivia had besloten er het beste van te maken. Lars Lindberg had nu haar stageplaats gekregen en hoe graag ze ook terug naar het hr-kantoor wilde gaan om hun de waarheid te vertellen, ze wist dat ze dit zelf op moest lossen. Dat ze genoegen moest nemen met wat ze wél had gekregen en ze daar zorgvuldig iets moois van moest maken. Olivia was dus vastbesloten om van haar tweede dag een succes te maken.

Als 'allroundvrijwilliger' (ze dacht nog na hoe ze het prestigieuzer op haar cv kon laten uitkomen) was het haar taak om walkietalkieoproepen te beantwoorden en door het dorp te gaan om mensen op verschillende afdelingen te helpen die extra handen nodig hadden. De komende weken zou de receptie van het atletencentrum haar kantoor zijn. Toen ze aankwam, werd ze begroet door een lange, gebruinde man in een vrijwilligersuniform. Hij had blond, krullend haar en een ongelooflijk warm Australisch accent.

'Olivia? Hoi! Ik ben Arlo, superleuk om je te ontmoeten!' zei hij, terwijl hij zijn hand uitstrekte om die van haar te schudden. Hij had de energie van een golden retriever.

Terwijl hij haar de kneepjes van het vak bijbracht, probeerde Olivia het gesprek op het werk gericht te houden om te bepalen hoe zij daarin de allerbeste kon worden. Ze móést een weg terug vinden naar haar droomcarrière op de Olympische Spelen. Maar Arlo praatte graag over koetjes en kalfjes. Ze kwam erachter dat hij de afgelopen vier jaar de wereld had rondgereisd: 'Een tussenjaar dat volledig uit de hand liep!' Hij had afwisselend surflessen gegeven en in café's gewerkt. En hij logeerde bij de familie van zijn vriend in Athene terwijl hij vrijwilligerswerk deed bij de Spelen. Arlo vertelde net over de 'ongelooflijke' surftrip die hij op Bali had gemaakt toen Olivia's walkietalkie begon te zoemen.

'Je eerste oproep!' riep Arlo enthousiast. Het verzoek kwam van een van de vrijwilligers die in het appartementengebouw van Canada werkte en wiens atleten geen handdoeken meer hadden. Dus pakten Arlo en Olivia hun walkietalkies en gingen naar de wasserettes. Terwijl ze door het dorp liepen, besefte Olivia al snel dat Arlo iedereen leek te kennen. Toen ze bij het Canadese gebouw aankwamen, vroeg hij de conciërge naar haar vijfjarige dochter. Hij vroeg de schoonmaker of die genoot van de shoarma in het restaurant dat Arlo hem had aanbevolen, en of de beveiliger de nieuwste aflevering van het Koreaanse misdaaddrama had ingehaald dat ze allebei geweldig vonden. Olivia liep achter hem aan en probeerde vriendelijk over te komen, terwijl Arlo rondrende als een opgewonden puppy. Arlo's ongebreidelde enthousiasme werkte aanstekelijk en terwijl ze samen rondliepen om boodschappen te doen, beloofde ze zichzelf dat ze een beetje meer op Arlo zou gaan lijken. En dat ze ja zou zeggen tegen alles wat op haar pad kwam.

Toen haar werd gevraagd om met de hand tweehonderd namen te schrijven op de kaartjes die naar nationale afgevaardigden werden gestuurd, zei ze ja. Toen ze een walkietalkieoproep kreeg om alle zweterige handdoeken op te halen die het Duitse rugbyteam na de training had gebruikt, zei ze ja. En toen Arlo haar vroeg wat haar plannen waren om die avond naar de openingsceremonie te kijken, zei Olivia... 'Kun jij een walkietalkieoproep organiseren waardoor we het stadion binnenkomen?'

'Nee, maar ik kan wel het op een na beste kijkfeestje van de stad regelen,' zei Arlo.

Dus Olivia zei ja.

Arlo was maanden geleden in Athene aangekomen. Hij had vrijwilligerswerk gedaan bij de voorbereiding van de Spelen en was de zelfbenoemde sociale manager van de vrijwilligers geworden. Dus toen hun dienst voorbij was, gingen Olivia en Arlo naar de andere kant van het dorp, naar een bruisende sportbar die de vrijwilligers als hun persoonlijke eigendom zagen. Ze werden omringd door een menigte mensen die allemaal dezelfde blauw-gele uniformen droegen. Arlo stelde haar voor aan meer mensen dan ze ooit kon tellen. Normaal gesproken sleepte Olivia Aditi mee naar elk sociaal evenement waar ze naartoe ging, maar die avond was ze op een feest van influencers in het centrum van Athene. En zij was sowieso niet geautoriseerd om het dorp binnen te komen. Arlo was echter de perfecte vriend om haar terzijde te staan en al snel voelde Olivia zich helemaal op haar plaats bij de vrijwilligers.

Terwijl ze de sfeer in zich opnam, begon Olivia weer enthousiast te worden over de komende zomer. Op Instagram zag ze dat Lars Lindberg naar de openingsceremonie keek vanaf een vipplaats in het stadion, met alle managers uit het Internationaal

Olympisch Comité, naar wie Olivia zoveel onderzoek had gedaan. Maar Olivia keek ernaar in een groot gezelschap, met mensen die hun hele leven al die vijf elkaar kruisende ringen hadden gevolgd. Mensen die net zoveel van de Olympische Spelen hielden als zij en niet bang waren om dat te laten zien. Ze besloot dat dit net zo goed was.

De vrijwilligers waren volledig gefascineerd door de openingsceremonie die zich op loopafstand van hen afspeelde. Als de artiesten op het podium iets spectaculairs deden, klapte iedereen. Toen het verhaal dat werd opgevoerd emotioneel werd, huilden sommige mensen. En toen het tijd was om naar de parade van de atleten te kijken, juichten ze voor elk land.

Olivia nam een foto van het tien man sterke Zimbabwaanse team en stuurde die naar haar vader, die haar een bericht terugstuurde waarin hij zei:

> Tegen de tijd dat jij de Olympische Spelen leidt, zal dat een team van honderd man zijn.

Olivia schudde haar hoofd, zich realiserend dat ze hun uiteindelijk de waarheid zou moeten vertellen. Maar voordat ze daarbij stil kon blijven staan, werd ze afgeleid door het feest. De vrijwilligers waren echt haar soort mensen. Ze sprak met een Schot die als vrijwilliger bij het accreditatiebureau werkte, en ze kwamen erachter dat ze allebei ontzettend hadden genoten van de soundtrack van de Olympische Spelen van 2012 in Londen. Ze praatte met een Indonesische vrouw die vrijwilligerswerk deed bij de kassa, en die vertelde hoe ze de wereld rond had gereisd en steeds weer bij dit soort evenementen had gewerkt. En met een groep Brazilianen die vrijwilligerswerk deden op de transportafdeling deelde ze een groot bord chips met dipsaus, terwijl zij haar vertelden over de beste plekken in het dorp, die niet op de officiële kaart stonden. Toen het laatste deel van de ceremonie begon, werd het weer stil terwijl de hele menigte in verwonderde stilte naar de fakkeltocht keek. De Olympische Spelen van 2024 in Athene waren officieel begonnen.

Olivia stond op het punt het dorp te verlaten, terug te gaan naar het appartement waar zij en Aditi logeerden, en in bed te duiken. Ze moest de volgende ochtend op tijd opstaan voor haar eerste officiële werkdag. En ze was van plan te solliciteren naar een nieuwe baan om haar leven vóór september weer op de rails te hebben. Maar toen ze bekeek hoe ze thuis kon komen, vond Arlo haar en zette hij een streep door haar plannen om vroeg te gaan slapen.

'Olivia, je gaat niet naar huis, we moeten nog naar feestjes toe,' zei hij met een glinstering in zijn ogen.

Olivia had geruchten gehoord over de afterparty's van het dorp. Over drinkspellen, wilde uitdagingen en luidruchtige nachten in de slaapkamers. Ze had gehoord dat er tijdens de Spelen in Londen in 2012 een heel team Franse volleyballers de nacht naakt had afgesloten in de rivier de Lea. En dat tijdens de Spelen in Rio in 2016 een groep Canadese fietsers op de een of andere manier zes uur verderop in São Paulo wakker was geworden. Ze wist dat de afterparty's legendarisch waren, maar eraan deelnemen was een heel ander verhaal. Arlo was, omdat hij nu eenmaal Arlo was, al bevriend met een aantal atleten. Ze hadden hem uitgenodigd voor een feest in het enorme flatgebouw van het Australische team en hadden gezegd dat hij een introducee mocht meenemen. Ze liepen het pad op en hoorden de luide, opzwepende popmuziek uit de jaren negentig uit de ramen komen. Olivia zei nog eens tegen zichzelf dat ze overal ja op zou zeggen. Arlo opende de deur, er stroomde muziek naar buiten en ze werden meegesleurd in het wildste, filmische feest dat Olivia ooit had meegemaakt.

Toen de openingsmaten van 'Loose Control' van Missy Elliott weerklonken, besefte Olivia dat ze nu echt meedeed aan een knalfeest, zoals alleen atleten konden neerzetten. Op elke verdieping stonden groepjes mensen die uit plastic bekers dronken. Energieke popmuziek weerklonk uit verschillende luidsprekers door het hele gebouw. Nieuwe atleten, die tijdens de openingsceremonie hun beste beentje voor hadden gezet, lieten zich nu volledig gaan. Mensen dansten in de gangen, kusten elkaar in rustige hoekjes en maakten foto's van het feest, onder de stilzwijgende voorwaarde dat niets schandaligs ooit wereldkundig zou worden gemaakt. De atleten hadden allemaal een onberispelijke reputatie hoog te houden, sponsors om tevreden te houden en thuislanden om indruk op te maken. Een dubieuze foto plaatsen van een andere atleet betekende de ondergang van beide, dus gingen ze op het feest compleet uit hun dak en zorgden ze online voor het perfecte plaatje.

Aanvankelijk keek Olivia vanaf de zijlijn toe, maar uiteindelijk overtuigde Arlo haar om mee te doen met een rondje shotjes met hem en een andere groep vrijwilligers die op het feest waren beland. Als ze stagiaire was geweest, zoals de bedoeling was geweest, zou ze haar best hebben gedaan professioneel te blijven. Maar die druk was er nu niet meer, dus liet ze zich gaan. Ze danste met het Argentijnse volleybalteam op oude liedjes van Britney Spears en praatte enthousiast met enkele Franse wielrenners over haar huidige favoriete tv-programma *Call My Agent!*

Toen zagen zij en Arlo een tafel staan met een laptop en drie microfoons. Ze wisselden een veelbetekenende blik uit en knikten. Soms begrepen mensen Olivia verkeerd en dachten ze dat ze te ambitieus was om plezier te hebben. Maar Olivia hield wel van een feestje en bovenal hield Olivia van karaoke.

15

Zeke

De dag van de openingsceremonie

In de maanden voorafgaand aan een wedstrijd was Zeke ongelooflijk gedisciplineerd. Hij hield zich aan een strikt slaapschema, plande zorgvuldig zijn door de diëtist goedgekeurde maaltijden en deed er alles aan om ervoor te zorgen dat hij topfit was om te kunnen presteren. Maar er was iets aan de openingsceremonie waardoor hij, en alle andere atleten, uit hun dak wilden gaan. Zodra de fakkel werd aangestoken en de laatste stukjes confetti op de grond vielen, gingen alle remmen los.

Zeke keek toe hoe iedereen om hem heen zijn telefoon pakte en begon te appen en bellen om te beslissen naar welke afterparty ze moesten gaan. Althans, naar welke afterparty ze als éérste moesten gaan. Fionn, de aanvoerder van het Ierse hockeyteam, stuurde Zeke een bericht waarin hij zei dat ze fusten hadden besteld. Vervolgens nodigde Kwabena, een van zijn vrienden uit het Ghanese boksteam, hem uit voor een huisfeest waar gegarandeerd de beste muziek van de avond te horen was.

Maar Zekes plannen werden pas gemaakt toen Haruki hem in de menigte aantrof. Hij rende naar hem toe en sloeg een arm om Zekes schouder. 'Ik heb een visioen gehad,' zei Haruki.

'O ja?' vroeg Zeke. Uit de visioenen van Haruki was nog nooit iets goeds voortgekomen.

'Het kwam tot mij toen het koor aan het zingen was, goddelijke interventie denk ik,' zei Haruki met het soort grijns dat garant stond voor chaos.

'Wat voor visioen?' vroeg Zeke, niet helemaal zeker of hij het wel wilde weten.

'Australië...'

'Absoluut niet,' zei Zeke. Het Australische team stond bekend om de wildste feesten in het olympisch dorp, en Zeke moest de volgende ochtend in alle vroegte trainen.

'Ezekiel,' zei Haruki, met de zogenaamd strenge stem die hij opzette als hij op het punt stond Zeke ervan te overtuigen iets te doen wat hij niet zou moeten doen. Ze waren zo hecht als broers, en waren er net zo goed in als broers om elkaar in de problemen te brengen. 'Dit is dé avond van de openingsceremonie. We moeten het groots aanpakken, of naar huis gaan en Australië...'

Dus een uur later lieten ze zich meeslepen door de roekeloze vreugde van de eerste nacht in het dorp. Muziek weergalmde door de ruimtes, overal ontstonden spontaan dansvloeren en een hele delegatie atleten van over de hele wereld verspreidde zich over alle tien de verdiepingen van het gebouw om te feesten met de Australiërs. Zeke speelde een bijzonder energiek spelletje bierpong met de Colombiaanse gewichtheffers toen hij haar zag. Olivia.

Aanvankelijk wist hij niet zeker of hij het wel goed zag. Zeke besefte natuurlijk dat als ze die ochtend in het dorp was geweest, ze daar waarschijnlijk een goede reden voor had en waarschijnlijk de hele Spelen zou blijven. Maar hij had niet verwacht haar zo snel weer te zien... of op een plek als deze. Gezien hun eerdere interactie zou hij niet hebben geraden dat ze wel van een feestje hield. Maar daar was ze dan, terwijl ze op een tafel aan de andere kant van de keuken klom.

Deze keer droeg ze niet dat sexy, groene pak. In plaats daarvan droeg ze een blauw-geel vrijwilligerstopje, ingestopt in een spijkerrok. Haar haar zat niet meer in een strakke paardenstaart; haar vlechten hingen los over haar schouders en langs haar rug. Maar het kwam niet door haar outfit waardoor ze er zo anders uitzag. Het kwam door de uitdrukking op haar gezicht. In plaats van de frons en de verontwaardigde woede die hij die middag bij haar had gezien, zag hij nu een blik van pure vreugde. Ze grijnsde toen ze hoorde wat de man naast haar zei. Zeke wist dat hij de volgende zou zijn bij het spelletje bierpong, maar hij kon zijn ogen niet van haar afhouden. En even later kon niemand dat. Olivia stond namelijk niet alleen maar op de tafel voor de kick. De lichten in de kamer gingen uit, er werd een projector op een keukenkastje geplaatst en iedereen verdrong zich rond de tafel. De woorden werden op de muur geprojecteerd en Olivia hield de microfoon zonder een greintje zelfingenomenheid bij haar mond.

'*And I was like, why are you so obsessed with me?*' zei ze. De openingsklanken van 'Obsessed' van Mariah Carey kwamen op vol volume uit alle speakers op de verdieping waar het feest werd gevierd. Olivia en karaoke?

Zeke stond als aan de grond genageld. Olivia was helemaal geen goede zangeres. Eigenlijk was ze heel erg slecht. Maar ze gaf een geweldig optreden. Ze danste op de tafel en trok gezichten die perfect bij elke regel van het lied pasten. Ze zong het met zoveel passie dat het leek alsof ze het zelf had geschreven. En het publiek genoot. Het Australische zwemteam klapte mee op de maat, een groep Venezolaanse boksers danste en twee Tanzaniaanse zwemmers deden de achtergrondzang alsof ze een concert van Carey zelf bijwoonden.

‘*You’re delusional, boy you’re losing your mind*,’ zong ze, haar ogen gesloten alsof het een gebed was.

Zeke moest er wel om lachen. Hij realiseerde zich dat de Olivia die hij die ochtend had ontmoet een heel andere versie van Olivia was dan degene die een podium van een keukentafel maakte.

Terwijl ze haar ogen opende om het refrein te zingen, keek ze naar de bewonderende menigte en danste onder gejuich de hele kamer door. Ze had ze allemaal om haar vinger gewonden.

Zeke kon niet wegkijken en misschien had ze zijn blik gevoeld, want toen ze bij het volgende couplet kwam, keken ze elkaar aan. Ze keek eerst geschrokken, alsof ook zij niet had verwacht hem daar te zien. Hij hief zijn wegwerpbeker naar haar op en als reactie schudde ze haar hoofd en ging verder met haar optreden. Hij was volledig geboeid. Toen ze klaar was met haar lied, applaudisseerde de hele kamer. Ze maakte een buiging, sprong van de tafel en verdween in de menigte.

Zeke leidde zijn bierpongteam naar de overwinning en liep vervolgens naar de borreltafel om een fles water te pakken. Hij kon het zich echt niet veroorloven om morgenochtend tijdens de training een kater te hebben. Zijn eerste gouden plak lag binnen handbereik, daar bleef iedereen hem aan herinneren. Dus dronk hij twee liter water en keek hij om zich heen, op zoek naar Haruki. Het was waarschijnlijk tijd om naar huis te gaan.

Maar in plaats daarvan stuitte hij op Olivia. Ze zat op een kruk in de keuken naar het feest te staren en deinde mee op een oud liedje van Aaliyah. Ze zag er volkomen ontspannen uit, alsof deze plaats precies was waar ze thuishoorde. Ze neuriede mee met het liedje en roerde afwezig met haar rietje in haar rode bekertje. Toen ving ze zijn blik. Deze keer leek ze niet verbaasd hem te zien. Terwijl hij naar haar toe liep om haar te vertellen dat hij haar notitieboekje had gevonden, viel het hem opnieuw op hoe mooi ze was. Toen hij dichterbij kwam, kon hij de vanille op haar huid ruiken.

'Wat ga jij zingen?' vroeg ze, alsof het gewoon twee mensen waren die op een feestje met elkaar spraken, en niet twee vreemden die een paar uur geleden knallende ruzie hadden gehad over een beker groen sap. Misschien was ze het vergeten. 'Of ga je gewoon bij de borreltafel staan wachten tot je met een bekertje sap kunt gooien en de outfit van een andere onschuldige omstander kunt verpesten?' vroeg ze terwijl ze een slok van haar drankje nam. Nee, ze was het zeker niet vergeten.

'Ik ga niet zingen,' zei Zeke, de rest van haar uitspraak negerend.

Olivia keek hem aan alsof hij net had gezegd dat hij het leuk vond om te zien hoe puppy's door motorfietsen werden overreden.

'Iedereen gaat zingen,' zei ze hoofdschuddend. 'Je hoeft niet goed te zijn voor karaoke.'

'O, dat heb je heel duidelijk gemaakt,' grapte hij.

'Ik heb vertrouwen in alles wat ik doe, Ezekiel, zelfs als het dingen zijn waar ik niet goed in ben,' zei ze schouderophalend.

'Alles?'

'Alles,' zei ze, zonder te aarzelen of het oogcontact met hem te verbreken. 'Maar jij, durf je soms niet?' Ze hield haar hoofd schuin en keek hem peilend aan, maar er was een glinstering in haar ogen, een vleugje ondeugd in haar stem.

'Ik doe niet aan karaoke.'

'O, dus je bent van het saaie type? Goed om te weten,' zei ze met een knik, terwijl ze van haar kruk afstapte en weg begon te lopen.

'Wacht, ik ben niet saai,' riep hij, en hij draaide zich om.

'Bewijs het dan,' zei ze, hem uitdagend.

Zeke keek om zich heen naar de menigte, de karaoketafel en

toen weer naar Olivia. Het ontbrak Zeke niet aan zelfvertrouwen, maar de gedachte om voor publiek te zingen zorgde voor een ongelooflijk ongemakkelijk gevoel. Op de een of andere manier had ze het enige zwakke punt in zijn pantser gevonden.

'Ik...' begon hij, in een poging een excuus te verzinnen.

'Het geeft niets, je kunt saai zijn en de hele nacht bij de muur blijven staan terwijl de rest van ons plezier maakt. Of...'

'Of?' vroeg Zeke.

Olivia stopte haar rietje in haar mond en keek op alsof ze erover nadacht. 'Ik daag je uit om op die tafel te gaan staan, een liedje van mijn keuze te zingen en alles te geven,' zei ze.

'En wat levert het mij op?'

'Je verdedigt je eigen eer,' zei ze schouderophalend. 'Het is jouw keuze om te zingen. En anders weet je voor de rest van je leven dat je ervoor hebt gekozen om je saai te gedragen op de eerste avond.'

Zeke was veel, maar hij was niet saai. Dus voordat hij het wist, liep hij naar de andere kant van de keuken, ging op de tafel staan en pakte de microfoon.

Pas toen hij halverwege zijn uitvoering van 'Pony' van Ginuwine was, Olivia's keuze en niet de zijne, besefte hij dat ze hem erin had geluisd. Zíj kende hier niemand, dus was er geen reputatie om op het spel te zetten; terwijl Zeke naar een menigte atleten staarde die hij de rest van zijn leven nog zou zien.

Olivia keek verrukt naar hem op; hij had haar recht in de kaart gespeeld. Er was geen scorebord, maar toch wisten ze allebei dat Olivia aan het winnen was.

Maar Zeke was niet iemand die zich terugtrok bij een uitdaging, dus toen hij het slotrefrein zong, keek hij naar een specifieke plaats in de menigte en trok haar aandacht. Zij knikte en hij ook. Ook hier waren de Spelen geopend.

16

Olivia

Dag één van de Olympische Spelen van 2024

Olivia was verliefd. Het kwam volkomen onverwachts, overrompelde haar en blies haar helemaal van de sokken. Het bracht haar in een soort extase waardoor ze gedwongen werd haar ogen te sluiten om het ten diepste te ervaren. Alle geluiden om haar heen werden levendiger en voor een moment vergat ze alles waar ze zich zorgen over maakte en elke manier waarop ze zich ooit gekleineerd had gevoeld.

Olivia was verliefd op een *koulouri thessalonikis*, het meest perfecte broodje dat ze ooit had gegeten. Het was ringvormig en bedekt met geroosterde sesamzaadjes, knapperig aan de buitenkant en met een verrukkelijk zachte, taaie binnenkant. Ze had het niet verwacht en ze wist dat niets ooit meer hetzelfde zou zijn.

‘Probeer het eens,’ zei Aditi, terwijl ze een bord met feta en tomaten over de tafel schoof.

Olivia brak een stuk van haar koulouri af, sneed het in plakjes en deed de feta en de tomaat erop. Ze nam een hap. Het was zo lekker dat ze had kunnen huilen. ‘Ik denk dat ik naar Griekenland moet verhuizen,’ zei Olivia, terwijl ze met zoveel eerbied naar haar koulouri keek dat je zou denken dat het veel meer was dan alleen het Griekse equivalent van een bagel.

Die ochtend was Olivia wakker geworden met bonzende hoofdpijn en een beschamend heldere herinnering aan de avond ervoor. Maar voordat ze haar hoofd weer in haar kussen had kunnen begraven, had Aditi haar uit bed getrokken om te zeggen dat ze een nieuw café met haar moest proberen en dat daar echt niet over onderhandeld kon worden.

Olivia trok haar vrijwilligersuniform aan en hielp Aditi haar cameratas en statief door Athene te dragen naar een rustiger deel van de stad om de Plakatrappen bij Mnisikleous te bezoeken – een steil straatje waar het barstte van de cafés, restaurants en prachtige stenen huizen. Terwijl Aditi foto's maakte, keek Olivia om zich heen. Overal zag ze heldergroene bladeren en rode bougainville. Kalopsia was een familiecafé met klimmende druivenranken langs de muren en pittoreske blauwe deuren en luiken. Ze bestelden samen kleine porties van alles wat ze als ontbijt serveerden, twee grote glazen vruchtensap en, voor Aditi, een kopje van elke soort koffie die op het menu stond. Ze waren ruim tien minuten bezig met het herschikken van de borden en het vinden van de perfecte hoek, zodat Aditi de foto's kon maken die ze nodig had voordat ze gingen ontbijten.

Olivia vond dat ze er gisteravond behoorlijk goed in was geslaagd om geruisloos het appartement binnen te lopen. Ze wist zeker dat Aditi niet had gemerkt dat haar stem hees was van het zingen. Maar haar beste vriendin ontging niets.

'Dus het zonnetje Olivia is gisteravond weer tevoorschijn gekomen?'

'Ik heb geen idee waar je het over hebt,' zei Olivia, maar het was een verloren strijd.

'Dit bedoel ik,' zei Aditi, terwijl ze haar telefoon naar voren schoof om een video te laten zien waarin Olivia op een tafel tussen twee Bulgaarse gewichtheffers zat en 'Fantasy' van Mariah Carey zong.

‘Ah, Svetlana en Viktor,’ zei Olivia. Ze had niet meer gedanst met Arlo, maar kennisgemaakt met de Bulgaarse gewichtheffers, en hen ervan overtuigd dat ze nog een rondje shots en karaoke met haar moesten doen. Ze bekeek de video en herinnerde zich weer hoeveel plezier ze had gehad, maar toen besefte ze dat er absoluut geen reden was voor Aditi om die video op haar telefoon te hebben. Dankzij haar snelgroeiende aanhang van toegewijde ijskoffieliefhebbers was Aditi op een influencerparty geweest, die werd georganiseerd door een bedrijf in athleisure en decafkoffie.

‘Waar heb je dit vandaan?’ vroeg Olivia.

‘Nou, je tagde gisteravond een man met de naam Arlo op een foto van jou in uniform, dus ging ik naar zijn profiel en bekeek zijn verhaal. Toen zag ik dat hij een Deense zeilster had getagd. Dus ging ik naar haar verhaal. Ze plaatste een selfie met een vrijwilliger, die een carrousel met foto’s van de openingsceremonie plaatste. Dat leidde me naar een verhaal dat was gepost door een Bulgaarse gewichthefster, Svetlana, en daardoor kwam ik uit bij deze video van jou,’ biechtte Aditi op.

‘Aditi, ik denk dat we het eens moeten hebben over je ver ontwikkelde stalkervaardigheden,’ zei Olivia.

‘Zo makkelijk kun je me niet afleiden. Wat is er afgelopen nacht gebeurd?’ Aditi wist zeker dat ze het zonnetje Olivia nog eens te zien zou krijgen.

Dus vertelde Olivia haar over de afterparty en het contact met Zeke.

‘Ik weet niet of je hem nu haat of dat je hem leuk vindt,’ zei Aditi weemoedig.

‘Hallo? Ik heb je verteld dat hij sap over me heen heeft gemorst, heeft gezegd dat ik “aardig” moest zijn en vervolgens insinueerde dat ik slecht in zingen was. Wat blijft er nog over als het om leuk vinden gaat?’ vroeg Olivia.

‘Je stem,’ zei Aditi, alsof ze dwars door haar heen kon kijken.

'Je stem klinkt hetzelfde als je praat over iemand die je haat, als wanneer je praat over iemand die je leuk vindt,' ging ze verder.

'Nee, dat is niet zo,' zei Olivia, terwijl ze in haar fruitsalade prikte en een flinke vork vol in haar mond stak.

'O ja, dat is wél zo. Toen we nog kinderen waren, deed je op de speelplaats gemeen tegen jongens die je leuk vond en zocht je altijd naar iets wat je niet leuk aan ze vond, zodat je –' begon Aditi, maar Olivia was niet van plan dit gesprek te voeren.

'Ik vind hem niet leuk. En als alles volgens plan verloopt, zal ik hem nooit meer zien, behalve dan op tv,' zei Olivia resoluut.

'Je hebt vast gelijk,' zei Aditi op zangerige toon.

'En zelfs als ik hem leuk zou vinden, of wie dan ook in het dorp, zou er niets gebeuren. Ik doe niet aan zomerliefdes…'

'Behalve die ene keer,' zei Aditi.

'Dat zal nooit meer gebeuren,' zei Olivia. 'De zomer is gevaarlijk, ik kan niet helder nadenken in die hitte. Dus de enige man aan wie ik de komende weken ga denken is Noah van hr, omdat ik toch een manier moet vinden om een echte baan te krijgen op de Olympische Spelen,' zei Olivia.

Daar had Aditi niets tegen in te brengen.

'Wacht, ik heb je het ergste wat gisteren is gebeurd nog niet eens verteld: ik ben mijn notitieboekje kwijt!' zei Olivia teleurgesteld.

Het felgroene notitieboekje met IK VOEL ME ERG OLYMPISCH VANDAAG, de quote die was geïnspireerd door *Cool Runnings*, was een cadeau van Aditi geweest. Haar beste vriendin wist hoe dol ze was op de film en hoe graag ze lijstjes maakte om haar leven te organiseren. Daarom had ze haar bij aankomst in Athene het speciale, gepersonaliseerde notitieboekje gegeven, in een doos met een grote strik erom.

Olivia was er meteen weg van en had hardop gelachen toen ze het lijstje had ontdekt dat Aditi op de eerste pagina had geschreven. Maar toen ze die ochtend haar tas reorganiseerde, besefte ze dat ze het kwijt was. Ze had het hele appartement doorzocht, maar het niet kunnen vinden. 'Ik herinner me dat ik hem vasthield voordat ik de olympische gevangenis in moest, maar daarna weet ik het niet meer,' zei ze met een zucht, terwijl ze probeerde na te gaan waar ze precies was geweest in het dorp om te kunnen zoeken. Maar voordat ze een stap verder was gekomen, begon haar telefoon te rinkelen. Ze wierp een blik op het nummer en keek toen onmiddellijk de andere kant op.

'Ga je niet opnemen?' vroeg Aditi terwijl ze allebei naar de telefoon keken. Het was de moeder van Olivia.

'Nee,' zei Olivia, terwijl ze nog een hap van haar koulouri nam.

Aditi keek haar vragend aan. 'Heb je het ze nog niet verteld? Liv!' zei Aditi.

Maar in plaats van te antwoorden weigerde Olivia de oproep en typte snel een appje waarin ze haar moeder vertelde dat ze het zo druk had met de voorbereidingen voor de tweede dag van haar stage dat ze haar later die avond terug zou bellen. Nee, Olivia had haar ouders niet verteld dat ze niet de stage liep waarvoor ze naar Athene was gevlogen. En ze was absoluut niet van plan het hun te vertellen totdat ze het had opgelost. Haar ouders wilden dat het goed met haar ging, maar echt bemoeizuchtig waren ze nooit geweest. Toch had ze haar opleiding afgerond, een eersteklas diploma behaald en haar cv aangevuld met zaken waarop ze trots waren.

Olivia wist dat ze niet teleurgesteld in haar zouden zijn als ze hen de waarheid vertelde. Maar ze wist dat ze teleurgesteld vóór haar zouden zijn, wat op de een of andere manier nog erger was. Zij was degene die alles moest overwinnen en bereiken wat hun generatie niet had kunnen bereiken. Dus vertelde ze een leugentje om bestwil om hun gevoelens te sparen, beloofde Aditi dat ze ja zou blijven zeggen tegen alles wat leuk klonk, en toen stapte ze op de shuttle naar de andere kant van Athene om haar tweede eerste dag in het dorp te beginnen. En om haar groene notitieboekje op te sporen.

17

Zeke

Dag één van de Olympische Spelen van 2024

Zeke werd de volgende ochtend wakker met het gevoel alsof hij door de straten van Athene was gesleept, in elkaar geslagen en vervolgens op een rodeostier had gezeten. Zijn hoofd bonkte, zijn ogen brandden en zijn maag keerde zich bijna om.

'Daar zijn we dan. Zie hier wie mijn advies niet heeft opgevolgd,' zei coach Adam hoofdschuddend toen Zeke en zijn teamgenoten de volgende ochtend de sportschool binnenliepen. 'Ik zei toch, feest of geen feest, de training begint om zes uur 's ochtends,' zei de coach terwijl Zeke, die een zonnebril droeg om zijn ogen tegen het felle licht te beschermen, traag naar een loopband liep. Kater of geen kater, hij en de rest van het team moesten trainen voor een wedstrijd.

Er waren nog vijftien andere hardlopers bij de heren en allemaal volgden ze een eigen specifiek trainingsregime. Maar op de eerste dag van de Spelen trainden ze altijd samen. Die ochtend verspreidden ze zich dus door de sportschool op loopbanden, springtouwen en crosstrainers. Ze werkten met gewichten, deden rekoefeningen, trainden hun beenspieren en deden honderden push-ups.

Tijdens de work-out weerklonk coach Adams favoriete afspeellijst met funkmuziek uit de jaren zeventig. In het begin was het irritant, de muziek was te helder en vrolijk voor een team dat vocht tegen een van de ergste katers van het jaar. Maar een paar liter water en een training van twee uur verder begon Zeke zich weer een beetje mens te voelen. Toen ze klaar waren, ging de helft van het team ontbijten, en de andere helft splitste zich om naar verschillende delen van de sportschool te gaan, voor een-op-eensessies met coaches. Coach Adam werkte al met Zeke samen sinds hij bij het Britse team was gekomen, dus gingen ze zitten en bespraken ze hun strategie om Zeke in een recordtijd over de finish te krijgen.

'Het gaat gewoon om het verbeteren van je techniek. Je uithoudingsvermogen is geweldig, je snelheid is beter dan ooit, maar je moet je stappen nauwkeuriger zetten,' aldus coach Adam. Hij speelde de laatste vijf seconden af van een video die hij had gemaakt van Zekes laatste oefensessie en leunde voorover om te kijken. Zeke hield van die analyses, waarbij ze seconde per seconde bekeken. Elk beeld werd uitvergroot om elke beweging te ontleden en tot op de milliseconde terug te kijken, om het vanuit verschillende perspectieven te zien. Dat was de enige manier waarop hij er zeker van kon zijn dat hij werkelijk alles had gedaan wat in zijn macht lag om op zijn best te zijn. Dus gingen ze zitten en analyseerden zijn ronde, maakten een lijst van dingen waaraan hij moest werken voor de volgende trainingssessie en toen maakte Zeke zich klaar om te vertrekken.

'Team Jamaica heeft de baan voor de rest van de ochtend gereserveerd, dus we trainen om twaalf uur, oké?'

'De concurrentie voor zien gaan is de beste motivatie die er is, toch?' zei Zeke. De race om het goud op de honderd meter was altijd een felle strijd tussen de atleten van Team Jamaica en Team USA. Iedereen was dus verrast toen hij zilver had gewonnen tijdens de laatste Olympische Spelen.

‘Precies, een gezonde hoeveelheid angst zorgt er altijd voor dat je sneller rent,’ grapte coach Adam. ‘Vergeet de shoot met de BBC niet.’

‘Heb ik je ooit teleurgesteld, coach?’ zei Zeke. Maar toen herinnerde hij zich alle keren dat hij dat had gedaan. ‘Maak je geen zorgen, ik kom op tijd.’ Hij pakte zijn trainingstas en liep naar de kantine om te ontbijten. Zijn lichaam verlangde naar een calorierijk Engels ontbijt met een grote kop koffie en een bord vol spek om over zijn kater heen te komen. Maar die ochtend kreeg hij van zijn diëtist… een kom havermout, een banaan en een gekookt ei.

Toen Zeke naar de tafel liep waar zijn teamgenoten zaten, zag hij hoe een uitgeput uitziende Haruki een detoxsapje dronk, terwijl hij met de rest van de Japanse zwemmers zat te ontbijten. Haruki zwaaide vermoeid naar hem en mimede ‘help’ met een hand op zijn hart.

‘Oké, team. Waar waren jullie gisteravond, wie hebben jullie ontmoet en welke verhalen mogen nóóit verder verteld worden?’ vroeg Anwar terwijl hij naar hun tafel liep.

‘Ik deed een rondje shots met de Koreaanse boogschietmeiden en heb daarna de nacht dansend doorgebracht in het gebouw van Nigeria,’ zei Camille.

‘Ik werd wakker in Zweden,’ zei Frankie.

‘Ik kwam uiteindelijk terecht aan een zeer intense pokertafel met een stel marathonlopers,’ zei Anwar.

‘En jij, Zeke? Je bent nogal stil vandaag,’ zei Camille.

‘Ik heb gefeest met de Australiërs,’ zei Zeke, wetende dat dat genoeg informatie was voor de rest om precies te weten hoe zijn avond was verlopen.

‘O, dat verklaart waarom je binnen een zonnebril draagt,’ zei Camille.

‘En de twee literflessen water,’ zei Anwar.

'Ik hoorde dat er een... trans-Atlantische bijeenkomst was?' zei Frankie, een wenkbrauw optrekkend, waarna de hele tafel in een samenzweerderig 'o' uitbarstte. Roddels verspreidden zich als een lopend vuurtje in het dorp. Op de een of andere manier had niemand gehoord over zijn tragische poging tot karaoke, terwijl zijn twee minuten durende interactie met Valentina deel uitmaakte van het roddelcircuit van die ochtend.

'En, betekent dit dat Valentina en jij weer een stel worden?' vroeg Camille grijnzend. Ze boog zich naar voren. Camille was degene die Zeke in Tokio aan Valentina had voorgesteld, en op Haruki na was zij de meest enthousiaste voorstander van hun relatie.

'Ik zei toch dat Zekentina goed zou zijn voor goud,' zei ze terwijl ze Frankie aanstootte.

Frankie haalde zijn schouders op. 'Ik geef toch de voorkeur aan Valenkiel.'

'Valenkiel klinkt als een voetzalf,' antwoordde ze. Terwijl ze heen en weer liepen, herinnerde Zeke zich wat er onmiddellijk na zijn tragische poging tot karaoke was gebeurd. Olivia had meegeklapt met de rest van de menigte, maar voordat hij haar weer had kunnen vinden om haar te vertellen dat hij haar notitieboekje in zijn bezit had, was ze in het niets verdwenen. Toen was Valentina de keuken in gekomen. Iedereen in de ruimte had steelse blikken op hen geworpen.

'Hey Z,' had Valentina gezegd, terwijl ze hem had geknuffeld, onbewust van alle ogen of gewoon immuun daarvoor. Zeke was zich er wel van bewust geweest, maar het had hem niets kunnen schelen. Hij was gewoon blij haar te zien.

'Ik ben blij dat je er bent,' had hij gezegd, terwijl hij haar terug had geknuffeld. Hij meende het oprecht. Ze belden en appten vrij regelmatig sinds ze het uitgemaakt hadden, maar dit was de eerste keer dat ze elkaar persoonlijk zagen, en het voelde... fijn.

Het was vreemd, dacht Zeke, tegenover iemand te staan die niet alleen al je beste, maar ook je slechtste eigenschappen kende. Maar op de een of andere manier waren ze zo in een informeel gesprek verwikkeld, alsof ze gewoon oude vrienden waren. Het was al een jaar geleden dat ze uit elkaar waren gegaan, maar het was de meest minnelijke breuk uit Zekes leven. Als het om een romantische relatie ging, zaten ze gewoon helemaal niet op één lijn. Dus toen ze naar Londen was gevlogen voor 'het gesprek' en haar redenen uiteenzette, had hij het geaccepteerd. Hij had het begrepen. Ze waren uit elkaar gegaan, maar vrienden gebleven.

Vóór Valentina had Zeke zich nooit kunnen voorstellen dat je liefdesverdriet zou kunnen hebben zonder wrok of afscheid te nemen, zonder een diep gevoel van verlies. Hij was tenslotte een kind van zijn moeder. De liefde die hij voelde voor de mensen die in zijn leven waren gekomen, verdween nooit. Maar toen hij op het feest in de keuken met Valentina sprak, realiseerde hij zich dat zijn liefde voor haar een nieuwe vorm had gekregen.

'Dus, jullie twee, komt er nog wat van?' vroeg Anwar nieuwsgierig, toen ze weer in de kantine waren.

'We zijn gewoon vrienden,' zei Zeke schouderophalend.

'Oké,' zei Camille en ze rolde met haar ogen. 'Ik zal doen alsof jullie gewoon vrienden zijn, maar als jullie allebei tot bezinning komen en besluiten te trouwen, wil ik het bruidsmeisje zijn.'

Zeke keek naar zijn telefoon. Hij had hem die ochtend op stil gezet om te voorkomen dat hij tijdens de training afgeleid zou worden. Maar nu had hij meer dan zeven gemiste oproepen en een snel groeiende lijst apps van coach Adam. Zoveel belletjes en apps kon maar één ding betekenen. Er was iets vreselijks gebeurd met iemand van wie hij hield, of Zeke had een enorm probleem. Het was vrijwel altijd het laatste, dus hij kromp ineen en belde terug.

'Hé coach,' zei Zeke, terwijl hij een grimas trok naar de rest van het team, die meteen het gezicht herkenden van iemand die op het punt stond ervan langs te krijgen.

'Ezekiel Moyo,' zei de coach geïrriteerd. 'Waarom neem je nooit je telefoon op?' Coach Adam had twee tienerdochters, dus als hij zich ergerde, schakelde hij over op de vadermodus.

'Heb ik je al verteld hoezeer ik je waardeer, coach?' begon hij, maar het hielp niets.

Coach Adam was geïrriteerd en kreeg geen vriendelijk woord over zijn lippen. 'Ezekiel, ik heb dit maanden geleden in je agenda gezet. Maar het is zeven minuten over tien en je bent er nog niet.'

Zeke sloot zijn ogen toen hij zich herinnerde waar de coach het over had. Het interview met de BBC. Verdorie. De video-opname had om tien uur stipt moeten beginnen. Het zou hem vijfentwintig minuten kosten om naar de locatie te lopen en hij was al zeven minuten te laat. Zeke had iets nodig wat hem naar de andere kant van het dorp zou brengen, en snel. Zeke zocht snel iets op in zijn telefoon, opende de golfkar-app en boekte een rit. 'Ik kom er zo aan, coach.'

18

Olivia

Dag één van de Olympische Spelen van 2024

Toen Olivia op haar tweede dag in het dorp aankwam, marcheerde ze rechtstreeks naar de olympische gevangenis – of het kantoor van het Internationaal Olympisch Comité, zoals sommige mensen het graag noemden – om een deal te sluiten met Noah van hr. Ze zei tegen hem dat ze de komende twee weken zulk goed werk zou leveren dat hij wel een lovende referentie over haar móést schrijven en haar wellicht in de herfst toch nog een stage zou laten lopen.

Maar haar besluit om op alles ja te zeggen en uit te blinken in alles, begon te wankelen toen het paardensportteam om hulp vroeg bij het 'opruimen'. Toen Olivia via haar walkietalkie met de stalmeester sprak, deed ze haar uiterste best om niet na te denken over wat hij eigenlijk bedoelde met 'opruimen'. Maar zodra ze bij de stal aankwam, overhandigde Friedrich, de Duitse stalhoofdwachter, haar een overall en leidde haar naar het dressuurveld. Ze rook de paardenpoep al voordat ze die zag.

'Hoelang doe je dit al?' vroeg ze aan Friedrich, terwijl ze zichzelf van de geur probeerde af te leiden door hem aan het praten te krijgen.

'Paardenmest opruimen? Een uur. Stallenopzichter? Dertig jaar. Langer dan jij leeft,' zei hij met een grijns.

'Vind je het leuk?' vroeg ze nieuwsgierig.

'Werken met paarden? De beste baan ter wereld,' zei hij. Toen begon hij haar met zoveel oprechte vreugde zijn favoriete paardenverhalen te vertellen dat hij haar toch aan het lachen maakte, ondanks de paardenpoep op haar gloednieuwe schoenen. Ze besloot dat als ze de hele ochtend paardenmest zou moeten opruimen, ze de beste paardenmestopruimer zou zijn die Friedrich ooit had gezien en dat zo efficiënt zou doen dat Friedrich haar ook een referentie zou geven. Sterker nog, ze wilde er een van zoveel mogelijk olympische medewerkers en vrijwilligers met wie ze contact had.

Na het opruimen ging ze douchen, deed ze een schoon uniform aan en kocht ze een minibodyspray bij de drogisterij van het dorp om er zeker van te zijn dat ze niet naar een paardenstal rook. Ze trok een grimas toen ze de melding op haar telefoon zag, omdat ze met elke nieuwe aankoop steeds dichter bij haar creditcardlimiet kwam. Maar ze had geen tijd om daarbij stil te staan of zich zorgen te maken over hoelang het zou duren voordat ze uit de schulden zou zijn, want haar volgende walkietalkieoproep kwam binnen.

Omdat het ongeveer veertig minuten duurde om van de ene kant van het dorp naar de andere te lopen, mochten atleten ritten met een golfkarretje boeken om hen naar trainingen en wedstrijden te brengen. Olivia had tijdens haar trainingsdag een rijles van twee uur gevolgd in het golfkarretje. En omdat het transportteam een tekort aan chauffeurs had, werd Olivia ingeschakeld als back-up. Gisteravond had er volkomen onverwacht een zomerstorm gewoed, dus hoewel het een perfecte zomerdag leek, waren er her en der nog diepe plassen. Olivia was dus extra voorzichtig en reed met een snelheid van vierentwintig kilometer per uur naar de appartementen van de atleten om haar eerste twee passagiers op te halen. In haar hoofd had ze een lijst met vragen en gespreksonderwerpen opgesteld om meer mensen te leren kennen. Ze vroeg een groep Congolese boksers naar de openingsceremonie en hun reis naar de Spelen. Een paar Chileense zwemmers vertelden haar over de beste plekken waar ze in open water hadden gezwommen. En ze leerde de Zweedse woorden voor hallo (*hallå*), bedankt (*tack*) en het is te warm (*det är för varmt*) van twee boogschutters op de terugweg van de sportschool.

Na een paar uur door het dorp rijden en het bestuderen van de kaart had Olivia de golfkar-app niet meer nodig om de weg te vinden. En tot haar verbazing genoot ze enorm van de ritten met het golfkarretje. Door haar nieuwe rol kon ze naar bijna elk deel van het dorp rijden en zoveel interessante mensen ontmoeten dat ze was vergeten dat dit niet de zomer was die ze had gepland. Maar toen ging het bergafwaarts. Letterlijk.

Op de terugweg naar het atletencentrum sloeg ze rechts af en toen merkte ze dat ze een bijzonder lange en steile helling afraasde. In een reflex zette ze haar voet op de rem, maar deze reageerde niet. Ze trapte hem nog verder in, maar het mocht niet baten. 'Pas op!' riep ze tegen een groep Boliviaanse schoonspringers die snel aan de kant gingen, wat haar een veroordeling voor doodslag met een voertuig bespaarde. Maar het golfkarretje reed door. Ze dacht erover om haar been uit te steken om het tegen te houden, maar stel je voor dat ze haar been zou breken. Zou haar reisverzekering dat wel dekken? Zou ze moeten betalen voor het gips en de behandeling? Hoeveel zou het kosten om naar het ziekenhuis in het buitenland te gaan? Ze kon het zich niet veroorloven om haar laatste geld uit te geven aan een uitstapje naar het ziekenhuis. Dus tilde ze haar voet op, deed nog een laatste poging om op de rem te trappen en liet toen het golfkarretje haar lot bepalen. Deze keer reageerden de remmen wel, maar precies op het moment dat ze in een enorme plas onderaan de helling terechtkwam. Ze stopte abrupt en een hele emmer modder spatte op, zo over haar heen, waardoor haar uniform met een dikke laag vuil werd bedekt.

Olivia sloot haar ogen en probeerde elk inspirerend citaat van Aditi op te roepen om haar kracht te geven. Ze wilde terugrijden naar het atletencentrum om zich voor de tweede keer die dag om te kleden. Maar voordat ze daar de kans voor kreeg, kwam er een nieuw bericht binnen via de walkietalkie, waardoor ze gedwongen werd zich provisorisch schoon te kloppen en verder te gaan. Passagier #137 had een ritje met een golfkarretje geboekt.

Dus in plaats van meteen terug te rijden naar kantoor, klopte ze het vuil zo goed en zo kwaad als het ging van zich af en reed ze naar haar volgende passagier. Er stonden nogal wat atleten buiten de kantine in de rij, dus na een paar minuten wachten totdat er iemand tevoorschijn kwam, besloot Olivia het nummer te roepen dat op haar scherm stond.

'Nummer één drie zeven,' zei ze, en besefte toen dat niemand haar zou horen als ze gewoon praatte.

'Nummer één drie zeven!' riep ze, dit keer iets luider, in een poging een marktvrouw te imiteren. Een paar atleten keken naar haar met modder bespatte golfkarretje, en minstens drie mensen vermeden oogcontact met haar nadat ze de vlekkerige bruine vlekken op haar shirt hadden gezien. Maar niemand kwam naar haar toe. Dus begon ze uit volle borst te schreeuwen om te proberen de atleet te vinden die haar golfkarretje had geboekt.

'Nummer een! Drie! Zeven!' Ze zag hoe een paar mensen naar haar keken alsof er iets mis met haar was toen ze het riep. Maar ze had geen tijd om na te denken over welke indruk ze maakte; ze moest een stageplaats veiligstellen door de beste vrijwilliger van het dorp te worden.

'Nummer één drie zeven? Dat ben ik,' zei een stem die ze herkende.

Er stond een hele menigte atleten uit verschillende landen buiten de kantine, maar een van hen torende boven iedereen uit: Zeke Moyo. Hij keek naar haar modderige golfkarretje, vervolgens naar de vlekken op haar shirt en opende toen zijn mond alsof hij een grapje over de situatie wilde maken. In plaats daarvan keek hij haar aan. Het oogcontact zorgde voor een rilling over haar rug. Toen schudde hij zijn hoofd en was het duidelijk dat hij zijn lachen inhield. Ze deed haar best om zichzelf al haar redenen te herinneren om een hekel aan hem te hebben. Het met groene sap besmeurde pak, zijn bijna arrogante praatjes en het feit dat hij waarschijnlijk zijn vrije tijd doorbracht met Lars Lindberg. Maar toen hij met zijn brede schouders, perfecte gezicht en geamuseerde glimlach naar haar toe liep, besefte ze dat Aditi gelijk had. Ze moest erg op haar tellen passen als het om Zeke ging.

19

Zeke

Dag één van de Olympische Spelen van 2024

'Ga je mij een serenade brengen vandaag?' vroeg Zeke zodra hij in het golfkarretje stapte.

'Ga je zo'n pijnlijk optreden doen dat ik je een applausje uit medelijden moet geven, zoals iedereen op het feest deed?' zei Olivia meteen.

'Was het zo erg?' Hij herinnerde zich zijn vernederende karaokeoptreden.

'Laten we zeggen dat het niet getuigde van zelfvertrouwen,' zei ze, terwijl ze de kaart van het dorp bekeek, haar route plande en begon te rijden.

'Dat is een behoorlijk diplomatiek antwoord. Ik wist niet zeker of je daartoe in staat zou zijn,' zei hij.

'Ik ben de diplomatiekste persoon die ik ken,' zei Olivia verontwaardigd, en toen pauzeerde ze: 'Oké, ik sta in de top tien van meest diplomatieke mensen die ik ken.'

'Dat getuigde niet van zelfvertrouwen, Olivia,' zei Zeke, en tot zijn verbazing begon ze te lachen. Het was een warme lach, het soort lach waardoor vreemden zich zouden willen omdraaien, alleen maar om erbij te horen. Hij wilde haar aan het lachen blijven maken.

'Dus je hebt me in de val gelokt met slechte karaoke om je pak te wreken?' vroeg hij.

'Ik heb je niet in de val gelokt, je viel er gewoon in,' zei ze opgetogen.

'Nou, voor alle duidelijkheid: het enige waar ik slecht in ben, is zingen,' zei hij.

'En in je baan blijven,' zei ze.

'Daar win ik medailles mee.'

'En in nederig zijn,' zei ze.

'Ik ken nog zo iemand,' zei hij.

Ze haalde haar schouders op. 'En je bent heel slecht in het aanbieden van excuses. Ik wacht nog steeds op die verontschuldiging, Moyo,' zei ze.

'Daar blijf je maar over doorgaan, hè?'

'Ja! Ik was dol op dat pak,' zei ze, hoewel ze eigenlijk niet meer zo geïrriteerd leek.

'Oké,' zei hij, diep inademend. 'Ik zag dat je pak nieuw was en dat je eruitzag alsof je een slechte dag had, dus... het spijt me dat ik er sap overheen heb gemorst.' Zeke had daar moeten stoppen, maar hij kon het niet laten haar te plagen. 'Hoewel een deel van mij zich rot voelt over het verpesten van je pak, lijkt het erop dat er regelmatig dingen over je heen worden gemorst. Dus zou het waarschijnlijk toch gebeurd zijn...'

'Hou op,' onderbrak Olivia, terwijl ze haar rechterhand schijnbaar geïrriteerd opstak.

'Ik bedoel alleen maar dat vlekje, dat bijna je hele shirt beslaat,' zei Zeke, verheugd toen hij zag hoe Olivia's lippen omhoogkrulden, ondanks haar uitstekende pogingen om te verbergen dat ze geamuseerd was.

'Je hebt de persoonlijkheid van een zeventienjarige jongen.'

'Je reageert als een angstig tienermeisje,' zei hij terwijl Olivia het golfkarretje in beweging zette. 'En je hebt de rijvaardigheid die daarbij past.'

'O, wat een verrassing,' zei ze, en ze schudde haar hoofd. 'De eerste echte belediging van een man die blijft beweren dat hij een goeie vent is, gaat over de rijvaardigheid van een vrouw.'

'Wacht, dat bedoelde ik niet...'

'Maar dat zei je wel.'

'Oké, hoelang bestuur jij al golfkarretjes?' vroeg Zeke.

'Ik heb gisteren leren rijden,' zei Olivia.

'Dat geeft me een heel veilig gevoel,' zei Zeke, waarna Olivia een flinke dot gas gaf. Het karretje ging op volle snelheid en ze maakte een snelle, onnodig scherpe bocht.

'Nou, je zult je al snel een stuk veiliger voelen,' zei Olivia met een zangerige stem terwijl ze met de maximale snelheid door het dorp reed. Hij hield zich aan zijn stoel vast, maar hij wilde niet dat ze zag dat hij bang was. Ze wendde het wagentje zo nauwkeurig dat hij wist dat ze het golfkarretje volledig onder controle had, maar het voelde nog steeds niet goed. Olivia stopte abrupt, waardoor Zekes hart een slag oversloeg. Vervolgens gaf ze onmiddellijk weer gas, waardoor het karretje de weg weer op werd gekatapulteerd. Hij kon de glinstering in haar ogen zien toen ze Zekes ijzeren greep op de bovenhandgreep opmerkte.

'Ik ben een geweldige chauffeur,' zei ze, veel te veel genietend van de macht die ze achter het stuur had. 'Ik heb een autorijbewijs, een motorrijbewijs en een vrachtwagenrijbewijs.'

'Een vrachtwagenrijbewijs?' Zeke keek naar haar om te proberen erachter te komen of ze bluftte.

'Als het nodig zou zijn, zou ik drie dagen achter elkaar met een vrachtwagen door Europa kunnen rijden.'

'Vrouwen kunnen natuurlijk doen wat ze willen, en ik geloof in de gelijke rechten...' zei Zeke.

'Zeg, ik ben nu aan het werk, Ezekiel. Ik heb jouw zogenaamde 'mannen-kunnen-ook-feministen-zijn-verhaal niet nodig,' zei ze sceptisch.

'Nou, dat is echter wel zo en ik ben dat ook,' zei hij.

Ze rolde met haar ogen, precies zoals hij al gedacht had.

'Maar als het niet te onbeleefd is om te vragen: waarom heb je dan een vrachtwagenrijbewijs?'

'Gedeeltelijk om een punt te maken... maar vooral om wraak te nemen,' zei ze, terwijl haar ogen fonkelden bij de herinnering aan wat ze eerder had gedaan om zich te wreken.

Hij wist niet of hij onder de indruk moest zijn of doodsbang. Maar toen keek hij naar haar en wist hij het antwoord. Haar uitdrukking was een mengeling van kattenkwaad en verrukking. 'Doe je dat vaak? Ingewikkelde taken op je nemen om een punt te maken?' vroeg hij.

'O ja, wrok is een zaadje in mijn levenstuin. Ik hou ervan om dat water te geven, te voeden en te vertroetelen,' zei ze grijnzend.

Hij merkte dat hij naar haar lippen keek. 'Je lijkt mij het type dat veel wrok koestert.'

'Hoe bedoel je, het type? Je kent me al zeker drie minuten,' zei ze, hem nadoend.

Deze keer wist hij uit de beet op haar lip dat ze zich niet aan hem ergerde. Olivia flirtte met hem. Haar aanpak was gewoon wat vreemd. Zeke boog zich naar haar toe, zich er ondertussen ontzettend van bewust hoe gemakkelijk ze met elkaar omgingen. Elke zin was een uitdaging, waarbij hem werd gevraagd of hij speels genoeg was om die aan te gaan. Dat was hij. 'Ja, en in die drie minuten heb je roekeloos gereden om me bang te maken, mijn reputatie vermorzeld en me op de grond gesmeten,' zei hij.

'Allereerst heb ik je niet op de grond gesmeten,' zei ze.

'Sorry, nee, je hebt gelijk, je hebt me niet op de grond gesmeten, je hield me tegen de grond gedrukt,' zei hij met een grijns.

'Als ik je tegen de grond had willen drukken, zou je het wel weten, en ik zou het niet zó hebben gedaan.'

'Hoe zou jij het dan gedaan hebben?' vroeg hij, terwijl hij een wenkbrauw optrok en haar uitdaagde.

'Nou, allereerst zou ik...' Haar stem stierf weg toen ze erover nadacht. Ze keek naar Zeke en ze keken elkaar een fractie van een seconde aan. Even voelde de hitte in Athene nog iets warmer. Maar Olivia wendde haar ogen van hem af voordat het moment nog geladener kon aanvoelen dan het al was. Ze richtte haar aandacht weer op de weg. De enigszins zenuwachtige blik op haar gezicht bevestigde dat zij dat moment van hevige aantrekkingskracht ook had gevoeld.

'Ik zou me een stuk veiliger voelen als je langzamer zou rijden, ik wil liever niet op deze manier doodgaan,' zei hij na een tijdje.

'Ik weet het niet... Olympische atleet omgekomen bij bizar ongeluk met golfkarretje, dat lijkt me een behoorlijk goede kop als je de pijp uit gaat.'

'Het feit dat je lacht bij die woorden... maakt me bang,' zei hij, terwijl hij naar haar keek, ineens niet meer zo bang voor haar rijgedrag, maar des te meer gealarmeerd door hoe snel hij haar aardig begon te vinden.

'Dat was eigenlijk ook het effect waar ik voor ging,' zei ze met een schittering in haar ogen.

Een paar ogenblikken heerste er een comfortabele stilte. Zeke had nog niet de kans gekregen om echt door het dorp rond te lopen; hij had tot nu toe het grootste deel van zijn tijd in Athene doorgebracht in de sportschool of met trainen. Terwijl Olivia hem rondreed, keek hij naar alle verschillende locaties en trainingsfaciliteiten. Hij merkte de overeenkomsten op tussen dit dorp en de dorpen die hij in Tokio en Rio had meegemaakt. Toen hij er zeker van was dat ze te gefocust was op de weg vóór hen om aandacht aan hem te schenken, keek hij naar Olivia. Ze leek volkomen op haar gemak achter het stuur. Haar zelfvertrouwen leek bijna vanzelfsprekend. En hoewel ze onder de modder zat en een felgekleurd vrijwilligersuniform droeg, was ze nog steeds even mooi als de allereerste keer dat hij haar had gezien. Haar lippen waren vol en glansden in het zonlicht terwijl ze met een glimlach in de verte staarde. Haar lange, ingewikkelde vlechten waren naar achteren getrokken in een paardenstaart. Eén krul dreigde los te raken, maar het gaf hem onbelemmerd zicht op de delicate manier waarop haar wimpers haar warmbruine, vastberaden ogen omlijstten.

Ze tikte zachtjes op het stuur alsof ze meespeelde met een liedje dat hij niet kon horen, en hoewel ze ver weg was met haar gedachten, maakte de glimlach om haar lippen duidelijk dat ze gelukkig was, waar ze zich ook bevond in haar verbeelding. Maar toen nam ze een scherpe bocht om een plas op de grond te vermijden en reed ze hen bijna het karatecentrum in. 'Dat kwam niet door mij, maar door het karretje,' mompelde ze terwijl ze de rem intrapte en vervolgens weer verder reed. 'En de regen van gisteravond,' voegde ze eraan toe.

'Zit je daarom onder de modder?' zei hij plagerig.

'Als je niet oppast, rij ik je de volgende keer een plas in,' waarschuwde ze.

'Het ombrengen van een nationale held zou niet goed staan op je cv, Olivia,' grapte hij.

'Nee, waarschijnlijk niet. En jouw fanclub van tienermeisjes en mannen van middelbare leeftijd zou me waarschijnlijk ook vergiftigen,' zei ze knikkend.

'O, ze zouden veel verder gaan. Ze zouden misdaadpodcasts maken en een boek schrijven over hoe je dit begon te plannen vanaf het moment dat we elkaar ontmoet hebben,' zei hij.

'En dan zou je geen andere keus hebben dan als geest terug naar de aarde te komen en de verhalen over je eigen moord te lezen,' zei ze. 'Want dat doe je al, nietwaar Zeke? Alle verhalen lezen die over jou geschreven worden.'

Ze waren allebei een seconde stil. Toen opende Zeke zijn mond en sloot die weer.

'Ik wist het,' zei ze lachend, terwijl ze naar hem keek.

'Ter mijner verdediging: de fans die over mij schrijven, weten hoe ze een goed verhaal moeten vertellen,' zei hij, terwijl hij zijn verlegenheid van zich afschudde. Hij was per ongeluk een link tegengekomen naar een website genaamd AO3 toen hij zijn vermeldingen in de zoekresultaten bekeek en was daar op een hele reeks dubieus geschreven maar aangrijpende verhalen over hem gestuit. Hij wist dat hij dat waarschijnlijk niet zou moeten lezen, maar telkens als hij zich verveelde, las hij nieuwe berichten over zichzelf en raakte verdiept in met spellingsfouten bezaaide heldendichten over fictieve versies van hemzelf in steeds fantasierijkere scenario's.

'Waarom kan ik me voorstellen dat je gewoon in bed zit en pulp over jezelf leest terwijl je giechelt en met je voeten trappelt...' plaagde ze.

'Giechelen en met mijn voeten trappelen? Hou op,' zei hij terwijl hij langs de zijkant van zijn gezicht wreef. Hij voelde zich in een hoek gedrukt.

'Elke avond laat opblijven om te zien of er een nieuw hoofdstuk is toegevoegd aan een van die vulgaire feuilletons van honderddertig afleveringen.' Ze vond het duidelijk heerlijk om hem het vuur aan de schenen te leggen.

'Belachelijk,' zei hij, terwijl hij probeerde zijn gezicht in de plooi te houden.

'Wat is je favoriete genre?' En een beetje vilein ging ze verder: 'Hou je van die schattige verhalen waarin jij de droomprins bent? Of hou je meer van die maffiaverhalen? Vind je de verhalen leuk waarin je niet beroemd bent of ben je meer het type voor wie een verhaal geen plot hoeft te hebben?' vroeg ze, blij dat ze iets had gevonden om hem mee te plagen.

Zeke had nooit een golfkarretje moeten boeken. Dertig minuten lopen en te laat komen zou veel minder stressvol zijn geweest dan deze beproeving. 'Allereerst heb ik geen idee waar je het allemaal over hebt. Ten tweede: is het niet een beetje vrouwonvriendelijk om de spot te drijven met een genre dat voornamelijk door jonge vrouwen is geschreven, Olivia?'

'Ik maak geen grapjes over hen, ik maak grapjes over jou,' zei ze. 'Vergeet niet dat ik je hiermee een plezier doe, ik kan je op elk gewenst moment ergens laten...' Maar voordat ze haar zin kon afmaken, raasde het golfkarretje van een andere heuvel af en gleed in een plas, waardoor er een enorme plons modder en water over hen heen kwam. Ze kwamen abrupt tot stilstand toen hij en Olivia geschrokken hun armen ten hemel hieven.

Olivia zette het golfkarretje uit, haalde de sleutels eruit en keek hem geschokt aan. Hij had geen spiegel nodig om te weten waar ze naar staarde. Zekes sporttenue in de kleuren van de Britse vlag was volledig doorweekt. Hij voelde de spetters over zijn hele gezicht en toen hij zijn hand uitstrekte om de bovenkant van zijn hoofd aan te raken, voelde hij dat zijn keurige kapsel vol plakkerige modder zat. Olivia was er daarentegen op de een of andere manier in geslaagd om ongedeerd te ontkomen, dankzij de hoek waarin ze waren gecrasht.

Zeke hoorde op dit moment in het stadion te zijn voor een groot tv-interview met de BBC. Hij was al twintig minuten te laat en nu was zijn outfit volledig verpest. Zeke sprong uit het karretje en probeerde de modder van zijn shirt te schudden, maar hierdoor sprong hij midden in een plas, waardoor ook zijn hardloopschoenen volledig bedekt werden door een dikke laag modder.

Zeke keek naar Olivia, en Olivia keek naar Zeke. Hij hield zijn hoofd schuin en zij beet op haar lip. Hij zag een golf van emoties over haar gezicht gaan. Schrik, schuldgevoel en toen bezorgdheid. Toen begonnen haar lippen te trillen. Ze bedekte haar mond met haar handen en haar ogen begonnen te tranen. Hij stond op het punt haar te vertellen dat het geen probleem was en dat hij niet boos op haar was, maar Zeke had het helemaal mis. Olivia stond niet op het punt in huilen uit te barsten.

Ze sloeg een hand voor haar mond en deed er alles aan om zich in te houden, maar de impuls was te sterk. Dus begon ze te schateren, zo'n lach waarvan je buikpijn kreeg en waarvan je schouders bleven schudden. Ze had haar ogen tot spleetjes geknepen en haar lach klaterde, alsof de zon was doorgebroken. Haar vreugde werkte aanstekelijk, en al snel begon ook hij te lachen. Een oncontroleerbare lach waardoor zijn ogen traanden en zijn hele lichaam een beetje lichter aanvoelde.

'Ik ben blij dat jij je vermaakt,' zei Zeke hoofdschuddend.

'Het spijt me... ik... meen... het,' zei ze tussen de lachbuien door. Zeke probeerde het modderige water uit zijn shirt te persen.

'Als dit je wraak voor het groene sap was...' zei hij terwijl hij zijn ogen afveegde.

'Dat zou nooit in me opkomen!' zei Olivia, terwijl ze even stopte met lachen. 'Als ik wraak wilde nemen, zou ik wel iets beters bedenken,' zei ze, alsof ze haar eer verdedigde.

Zeke zag hoe haar prachtige huid glinsterde onder de schittering van de heldere Griekse hemel.

'Van jou verwacht ik wraak op het allerhoogste niveau,' zei Zeke.

'Maak je geen zorgen, ik betaal de stomerij wel voor je,' zei Olivia. 'Ik zal het ook laten persen en opvouwen. Om het goed te maken.'

Zeke was nat en modderig en hij had zo meteen een enorm probleem met coach Adam. Maar toen hij naar Olivia keek, besefte hij dat hij elke dag onder de modder zou willen zitten als dat betekende dat hij haar weer zou zien.

20

Olivia

Dag twee van de Olympische Spelen van 2024

'Ik denk niet dat het de bedoeling is dat we hier zijn,' zei Olivia.

'Het is absoluut niet de bedoeling dat we hier zijn,' zei Arlo.

'We moeten gaan,' zei Olivia, terwijl ze naar de zee van atleten keek die om hen heen liepen. Ze had er nog steeds een hekel aan als ze zich niet op haar plek voelde.

'Olivia, geloof me. Niemand zal je vragen stellen als je gewoon doet alsof je hier hoort te zijn. Mensen denken dat je ergens thuishoort, totdat je ze reden geeft om te denken dat dat niet zo is,' zei hij, terwijl hij zelfverzekerd de atletenkantine binnenliep en in de rij ging staan.

De atletenkantine in het olympisch dorp was niet zomaar een kantine. Af en toe deed een atleet een interview en vertelde hij hoe magisch het was. Olivia had jarenlang gelezen dat er voedingsmiddelen van over de hele wereld te krijgen waren en ze had verhalen gehoord over atleten uit verschillende landen die bevriend met elkaar raakten terwijl ze daar aan tafel zaten. Dus toen ze zei dat ze wilde zien hoe het er vanbinnen uitzag, had Arlo haar naar binnen geloodst.

Zodra ze door de glanzende glazen deuren was gelopen, werd ze meteen getroffen door de geur van het heerlijkste eten dat ze ooit had gezien. Er waren rijen en rijen tafels gevuld met smakelijke gerechten, planken vol met heerlijk uitziende snacks, en een reeks lange vitrines waar voedsel van over de hele wereld te krijgen was. De Olympische Spelen waren een internationaal evenement en dat gold ook voor het menu. Voor iedere atleet en voor elke sport was er een heel ander dieet, dus konden ze, hoewel ze watertandden, niet zomaar naar binnen lopen en iets eten. Er waren grote, forse atleten die koolhydraten binnen moesten krijgen, magere atleten wier bord alleen maar vlees bevatte, atleten die meteen na aankomst een smoothie pakten en weer vertrokken, en atleten die in de rij stonden voor afgepaste maaltijden die waren gepland door de voedingsdeskundige van hun team.

Arlo was op een missie om zoveel mogelijk Grieks eten uit te proberen en Olivia besloot met hem mee te gaan, dus gingen ze naar de Griekse balie en laadden hun dienbladen vol met mezze, minigyros, courgetteballetjes genaamd *kolokythokeftedes* en een bord met moussaka. Ze vonden een rustig tafeltje aan de rand van de kantine en probeerden elkaars eten, terwijl Arlo Olivia vertelde over alle landen waar hij de afgelopen vier jaar naartoe was gereisd, en Olivia hem vertelde over alle stages die ze had gelopen in hetzelfde tijdsbestek.

Nadat Olivia met hem de lijst met banen had doorgenomen waarop ze wilde solliciteren als ze vanavond thuiskwam, vroeg Arlo: 'Heb je er ooit aan gedacht om het gewoon los te laten en te kijken waar het leven je aan het einde van de zomer brengt?'

'Niet echt. Ik plan graag, ik hou van zekerheid,' zei ze. Wat ze niet zei, was dat als ze geen plan had, ze onzeker werd en steeds meer in het worstcasescenario begon te geloven. Haar ouders hadden perfecte, ogenschijnlijk onfeilbare plannen gemaakt, maar hadden toch opnieuw moeten beginnen toen ze naar Groot-Brittannië waren geëmigreerd. Ze was dus getraind om consequent te voorbereid te zijn. Het was praktischer om gedreven te worden door de angst dat het ieder moment gedaan kon zijn. Zo wist ze tenminste dat er altijd brood op de plank zou zijn.

'En een jaar vrij nemen en reizen terwijl je nog jong bent?' vroeg Arlo.

Ze hield van de manier waarop hij de wereld zag; alleen kon ze dat niet. 'Ik heb erover nagedacht, maar ik heb niet genoeg geld op mijn spaarrekening, en ik kan niet echt ontspannen als ik niet weet wanneer mijn volgende loon binnenkomt,' zei ze, zonder te vermelden dat het haar waarschijnlijk jaren zou kosten om uit de schulden te komen. Schulden waarin ze zichzelf had gestort door te veel onbetaalde stages aan te nemen.

'Ik ben een week op stilteretraite geweest en het heeft me echt geholpen om zaken te verhelderen. Je zou het moeten proberen.' Arlo nam een hap van een broodje gyros.

'Dus een week alleen zijn met mijn gedachten,' grapte ze.

'Je moet de existentiële gedachten op afstand houden,' zei hij met een veelbetekenende glimlach, waarna hij van onderwerp veranderde. 'Wat denk je dat dat gele shirt daar doet?' Arlo knikte in de richting van een lange atleet die langs hen liep met een koptelefoon op en een felgeel shirt aan.

Arlo vond het leuk om de sport te raden van elke atleet die langs hen liep. En Olivia, die een bijna encyclopedische kennis had van olympische atleten, kon hem bijna altijd vertellen wat ze eigenlijk deden.

'Hij moet een hockeyspeler zijn, toch? Je herkent ze aan de armen.'

'Nee, hij is een wielrenner bij het Ecuadoriaanse team,' zei Olivia.

'Dat verklaart de strakke korte broek,' zei Arlo. 'Oké, en zij dan? Vast uit de paardensport.' Ze keken hoe een meisje van kleur in een blauwgroen jasje hen passeerde.

‘Ze is een Kroatische waterpolospeelster, maar door de paardenstaart ziet ze er best uit als een paardenmeisje,’ zei Olivia terwijl ze knikte. ‘Vraag je je ooit af bij welke sport mensen jou zouden indelen als ze naar je keken?’

‘Ik hoop dat ze me als een surfer zien, maar in werkelijkheid is het waarschijnlijk golf. En jij?’

‘Iemand zei ooit dat ik de uitstraling heb van een lacrossemeisje,’ zei Olivia met een zucht.

Arlo floot. ‘Dat is gemeen.’

‘Ja, toch?’ zei ze verontwaardigd. ‘Zoiets als: ja, ik ben erg gepassioneerd en misschien voel ik me sterker met een stick met een netje in mijn hand...’

Arlo begon te lachen.

‘O nee, ik heb écht de uitstraling van een lacrossemeisje!’ Olivia bedekte haar gezicht met haar handen.

Terwijl Arlo probeerde te bepalen of de man van één meter tachtig die hun net voorbij was gelopen basketbal of tennis speelde, keek Olivia op en zag een atleet die ze onmiddellijk herkende. Iedereen wist wie Haruki Endō was. Toen Arlo hem zag, werden zijn ogen groot van herkenning.

‘Hoi! We hebben elkaar de dag voor de openingsceremonie ontmoet, toch?’ vroeg Haruki terwijl hij naar hen toe liep.

‘Ja, dat klopt,’ zei ze enthousiast, blij hem weer te zien.

‘Is er genoeg ruimte voor ons drieën aan deze tafel?’ vroeg Haruki, glimlachend naar Arlo.

‘Hoe meer zielen, hoe meer vreugd,’ zei Arlo, die de opwinding in zijn stem niet kon verbergen, terwijl Olivia het inwendig wilde uitschreeuwen vanwege het feit dat Haruki Endō met hen lunchte. Olivia was niet zo snel onder de indruk van een ster, maar Haruki was een van haar favoriete atleten ter wereld. Ze had hem vorig jaar zien strijden bij het wereldkampioenschap zwemmen en het had haar gefascineerd hoe snel hij zijn eigen record op de tweehonderd meter vlinderslag had verbeterd. Hij was zo'n atleet van wie je er maar één in een generatie vond, en omdat Arlo haar nu naar de kantine had gesleept, zaten ze samen met hem te eten.

'Wat heb je voor de lunch?' vroeg Olivia. Ze wist dat alle atleten verschillende diëten volgden, maar het verraste haar altijd om te zien hoeveel de zwemmers aten om alle energie die ze nodig hadden voor hun sport in balans te brengen.

'Ik heb straks een flinke wedstrijd, dus ik moet wat eieren, noedels, soep en groenten binnenkrijgen. Wil je proeven?' vroeg hij, terwijl hij zijn vork in haar richting hield. Het rook ongelooflijk lekker, dus proefde ze. Het was heerlijk.

Dat gold ook voor de rest van de lunch. Zij en Arlo bleven gedurende de middagpauze met Haruki in de kantine. Hij beantwoordde al hun opgewonden vragen over hoe het eigenlijk was om olympisch zwemmer te zijn, voerde een discussie over wat nu de beste sportfilm was en vroeg Olivia en Arlo vervolgens wat ze naar het dorp had geleid. Olivia wist dat Haruki bevriend was met Zeke Moyo, maar ze waren compleet verschillend. Zeke was irritant sexy, vol charme en met een geweldige uitstraling, terwijl Haruki meer van het aardigebuurjongentype was. Zeke bracht de impulsieve, onvoorspelbare kant van Olivia naar voren, haar rappe tong en haar soms scherpe humor. Haruki was de wandelende personificatie van 'je held is precies zoals je dacht dat hij zou zijn'. Ze wist dat als ze met hem op de universiteit had gezeten, ze goede vrienden zouden zijn geweest. Haruki had de beste persoonlijkheid van alle atleten die ze tot nu toe had ontmoet.

Olivia verliet de lunch in zo'n goed humeur dat niets de rest van de middag kon bederven. Toen ze naar het kantoor van de scheidsrechters werd geroepen voor een volledige inventarisatie van klemborden en fluitjes, probeerde ze de verveling tegen te gaan door naar een podcast te luisteren over hoe het was achter de schermen van de antidopingafdeling. Toen ze werd geroepen om afvoerontstoppers op te halen om een loodgieter te helpen een verstopt toilet in het appartementengebouw van Nieuw-Zeeland te repareren, leidde ze zichzelf af van het vieze klusje door te luisteren naar de loodgieter die haar verhalen vertelde over enkele van de meest spraakmakende atleten voor wie hij de toiletten had ontstopt.

Maar toen kreeg ze een oproep van een van de managers van de facilitaire afdeling die verantwoordelijk was voor het welbevinden in het dorp. 'Olivia, we hebben wat hulp nodig in de kantine,' zei hij.

'Tuurlijk, wat voor hulp?' vroeg ze.

'We hebben code één-nul-vijf in de oostelijke kantine, maar we hebben te weinig personeel, dus kun jij bijspringen?' vroeg hij.

Toen ze aankwam, was code 105 nog erger dan ze zich had kunnen voorstellen. Olivia had een heel karretje schoonmaakspullen bij zich, maar niets had haar kunnen voorbereiden op de vloer met braaksel dat nog vol met schelpdieren zat. Maar toen de zieke Noorse bokser haar zijn excuses aanbood, verzekerde ze hem dat alles goed zou komen. Toen de vloer eenmaal schoon was en naar citroenzeep rook in plaats van naar lichaamsvloeistoffen, rende Olivia naar de personeelsbadkamer, douchte en spoot flink wat parfum over zich heen. De geur was zo diep in haar bewustzijn doorgedrongen dat ze die niet van zich af kon schudden. Zodra ze haar telefoon pakte, kreeg ze iets voor ogen wat nog misselijkmakender was: een bericht van Lars Lindberg op Instagram.

Ze had besloten van de rest van de Spelen te genieten en niet stil te staan bij de zomer die ze zich had voorgesteld. Maar ze was vergeten Lars te ontvolgen, en door een ziekelijke speling van het lot was de eerste foto in haar feed die van hem. Olivia kon niet wegkijken toen ze zag hoe anders zijn dag verliep. Die ochtend had hij genoten van een luxe teamontbijt en daarna was hij naar de wielerbaan gegaan om wielrenners te zien racen, dankzij gratis kaartjes die hij en de andere stagiairs hadden gekregen. Kaartjes die Olivia had moeten krijgen.

Hij beleefde de olympische zomer waarnaar Olivia haar hele leven had toegewerkt. En als klap op de vuurpijl had hij zojuist een foto gepost met de tekst: 'Fantastisch om vanavond de lancering van de nieuwste samenwerking van Zeus Athletics te vieren met mijn vriend, Zeke Moyo, olympisch medaillewinnaar!'

Olivia kreunde zacht toen ze op de pagina van Zeus Athletics klikte en zag dat Zeke die avond inderdaad zou worden geïnterviewd tijdens een evenement dat werd georganiseerd door Lars. De gedachte dat hij werd gesponsord door Zeus Athletics was schokkend. Het familiebedrijf Lindberg was immers net het onderwerp geweest van een langdurig onderzoek naar een jarenlang schandaal met betrekking tot slechte arbeidsomstandigheden. Ergens wist ze wel dat het niet eerlijk was om hem te veroordelen omdat hij bevriend was met Lars. Zeke was ook bevriend met Haruki, die aardig en gewoon was. Olivia wist als geen ander dat je soms met mensen moest omgaan die je niet per se leuk vond, maar die je nodig had om te bereiken wat je wilde. Ze kon het niet verkroppen dat de grappige, charmante, ietwat eigenwijze man met wie ze die ochtend had gesproken, bevriend was met een man als Lars. Dus in plaats van te proberen excuses voor hem te bedenken of de twee heel verschillende kanten van Zeke, zoals zijn vriendschappen suggereerden, van elkaar te scheiden, besloot ze hem te beoordelen op wat ze zag. En ze besloot Lars te ontvolgen.

Als er íéts was wat ze van haar laatste zomerliefde had geleerd, was het hoe gemakkelijk ze haar gezond verstand opzij kon zetten als ze werd geconfronteerd met een man die ze misschien wel leuk vond. Maar ze kon niet opnieuw op een zijspoor terechtkomen. Dus beloofde ze dat ze zich niet zou laten meeslepen door de charme van Zeke. Of zijn glimlach. Of hoe waanzinnig sexy hij was. Dagdromen over hem zou immers onverantwoord zijn. Hem met haar laten flirten en terugflirten zou een slechte beslissing zijn, toch? Zeke Moyo was een slecht idee. Maar dat weerhield Olivia er niet van zich af te vragen wanneer ze hem weer zou zien.

21

Zeke

Dag twee van de Olympische Spelen van 2024

Zeke draaide al lang genoeg mee om te weten hoe hij het spel moest spelen. Van alle kinderen van bedrijfsleiders en erfgenamen van miljardenbedrijven was Lars Lindberg zeker niet de slechtste. Ja, hij was wat onbeleefd tegen servicemedewerkers en hij plaatste foto's met iedereen die hij ontmoette met standaard overdreven bijschriften om de indruk te wekken dat ze vrienden waren. Maar vergeleken met de andere kinderen van superrijken die Zeke kende, was Lars niet zo slecht. Hij zou bovendien het bedrijf overnemen als zijn vader met pensioen zou gaan. Dus maakte Zeke een praatje en schudde Lars de hand, de zoon van de CEO wiens forse sponsorbijdrage Zekes atletiekcarrière financierde.

'We zijn ontzettend blij dat je hier vandaag bent!' zei Lars, toen ze samen op het podium stonden voor de perslancering van Zekes nieuwste samenwerking met Zeus Athletics. De hele zaal begon te applaudisseren, Zeke glimlachte naar hen en ging rechter op zijn stoel zitten.

Zeke had het tijdens de ochtendtraining niet zo goed gedaan als anders, omdat hij wakker was geworden met een vertrouwd, onplezierig gevoel van angst. Door hardlopen voelde hij zich meestal beter. De simpele handeling om de ene voet voor de andere te zetten, zorgde ervoor dat hij zijn hoofd leeg kon maken. Maar die dag had hij de sportschool verlaten met een nog slechter gevoel dan toen hij er binnen was gekomen. Zijn angst werd alleen maar groter toen zijn interview met Zeus Athletics begon.

'Allereerst, Zeke, vertel eens, wat vind je het best aan Zeus Athletics?' vroeg Lars.

Zeke dronk water uit een Zeus Athletics-beker, droeg een Zeus Athletics-trainingspak terwijl hij voor een Zeus Athletics-achtergrond op een Zeus Athletics-podium zat, te midden van Zeus Athletics-leidinggevenden op een Zeus Athletics-locatie. Het voelde overdreven om te praten over hoe graag hij samenwerkte met zijn sponsor... Zeus Athletics. Maar daar was hij wel voor gekomen.

Toen hij het podium op liep in de outfit met het enorme logo, die hij van het pr-team had gekregen, voelde Zeke zich een beetje goedkoop. Vooral omdat hij, dankzij zijn uiterst sociaal bewuste nichtje Rumbi, wist dat hele decennia van de geschiedenis van Zeus Athletics voor het gemak van hun informatiepagina waren verwijderd. Maar met dit soort sponsoring financierde hij zijn carrière, dus beantwoordde hij de vragen van Lars en keek hoe het publiek applaudisseerde bij alles wat hij zei.

'Je moet me vertellen over dat moment in Tokio, Zeke. Hoe voelde dat?' vroeg Lars terwijl verschillende mensen in het publiek knikten.

'Eerlijk gezegd was het een paranormale ervaring,' zei Zeke glimlachend toen hij terugdacht aan de dag dat hij zijn eerste zilveren olympische medaille had gewonnen. Maar toen voelde hij dat zijn glimlach krampachtig werd bij de herinnering aan de nacht die hij daarna had doorstaan.

In Tokio had hij een slechte start bij de finale van de honderd meter. Hij begon een paar milliseconden later te rennen dan hij had moeten doen en begon de wedstrijd terwijl hij ver achterliep op zijn concurrenten. Maar in de derde seconde gebeurde er iets. Het was alsof een deel van hem, waarvan hij niet eens wist dat het bestond, werd ingetrapt. Hij zette een veel grotere stap dan anders, en toen nog een, en nog een, in een sneller tempo dan hij ooit eerder had gelopen. Het ging zo snel dat hij geen tijd had om aan zichzelf te twijfelen. Zo naadloos dat het voelde alsof hij vloog. Hij was zijn concurrenten voor en kwam over de finish, in shock, terwijl zijn teamgenoten om hem heen stonden te juichen en schreeuwen en hem stevig vasthielden. Het was het mooiste moment van zijn leven. Maar zodra hij terug naar zijn kamer was gegaan na de hele nacht feest te hebben gevierd... was hij overvallen door angst. Nervositeit, rusteloosheid en het onwrikbare gevoel van naderend onheil hadden hem overspoeld. Het was zo erg geworden dat hij zich zorgen begon te maken dat hij een hartaanval kreeg. Dat zijn lichaam op het punt stond hem in de steek te laten omdat hij te ver was gegaan. Na een paniekerig telefoontje vond coach Adam hem. Hij had een hevige angstaanval. Slechts enkele uren na het winnen van zijn eerste olympische medaille zat hij diep in de put, van pure wanhoop. Maar dat deel van het verhaal vertelde hij niet op het podium.

'En de wedstrijd van volgende week? Thuis noemen mensen je al goudenmedaillewinnaar. Hoe sta je er zelf tegenover?' vroeg Lars.

Terwijl men online en in de sportwereld dacht dat hij goud zou winnen in de finale van de honderd meter en sneller zou lopen dan ooit tevoren, was Zeke daar zelf niet zo zeker van. Hij had de eerste plaats behaald tijdens de laatste sprint in de World Athletics, waardoor hij een paar weken de snelste man ter wereld was. Maar Hasely, de legendarische sprinter van Team Trinidad & Tobago, was hem binnen een paar maanden voorbijgestreefd. Het Jamaicaanse atletiekteam domineerde op vrijwel elke Olympische Spelen. En Jesse, van Team USA, had dat jaar al een wereldrecord gebroken. De concurrentie was heviger dan ooit en van het Britse team was de laatste sprinter die goud op de honderd meter had gewonnen, Linford Christie geweest, in 1992; acht jaar voordat Zeke werd geboren. Als hij eerlijk tegen zichzelf was, begonnen de verwachtingen op hem te drukken. Maar iedereen was hier voor een interview met Zeke Moyo, de snelste man van Groot-Brittannië. De '(bijna) gouden sporter', de meest zekere kans op een olympische gouden medaille voor zijn land. Niemand wilde horen dat hij aan zichzelf twijfelde, dus hield hij zich goed.

'Ik heb er vertrouwen in,' loog hij. 'Ik denk dat dat wel nodig is als je op dit niveau bezig bent. Maar ik denk dat we het op de baan wel zullen zien.' Om het gesprek op gang te brengen, probeerde hij van onderwerp te veranderen.

'En hoe voelt het om Groot-Brittannië te vertegenwoordigen?' vroeg Lars.

Dit keer antwoordde Zeke naar waarheid. 'Het is een enorme eer. Ik denk niet dat er een groter voorrecht is dan te weten dat je de volgende generatie atleten gaat inspireren. Als kind staarde ik naar het tv-scherm en keek ik naar beroemdheden als Linford Christie, Mo Farah en Kelly Holmes. Dus hoop ik dat er nu een kind is dat naar mijn wedstrijden kijkt en denkt dat hij of zij zelf met hard werken en vastberadenheid mijn records zal breken.'

'Denk je dat iemand je record gaat verbreken?' vroeg Lars.

'Niet voordat ik het zelf scherper heb gesteld,' zei Zeke, waarmee hij de lachers op zijn hand kreeg. 'Maar het is slechts een kwestie van tijd voordat iemand mijn record verbreekt. Uiteindelijk zal iemand al onze records verbreken.' Hij wist dat hij van het script afweek, maar hij leek niet te kunnen stoppen: 'Uiteindelijk worden we allemaal ingehaald en komen er nieuwe atleten en dat maakt elke wedstrijd zo spannend.'

Het was niet het idee dat iemand anders zijn plaats zou innemen dat Zeke zorgen baarde, het ging erom wat hij zou nalaten. Hoewel hij een tiental prestaties kon noemen die zijn sporthelden naast de baan hadden behaald, kon hij niets noemen wat hij naast het hardlopen had gedaan dat een blijvende impact op de wereld zou hebben. Als zijn records onvermijdelijk zouden worden verbroken en hij de boeken in zou gaan als een van de beste hardlopers ter wereld, wist hij niet of hij nog meer zou hebben betekend. Of hij de wereld echt iets zou nalaten, behalve de medailles die boven de open haard van zijn moeder hingen.

Sinds de dood van zijn vader was er geen dag voorbijgegaan waarop hij zich niet had afgevraagd of hij wel het juiste deed. Zijn gedachten dwaalden altijd af naar hun gesprekken in de auto, tijdens zijn jeugd. Het was zijn vaders droom geweest dat Zeke zijn succes zou inzetten om andere kinderen te helpen met financiering en studiebeurzen. Dat hij iets terug zou geven aan de gemeenschap en kansen zou creëren voor kinderen die niet waren opgegroeid met dezelfde atletiekbanen, coaches en middelen als hij. Maar Zeke was zo in beslag genomen door zijn sportcarrière en het winnen van medailles, dat hij nog geen enkele belofte was nagekomen. Hoe meer hij erover nadacht, hoe ongemakkelijker hij zich erover begon te voelen.

'Dit is de derde keer dat je deelneemt aan de Olympische Spelen, niet iedereen komt zo ver,' zei Lars. Zeke wist dat hij het als een compliment bedoelde, maar het voelde niet zo. Elke vraag die Lars stelde, maakte het erger. Zeke begon zich net zo te voelen als die avond in Tokio. Zoals hij zich had gevoeld na de wereldkampioenschappen, de Commonwealth Games en de Diamond League. De angst begon altijd in zijn schouders, het was een spanning die hij niet van zichzelf af kon werpen, hoe vaak hij ook zijn schouders bewoog of zijn benen strekte. Hij begon het warm te krijgen onder zijn shirt. De stof van zijn broek jeukte. De verlichting was te fel.

'Kun je jezelf voorstellen dat je over vier jaar weer op deze stoel zit en strijdt voor het Britse team?' vroeg Lars.

'Atletiek is de enige baan waarbij mensen je vragen stellen over je pensioen voordat je zelfs maar vijfentwintig bent geworden,' zei Zeke.

'Ik bedoelde niet...' zei Lars nerveus.

'Geen probleem,' zei Zeke, hem geruststellend. 'Ik hou ervan om dingen stap voor stap te doen. Begrijp me niet verkeerd, ik ben vreselijk ambitieus. Ik ken geen enkele atleet die niet de allerbeste ter wereld wil zijn in wat hij doet... En gelukkig ben ík dat nu,' zei Zeke. Het publiek lachte lang genoeg om zijn ademhaling weer onder controle te krijgen. 'Maar op dit moment ben ik volledig gefocust op de wedstrijd van volgende week.'

Hij wenste dat het waar was, hij wilde het gevoel hebben dat hij volledig gefocust was op de wedstrijd van volgende week. In werkelijkheid kostte het hem al zijn uithoudingsvermogen om niet op te staan, de tent uit te lopen en de rest van de dag in bed te kruipen, met de dekens over zijn hoofd getrokken. Hij strekte zijn nek heen en weer en tikte met zijn voet om zich op het interview te kunnen concentreren in plaats van op de gedachten die door zijn hoofd dwarrelden. Hij kon ze gewoon niet laten stoppen. Terwijl hij op het podium zat en het zachte klikken van een camera hoorde, voelde hij zich alsof hij langzaam aan het verdwijnen was. Het schuldgevoel over onvervulde beloften vermengde zich met de vertrouwde angst die zich elke paar dagen weer in hem nestelde. Hij voelde de spanning in zijn spieren, de pijn in zijn nek en het snelle kloppen van zijn hart. Zodra het atletiekevenement van Zeus voorbij was, liep hij linea recta naar de deur en stapte de frisse lucht in. Hij moest terug naar het appartement, gaan hardlopen of gewoon iets doen om zijn hoofd leeg te krijgen, voordat hij echt begon te piekeren.

Terwijl hij naar het Britse gebouw liep, realiseerde hij zich dat hij die ochtend zijn sleutels in zijn kamer had laten liggen. Zijn huisgenoten waren allebei aan het trainen en coach Adam was waarschijnlijk druk bezig op de baan. Maar hij móést terug naar het appartement. De enige manier om zijn kamer binnen te komen was door het atletencentrum te proberen. Er moesten toch reservesleutels zijn? Dus liep Zeke over het plein, het pad af en door de deur naar het atletencentrum. Achter het bureau stond een lange, vrolijk uitziende man – gekleed in een blauw-geel vrijwilligersuniform – opgewekt te praten met een meisje wier hoofd van het bureau afgekeerd was, waardoor Zeke haar gezicht niet kon zien.

'Hé,' zei Zeke toen hij bij het bureau kwam. De man achter het bureau glimlachte naar hem en Olivia draaide zich om en trok haar wenkbrauw op toen ze zijn blik ontmoette. Haar donkere, diepbruine ogen leken te glinsteren in het zonlicht dat door het raam naar binnen scheen. Ze droeg haar haar ingevlochten, maar los op haar rug en ze had delicate gouden oorbellen in, waardoor haar gezicht een warme uitstraling kreeg. Zeke wist dat hij al zijn aandacht op de training zou moeten richten en alles moest vermijden wat zijn gedachten van het doel zou kunnen afleiden. Maar hij werd als vanzelf afgeleid als hij in Olivia's ogen keek. Zeke zat in de problemen en hij zat er al te diep in om er nog iets aan te kunnen veranderen.

22

Olivia

Dag twee van de Olympische Spelen van 2024

Als Zeke er niet was, wist Olivia precies wat ze niet leuk aan hem vond. Het was namelijk veel gemakkelijker om zijn perfecte gezicht en gespierde lichaam te vergeten als hij niet recht voor haar stond. Haar overtuiging om zich niet te laten meeslepen door zijn charme, verdween met een beschamende snelheid zodra hij het atletencentrum binnenliep.

Hoe kwam dat dan? Doordat Zeke Moyo veel te sexy was. Hij was een razendknappe verschijning.

Olivia vond het vreselijk om toe te geven, en ze had zichzelf nooit wispelturig gevonden, maar Zeke had een ontwapenende glimlach. Zo'n glimlach waardoor ze capituleerde en haar waakzaamheid liet varen.

'Olivia,' zei hij terwijl hij naar haar toe liep. Zijn stem klonk zo diep dat ze stond te trillen op haar benen toen haar naam over zijn lippen kwam. Ze zei tegen haar zwakke knieën dat ze sterk moesten zijn. Want hoe verleidelijk de gedachte aan Zeke ook was, Olivia had geen tijd om zich te laten afleiden door verliefd te worden op een beroemde atleet. Ze moest haar leven weer op de rails zien te krijgen.

'Ezekiel. Waar heb ik dit ongenoegen aan te danken?' Ze zei

het alsof ze het gesprek wilde afkappen, maar zelfs zij kon de speelsheid in haar stem horen.

'Olivia, waar is je olympische spirit?' zei hij terwijl hij tegen het bureau leunde tot hij nog maar een paar centimeter van haar verwijderd was.

Het zou illegaal moeten zijn, dacht ze, om zo lekker te ruiken.

'Ik dacht dat vrijwilligers vrolijk en vriendelijk moesten zijn,' zei hij.

'Ik ben zo vrolijk en vriendelijk als wat. Wat doe je hier?' vroeg ze.

'Ik neem aan dat dit een slecht moment is om je om een gunst te vragen?'

'Wat heb je nodig: iemand die je rondrijdt? Een oppas die je het dorp laat zien?'

'Alleen als jij degene bent die rijdt.' Zijn blik zorgde ervoor dat ze haar hand door haar haar wilde halen. Ze voelde dat ze begon toe te geven. Ze moest sterker in haar schoenen staan.

'Nou, om wat voor gunst gaat het en, nog belangrijker, hoe ga je proberen mij te overtuigen je te helpen?' vroeg ze, terwijl ze zich schrap zette.

'Oké, het zou kunnen dat ik mezelf buitengesloten heb uit mijn appartement,' zei Zeke met een grimas.

Olivia haalde diep adem: 'O, dat is een lastige, de sleutels hier zijn net goud... Ik weet niet zeker of ik je wel kan helpen,' zei ze, genietend van de tijdelijke macht die ze over hem had.

'Ik zou er met het golfkarretje naartoe kunnen rijden, de hele middag je chauffeur zijn en als je me binnenlaat, beloof ik dat ik je de rest van de dag met rust laat.'

'Ah, maar dat zou betekenen dat ik de sleutel moet vinden... en dan de hele beveiligingsprocedure moet doorlopen om er zeker van te zijn dat je bent wie je zegt dat je bent... En dan moet ik je afmelden...' Ze zuchtte en deed alsof ze geïrriteerd was, ook al wist ze dat het hele proces minder dan vijf minuten zou duren.

'Wat als ik je er iets voor terug zou geven?' Hij leunde weer tegen het bureau totdat ze slechts enkele centimeters van elkaar verwijderd waren.

'Ezekiel,' zei ze. Haar stem verstomde tot een bijna dreigend gefluister. Maar in plaats van een stap achteruit te doen, leunde hij dichter naar haar toe.

'Olivia,' zei hij, terwijl hij naar haar lippen keek, op de zijne beet en zijn blik vervolgens weer naar haar ogen liet glijden.

Ze voelde de spanning tussen hen in de lucht hangen. Het gevoel van wat zou kunnen zijn dat levensgroot tussen hen in hing als ze tegenover elkaar stonden. Ze sprak op zachte en lage toon. 'Als je nogmaals aanbiedt om voor mijn stomerij te betalen, vergeet ik het protocol, deactiveer ik je pas en verban ik je volledig uit het dorp,' fluisterde ze.

'Kun je dat dan?' vroeg hij, eveneens fluisterend.

Zijn lippen zagen er heel zacht uit. Ze vroeg zich af hoe ze zouden voelen, hoe gemakkelijk een van hen de afstand tussen hen zou kunnen overbruggen.

'Ik kan erg veel.'

'Ik wist het.'

'Wat wist je dan?' vroeg ze, terwijl ze haar hoofd schuin hield. Ze waren zo dicht bij elkaar dat ze zijn adem tegen haar wang kon voelen.

'Dat jij het soort persoon bent bij wie de macht naar het hoofd stijgt,' zei hij terwijl hij haar recht aankeek.

Ze hield zijn blik vast en bewoog zich toen achterwaarts, waardoor de trance werd verbroken. 'In iedere vrouw schuilt een koningin.' Ze haalde haar schouders op, een beetje duizelig omdat ze zo dicht bij hem was. 'Dit bureau is mijn kasteel en dat sleutelkastje daar is mijn kroon.'

'Wat als ik zeg dat ik iets heb wat van jou is,' zei hij.
'Wat heb je dan?'
'Nou, zie je, ik kan het je alleen geven als je me helpt terug in mijn appartement te komen.'
'Je bent scherp in onderhandelen,' zei ze knikkend. 'Zo zou ik het ook aanpakken.'
'Ik probeer gewoon net als jij te zijn, Liv.'
'Het is Olivia, Ezekiel.'
'Ik geef de voorkeur aan Zeke, Olivia.' Hij zweeg even en ze keken elkaar aan. Een ogenblik lang leek het alsof een soort kracht hen ervan weerhield iets anders op te merken dan elkaar. Alsof ze aan het schaken waren, naar het bord keken en elkaars volgende zet probeerden te voorspellen.
Olivia kon de vonken tussen hen bijna zien. Dit keer was zij degene die wegkeek. Ze mocht hem niet laten zien dat hij haar van haar stuk bracht. 'Wat had je ook alweer dat van mij was?' vroeg Olivia, met het gevoel alsof ze net uit een trance was ontwaakt.
'Ik geef het je alleen als je belooft me in mijn appartement binnen te laten,' zei Zeke.
'Dat beloof ik, denk ik,' zei ze vrijblijvend.
'Denk je?' vroeg hij, een wenkbrauw optrekkend.
'Oké, ik zal je in je appartement binnenlaten,' zei ze.
Hij keek haar aan, deed zijn rugzak af en maakte de ritssluiting los. Hij rommelde in zijn rugzak tot hij haar felgroene notitieboekje met IK VOEL ME ERG OLYMPISCH VANDAAG tevoorschijn haalde. Het boekje dat Olivia op haar eerste dag in het dorp was verloren. Ze was toen zo vastbesloten geweest om het te vinden, maar had het zo druk gehad in het dorp dat ze het helemaal vergeten was. Normaal gesproken zou ze niet kunnen leven zonder een notitieboekje op zak. Haar lijstjes en plannen waren zo'n fundamenteel onderdeel van haar leven, het hoorde zo bij wie ze

was, dat ze altijd papier bij de hand moest hebben om dingen op te schrijven. Ze voelde de zon al naar haar hoofd stijgen. Ze voelde hoe de zorgeloosheid van het zonnetje Olivia weer bezit van haar nam, en de man met haar notitieboekje in zijn handen maakte het er niet makkelijker op om zich weer te concentreren.

'Alsjeblieft,' zei hij. Ze stak haar hand uit om het boekje aan te pakken, maar Zeke liet het niet meteen los. 'Alleen als ik de sleutels krijg,' zei hij. Hij keek haar recht in de ogen terwijl ze allebei het notitieboekje vasthielden. Het notitieboekje was groot genoeg zodat hij haar niet hoefde aan te raken, maar toch streken zijn vingers zachtjes langs de hare. Ze voelde hoe haar lichaam begon te tintelen. Ze ving een glimp op van iets gevaarlijks, iets bedwelmends. Als ze voor hem stond, werden haar wangen warm en haar mond droog. Als ze hem in de ogen keek, wilde ze naar de andere kant van het bureau lopen en naar voren leunen totdat ze te dichtbij waren en elkaar wel aan móésten raken. Toen ze zijn huid zacht, maar intens tegen de hare voelde, besefte ze maar al te goed waar ze naar verlangde. Maar na een korte tijd liet hij los. Toen hoorde ze hoe iemand zijn keel schraapte.

'Hm, ik pak de sleutels wel even,' zei Arlo. Hij had de hele tijd bij haar achter het bureau gestaan.

'Alsjeblieft,' zei hij terwijl hij een nieuw setje sleutels tevoorschijn haalde.

'Morgen dezelfde tijd, Olivia?' zei Zeke.

'Ik moet er niet aan denken je weer te zien,' zei Olivia terwijl hij haar aankeek met een blik die zo intens was dat ze er duizelig van werd.

Ze wisten allebei dat ze slecht was in liegen.

23

Zeke

Dag drie van de Olympische Spelen van 2024

De Olympische Spelen waren altijd een spektakel en Athene 2024 was daarop geen uitzondering. Omdat hardlopen een van de eerste sporten was geweest van de oude Olympische Spelen, was het belangrijkste stadion in het centrum van het dorp gebouwd en gewijd aan de atletiek. De buitenmuren van het stadion waren bedekt met een muurschildering van enkele van de meest legendarische atleten uit de geschiedenis. Majestueuze, met goud omlijnde silhouetten van sprinters en marathonlopers in actie. Toen Zeke die ochtend het stadion binnenliep, was hij onder de indruk van de omvang ervan.

Het was de dag van de series van de honderd meter, de wedstrijd waardoor beslist zou worden wie de kwartfinales van de olympische sprint zou halen, dus Zeke was die ochtend vroeg wakker geworden om zijn rituelen voor een sprint uit te voeren. Hij had rond het park gejogd, gedurende vijftien minuten zijn logboek bijgewerkt, ontbeten met de rest van het Britse atleteam en was vervolgens naar het stadion gegaan. Meestal was zijn hoofd helemaal fris als hij naar een wedstrijd ging. Hij probeerde aan niets anders te denken dan aan zijn sprint en hoe hij zo snel mogelijk over de finish kon gaan. Maar toen hij het stadion binnenliep, zat Zekes hoofd vol met gedachten aan Olivia.

'Oké jongens, ik weet dat het alleen maar de series zijn en jullie hebben dit al wel vaker gehaald, maar jullie moeten alles wat je tijdens de training hebt geleerd toepassen en net doen alsof dit de finale is, ja?' zei coach Adam in de kleedkamer vol atleten die zich klaarmaakten om de baan op te gaan.

'Als je niet door de series komt, is er ook geen finale. Verval dus niet in de slechte gewoonte om je beste prestaties te bewaren voor een grotere wedstrijd, want de wedstrijd die nu voor je ligt is altijd de belangrijkste, oké?' zei coach Adam. Een paar atleten knikten dat ze het ermee eens waren.

'Oké?' vroeg coach Adam nog een keer, luider. En iedereen antwoordde instemmend. Toen de coach zijn kenmerkende afspeellijst opzette en alle atleten in de kleedkamer nog een laatste advies gaf, werd de opwinding voelbaar. Zeke deed nog wat laatste rekoefeningen en probeerde zijn aandacht te verleggen van Olivia naar de sprint die zo zou beginnen.

'Ezekiel,' zei coach Adam, terwijl hij hem naderde.

'Coach,' zei Zeke. Hij vond het nog steeds vervelend dat hij de coach in verlegenheid had gebracht door in een modderig tenue voor de videoploeg van de BBC te verschijnen.

'Over Operatie Modderpoel gaan we het nu niet hebben, want daar heb ik eerlijk gezegd geen tijd voor. Maar je laatste sprint? Die verliep nogal rommelig.' De coach verwees naar de oefensessie van Zeke de dag ervoor. Zeke wist dat al, dus knikte hij alleen maar instemmend.

'Ik zou willen dat je beter presteert, omdat je aftrap gisteren niet zo goed was,' begon coach Adam voordat hij Zeke een uitgebreide uitleg gaf over hoe hij zich kon verbeteren. Toen ze klaar waren, verlieten Zeke en de rest van zijn teamgenoten de kleedkamer en liepen door de tunnel totdat ze het geluid konden horen van het publiek dat reikhalzend uitkeek naar de sporters.

Zeke was al een paar keer in het hoofdstadion geweest. Hij had het tijdens de openingsceremonie vol kleur en bijzondere kostuums gezien en tijdens de trainingen had hij er rondjes omheen gelopen toen het helemaal leeg was. Maar op de eerste dag van de atletiekseries het stadion binnenlopen was een heel andere ervaring. Mensen liepen opgewonden door het stadion, haalden snacks en zochten hun zitplaatsen op.

Managers liepen over het circuit om er zeker van te zijn dat alle apparatuur opgesteld en klaar was voor de komende dag. Atleten in veelkleurige tenues waren zich aan het opwarmen rond het veld en er stonden talloze mensen van de media die hun camera's en microfoons aanpasten om zich klaar te maken om alles vast te leggen en de beelden over de hele wereld te verspreiden.

Terwijl Zeke de baan op liep, keek hij naar de andere sprinters die zich klaarmaakten om hun plaatsen in te nemen. Buitenstaanders veronderstelden dat atleten elkaar alleen als competitie zagen. Als het om teamsporten als voetbal en een-op-eenwedstrijden als tennis ging, was dat vaak zo. Hevige rivaliteit zorgde vaak voor nog betere resultaten. Maar bij het sprinten was het niet helemaal hetzelfde. Het was het soort sport waarbij je kon falen zodra je je niet concentreerde op je eigen baan, doordat je keek wat iemand anders aan het doen was. Op het circuit heerste dus niet de hevige rivaliteit die mensen zouden verwachten. Zeke kende alle andere hardlopers, omdat ze het hele jaar aan dezelfde internationale wedstrijden hadden deelgenomen. Hoewel ze allemaal zeer competitief waren, stonden ze ook op redelijk vriendschappelijke voet met elkaar. Hij knikte naar Jesse, de Amerikaanse sprinter die hij had gezien tijdens de afterparty van de openingsceremonie, en glimlachte naar Hasely, de sprinter uit Trinidad die hem een handgeschreven kaart had gestuurd nadat hij de zilveren medaille had gewonnen in Tokio. En hij zei Arthur gedag, de Jamaicaanse sprinter die hij had ontmoet tijdens zijn eerste World Athletics-wedstrijd. Sprinten kon een behoorlijk eenzame sport zijn, dus hielden ze elkaar goed in de gaten. Maar zodra ze het veld op kwamen, was het ieder voor zich.

Zeke nam zijn plaats in, concentreerde zich op zijn baan en probeerde zijn hoofd leeg te maken voor alles, behalve de wedstrijd die voor hem lag. Hij voelde de adrenaline door zijn aderen stromen. De opwinding drong door tot de toppen van zijn tenen en zijn hart klopte angstig in zijn borst. Er was niets spannender of angstaanjagender dan een wedstrijd. Hardlopen was begonnen als een manier om de wind in zijn gezicht te voelen en de wereld aan zich langs te zien vliegen. Toen hij volwassen geworden was en professioneel begon te sporten, hadden de hoop op een medaille, de angst voor verlies en de vraag wat er daarna zou komen de puurheid ervan vertroebeld. Wanneer hij zijn voet op de startlijn zette, het 'op je plaatsen' hoorde, en vervolgens de luide knal van het startschot, verdween dat allemaal.

Hij tilde één voet van de grond, startte met een nauwkeurigheid waar coach Adam trots op zou zijn en rende alsof het de belangrijkste wedstrijd van zijn leven was.

Sommige hardlopers dachten tijdens een sprint aan niks anders dan rennen, omdat hun adrenalinepeil daarvoor te hoog was. Anderen herhaalden mantra's of zongen hun favoriete liedjes. Maar Zekes geest werd altijd overspoeld met gedachten, beelden en ideeën. Zijn familie, zijn vrienden, zijn favoriete hardlooprondjes en gevoelens die hij niet eens echt kon duiden.

Iedereen rende ergens naartoe of ergens voor weg. En hoewel de beelden die hij zag tijdens het rennen niet altijd een diepere betekenis hadden, zoals dromen, werkte het altijd motiverend.

Soms vanwege het gevoel van vreugde waar hij naartoe rende, soms vanwege het gevoel van angst waarvan hij wegvluchtte. Terwijl hij die ochtend rende, dacht hij terug aan een van de laatste internationale wedstrijden waar hij als kind door zijn vader naartoe was gebracht. Toen herinnerde hij zich het gevoel dat hij had toen hij voor het eerst een olympisch dorp binnenliep. En een fractie van een seconde dacht hij erover na hoe gemakkelijk het zou zijn om te struikelen en te vallen. Gelukkig werd die gedachte niet bewaarheid.

Hij rende over de baan en snelde de concurrentie voorbij, waarbij hij met slechts een fractie van een seconde verschil op de tweede plaats eindigde. Terwijl hij het applaus van het publiek hoorde, probeerde hij niet de herinneringen aan zijn vader zoveel mogelijk uit zijn hoofd te zetten. Of het feit dat hij Zeke nooit meer zou zien finishen. Hij probeerde zich te concentreren op het feit dat hij zijn plaats in de kwartfinale had veiliggesteld, in plaats van stil te staan bij het lichte gevoel van angst dat hem de laatste tijd overviel na een wedstrijd.

Nadat hij afscheid had genomen van al zijn teamgenoten, liep Zeke de kleedkamer uit en door de gangen van het stadion. Hij feliciteerde enkele atleten die zich net hadden gekwalificeerd en bekeek de herhalingen van de wedstrijden van zijn ploeggenoten via een scherm in het stadion. Toen hij naar de receptie liep, keek hij nog eens goed, want hij zag een gezicht dat hij onmiddellijk herkende, maar al jaren niet meer had gezien.

'Coach Chikepe!' zei Zeke.

De man draaide zich om en gaf hem een glimlach vol herkenning. 'Ezekiel, wat fijn om je te zien,' zei coach Chikepe, de hoofdcoach van het Zimbabwaanse atletiekteam. Zeke schudde hem de hand en gaf hem vervolgens een knuffel. Coach Chikepe was een van de vele coaches met wie Zekes vader bevriend was geraakt terwijl ze de wereld rondreisden voor wedstrijden. Zeke en coach Chikepe praatten bij en hadden het over de voortgang van Zeke sinds de laatste keer dat ze elkaar hadden gezien. De internationale medailles die hij had gewonnen (vijf), de wereldrecords die hij had gebroken (drie) en hoeveel hij gegroeid was (dertig centimeter... nou ja, minstens vijfentwintig).

'Ik ken je nog uit de tijd dat je nog niet groot genoeg was voor kermisattracties en nu ben je zo lang dat ik naar je op moet kijken,' zei coach Chikepe.

De tijd dat Zeke met zijn vader naar de kermis zou gaan, zou nooit meer terugkomen. Toen hij de rimpels en grijze haren van coach Chikepe zag, besefte hij hoeveel tijd er was verstreken sinds ze elkaar voor het laatst hadden gezien, op de begrafenis van zijn vader.

Zeke had moeite zijn gezicht in de plooi te houden en coach Chikepe moest dat gezien hebben, want hij klopte Zeke op de schouder. 'Je vader zou enorm trots op je zijn, Ezekiel,' zei hij.

'Ja,' zei Zeke, terwijl hij het sluimerende, maar altijd aanwezige verdriet weer in zich voelde opkomen.

'Echt. We zaten urenlang te praten terwijl we jullie als kinderen zagen hardlopen. Ik stelde me toen al voor wat je zou kunnen bereiken, en kijk jou nu eens: je bent er gekomen! God zij geloofd,' zei coach Chikepe trots.

Zeke wist niet zeker of zijn vader helemaal trots op hem zou zijn, maar hij schoof die gedachten terzijde. Hij nam een foto met coach Chikepe en stuurde die vervolgens naar de groepschat van zijn familie, waarna zijn moeder vrijwel onmiddellijk antwoordde dat hij coach Chikepe moest uitnodigen voor een etentje de volgende keer dat hij in Londen was. Terwijl Zeke door het dorp liep, kwam hij een ander bekend gezicht tegen: Valentina Ross-Rodriguez. Maar deze keer was het een foto van zes meter groot van haar, midden in een sprong. Hij glimlachte, maakte een foto van haar foto en appte die naar haar.

Zeke: het moet maar eens afgelopen zijn elkaar op deze manier te ontmoeten.

Ze antwoordde meteen.

Valentina: raad eens met wie ik heb gevierd dat je de kwartfinale hebt gehaald?

Er kwam een foto binnen waarop zij en Haruki poseerden met de mascotte van de Olympische Spelen van dat jaar.

Valentina: we onderzoeken hoe ik mijn 12 procent Engelse afkomst kan gebruiken om het Britse staatsburgerschap te verkrijgen en jouw teamcaptain te worden.

Zeke: nou, ik heb 0,1 procent Engelse afkomst, dus je bent al verder dan ik.

Valentina: zal morgen een concept van mijn vijandige overnameplan sturen.

Valentina: maar belangrijker nog: je komt morgenavond toch wel naar mijn wedstrijd?

24

Olivia

Dag vier van de Olympische Spelen van 2024

'Ik heb een probleem, Olivia,' zei Arlo.

'Wat is het probleem, Arlo?' Olivia was inmiddels gewend aan het feit dat Arlo elk gesprek nogal dramatisch begon.

'Het wordt niks met mijn stilleven,' zei hij.

De atleten waren allemaal zo druk met trainingen en wedstrijden dat het soms moeilijk voor hen was om hun hoofd leeg te maken en aan het eind van de dag te ontspannen. Daarom organiseerde het dorp elke avond een reeks mindfulnessactiviteiten in het cultuurcentrum. Een van de activiteiten die Arlo had helpen organiseren was een schilderles. Hij had die middag nauwgezet gewerkt aan het creëren van een prachtig beeld, met vers fruit en sierlijke kannen, en had vervolgens ezels en stoelen in een cirkel gezet, klaar voor de avondcursus. Op het allerlaatste moment, slechts een uur voor de workshop, had het model dat Arlo had geregeld hem in tranen opgebeld en gezegd dat ze erg last van buikgriep had en die avond niet naar de schilderles kon komen.

'Ik denk dat ik het dan zelf maar moet doen.'

'Kun je geen ander model regelen?' vroeg Olivia.

'Nee. Ze zouden de wekenlange veiligheidsscreening voor het

dorp moeten doorlopen voordat ze zelfs maar door de poort zouden kunnen stappen,' zei Arlo verslagen.

'Ik kan het voor je doen,' zei Olivia, in een poging het soort enthousiasme aan de dag te leggen dat Arlo gewoonlijk toonde. 'Ik zou dan gewoon daar moeten staan terwijl zij me tekenen?'

Arlo trok een grimas. 'Het is een traditioneel stilleven,' zei hij.

Olivia hield haar hoofd schuin. Ze begreep niet wat hij daarmee bedoelde.

'Een traditioneel stilleven... Met een naakt, nou ja... grotendeels naakt in ieder geval.' Hij bloosde.

Dus schakelde Olivia over naar morele steun en probeerde ze hem tijdens de hele wandeling naar het cultuurcentrum op te peppen. 'Arlo, objectief gezien ben je een knappe man,' zei ze terwijl ze flink doorliepen.

'In een dorp vol mannen die allemaal op Griekse goden lijken,' zei Arlo, terwijl hij probeerde niet in paniek te raken toen hij de deur opendeed.

'Je bent een ongelooflijk fitte surfer, zelfs je kapsel doet denken aan de zee,' zei ze. Ze renden de trap op.

'Dat is waar, maar ik ben er niet aan gewend dat dertig mensen naar me staren,' zei hij terwijl hij zich naar de douche haastte en Olivia in de personeelskasten naar een reservehanddoek zocht.

'Zie het als een leermoment en de ideale basis voor een sterk verhaal op feestjes.'

'Nou, als ik mijn vriend vertel waardoor ik het avondeten heb gemist, dan zal hij beslist onder de indruk zijn.'

'Precies, en ik ga naar huis met een unieke tekening van jou,' zei Olivia, terwijl Arlo de douche uit liep en de riem om zijn badjas vastmaakte.

'Maar je hoeft dit niet te doen Arlo, niet als je het niet wilt,' bracht ze hem in herinnering. 'Ze kunnen gewoon de kannen en het fruit tekenen, en jij kunt je badjas aanhouden.'

'Ik heb hen de volledige ervaring beloofd,' zei Arlo dramatisch toen hij de ruimte binnenliep vol met atleten die geduldig voor hun doeken zaten. 'En dat ga ik waarmaken.'

Zo belandde Olivia in een kamer met dertig van de beste atleten ter wereld, terwijl ze luisterde naar traditionele Griekse muziek en een naaktportret schilderde van een collega die ze pas drie dagen eerder had ontmoet.

Toen Olivia nog op school zat, had ze altijd de hele week uitgekeken naar de tekenles. Destijds was haar verf en papier en de manier waarop de wereld om haar heen verdween het enige wat er op donderdagmiddag echt toe deed. Schilderen had voor haar niet als een ontsnapping gevoeld, het was een manier om de wereld levendiger te zien dan ze die met haar eigen ogen zag. Kunst zorgde ervoor dat ze zich bewuster was van de rondingen en contouren die iemands gezicht mooi maakten, en meer oog had voor de manier waarop het zonlicht weerkaatst werd op de straat net na een regenbui. Maar ze had al jaren niet meer geschilderd.

'Je bent hier echt goed in,' klonk een stem achter haar. Olivia draaide zich om zodat ze kon zien waar het vandaan kwam.

'Hoi!' zei ze, aangenaam verrast toen ze zag dat Haruki achter een van de ezels achter haar zat. Haruki had zo'n vriendelijk gezicht dat Olivia zich meteen op haar gemak voelde.

'Het dorp is enorm, maar we komen elkaar steeds tegen, vast het lot, denk je ook niet?' Hij leek oprecht blij haar weer te zien.

'Nou, ik heb het gevoel dat het universum ons iets probeert te vertellen,' zei ze.

'Eigenlijk dacht ik pas nog aan je. Er is ook een openluchtbioscoop in het dorp, waar elke avond sportfilms worden vertoond. Ik vroeg me af of je er een keer samen met mij naartoe wilt,' zei hij. Hij klonk nogal nerveus, en een fractie van een seconde vroeg Olivia zich af of hij haar mee uit vroeg. Maar het was Haruki Endō. Olivia had de verhalen in de Instagramroddelcircuits over hem gezien, hij had bijna alleen maar gedatet met supermodellen en atletes die gouden medailles op hun naam hadden staan. Olivia had behoorlijk veel zelfvertrouwen, maar het was wel erg onwaarschijnlijk dat Haruki haar mee uit zou vragen, dus schoof ze de gedachte terzijde.

'Ze vertonen zondag *Bend It Like Beckham*,' ging hij verder.

'Je bedoelt *Bend It Like Beckham*, de beste Britse sportfilm die de afgelopen twintig jaar is uitgebracht?' Ze grijnsde, blij dat zij en Haruki nog een favoriete film gemeen hadden. Ze wist zeker dat ze snel vrienden zouden worden.

'Ja, leuk, toch?' zei hij opgewekt. Als hij haar mee uit had gevraagd, zou hij hebben geprobeerd te flirten, maar hij leek gewoon erg naar de film uit te kijken, dus knikte Olivia instemmend en zei ja.

'O, mijn beste vriendin Aditi is dol op die film. Ik heb beloofd dat ik het weekend met haar zou doorbrengen, dus neem ik haar mee,' zei Olivia enthousiast, blij dat ze een reden had om Aditi eindelijk het dorp in te krijgen.

'Dat zou geweldig zijn,' zei Haruki. Ze zag zijn glimlach even verdwijnen en vervolgens weer verschijnen. Ze liet hem haar bellen zodat ze zijn nummer had en zei dat ze hem zou appen om een tijdstip af te spreken waarop ze elkaar alle drie zouden ontmoeten. Toen ging ze weer verder met schilderen.

'Welke verf gebruik je? De kleuren zien er zo levendig uit,' zei Haruki terwijl hij naar haar toe liep.

'Gouache,' zei ze terwijl ze nog een streek zette met haar penseel. Haar schilderij van Arlo werd veel beter dan ze had verwacht, maar toen ze naar de tekening van Haruki ging kijken, zag ze dat zijn kunstwerk werkelijk fascinerend was.

Terwijl Olivia een helder portret schilderde waarbij kleuren en licht naadloos in elkaar overgingen, werkte Haruki aan een ongelooflijk gedetailleerde, bijna fotorealistische potloodtekening. Het zag eruit alsof het dagen kostte om deze te maken.

'Je bent een ongelooflijk goede kunstenaar,' zei Olivia.

'Bedankt. Ik heb kunstlessen gevolgd toen ik jonger was, maar toen kwam het zwemmen en moest alles daarvoor wijken,' zei Haruki.

Olivia knikte. Ze vroeg zich af hoe vaak de wens om de top te bereiken het nastreven van de andere dingen waar je van hield in de weg stond.

'Ik hou je niet langer op,' zei Haruki met een knikje, voordat hij terug naar zijn ezel ging, en zij weer verderging.

In haar late tienerjaren had Olivia niet alleen het schilderen geleidelijk laten varen. Langzaam begonnen hele delen van haar leven te vervagen. Ze had tegen zichzelf gezegd dat als ze niet van plan was ergens goed in te worden, het niet de moeite waard was om er tijd of geld aan te verspillen. Terwijl ze naar haar canvas keek, voelde ze een bepaald soort verlies van de tijd waarin gewoon genieten van iets een goede reden was om het te doen.

Ze had jarenlang geprobeerd te voorkomen dat ze weer in het zonnetje Olivia veranderde, maar de zomer waarin de naam ontstond was zorgeloos geweest, ze had toen net zo'n gevoel als ze nu had. Ze was 's ochtends naar het strand gegaan en had in de zon gelegen, had haar schetsboek tevoorschijn gehaald en het landschap getekend. Hoe afleidend en doelloos die zomer ook was geweest, het voelde alsof ze zichzelf weer gevonden had. Misschien zou deze zomer ook zo kunnen voelen. Ze hoefde alleen maar te beslissen hoeveel ze los wilde laten.

25

Zeke

Dag vier van de Olympische Spelen van 2024

Zeke zat in een zachte leren fauteuil. Hij dronk een glas water en deed zijn best vragen te ontwijken.

'Gaan we vandaag een uurtje kletsen, of wil je praten?' vroeg Fiona.

Fiona was de therapeut van het Britse team die hem was toegewezen na zijn eerste paniekaanval in Tokio. Ze was een vrouw van rond de veertig uit Wales, die alles kon zeggen wat uit de mond van ieder ander passief-agressief zou hebben geklonken, maar wat bij haar gewoon verfrissend eerlijk klonk.

'Het weer in Athene is geweldig, hè?' zei Zeke.

Ze glimlachte naar hem, maar het was het soort glimlach dat leraren op de basisschool je schonken als ze je iets gingen uitleggen wat ze je al een week probeerden te leren.

'Zeke, ik moet je eraan herinneren dat deze sessies niet verplicht zijn. Als je het niet prettig vindt om dit soort gesprekken te voeren… Je komt niet in de problemen als je niet komt opdagen,' zei Fiona.

'Vind je onze sessies niet gezellig? Ik dacht dat ik je favoriete atleet was. Je breekt mijn hart, Fi,' grapte Zeke.

'Zeke, dit is inmiddels sessie… drieëntwintig. Ik ken al je favoriete kleuren, kan elk tv-programma opsommen dat je de afgelopen vier jaar hebt bekeken en herinner me al je favoriete hardloopverhalen. Maar ik vraag me af of we daadwerkelijk vooruitgang boeken. Als je de therapie niet zinvol vindt, waarom blijf je dan komen?' vroeg ze.

Hij zuchtte. 'Eerlijk gezegd kom ik alleen maar zodat de coach en de rest van het team zich geen zorgen om mij hoeven te maken,' zei hij schouderophalend. 'Als ik niet meer naar therapie ga, zullen ze me weer een-op-een toespreken. En ik heb niet echt zin om opnieuw voortdurend de vraag "Hoe gaat het eigenlijk met je, jongen?" te horen,' zei hij, coach Adam imiterend.

'Hoe gaat het eigenlijk met je, jongen?'

'Uitstekend,' zei Zeke.

'Zoals altijd.'

'Precies.'

'Heb je veel met je familie gesproken sinds je hier bent?' vroeg ze.

'Elke dag,' zei hij, nu al moe door de vragen.

'Ik weet dat dit soort tijden soms een beetje bitterzoet kunnen zijn,' begon Fiona, maar Zeke onderbrak haar.

'Ik voel me absoluut prima, Fi, je hoeft je geen zorgen te maken,' zei hij. Hij wist dat hij zijn gevoelens niet voor haar kon verbergen, maar toch wilde hij er niet over praten.

Zeke was altijd de eerste om te vragen hoe het ging met zijn vrienden, maar hij hield er niet van om over zijn gevoelens te praten, omdat hij het niet prettig vond als mensen zich zorgen om hem maakten. Zijn moeder was na de dood van zijn vader zo ongerust over hem geworden dat ze een reeks therapiesessies van vier weken voor hem had ingepland. Zeke had het gehaat. Op zijn veertiende wilde hij gewoon verder met zijn leven, zodat alles weer normaal zou worden. Hij wilde niet de hele tijd instorten, zoals zijn moeder deed, of al zijn tijd besteden aan het ophalen van herinneringen, zoals zijn broers deden. Maar elke keer dat hij met een hulpverlener had gesproken, hadden ze hem vragen gesteld die dreigden de wonden te heropenen waarvoor hij zo zijn best had gedaan om die te laten helen. Dus had hij zich teruggetrokken en zijn moeder ervan overtuigd de sessies stop te zetten.

Maar toen coach Adam hem tijdens zijn laatste Olympische Spelen aan de andere kant van de wereld midden in een paniekaanval aantrof, had Zeke ingestemd om regelmatig sessies te plannen met de therapeut van het team... Ondanks zijn afkeer ervan. Al zijn vrienden die in therapie gingen, zeiden dat ze zich opgelucht voelden. Alsof praten over wat ze allemaal hadden opgekropt een last van hun schouders nam. Maar voor Zeke had het iets verstikkends om oog in oog te staan met iemand wiens taak het was om hem te doorgronden. Hij had het gevoel dat als hij zou beginnen te praten, ze iets in zijn woorden zou horen waar ze zich zorgen over zou maken. Of erger nog, dat als hij maar lang genoeg praatte, hij zelf iets in zijn woorden zou horen dat hém zorgen zou baren.

Als je eenmaal een deur in je hart had geopend, was het onmogelijk om die weer te sluiten en toch dezelfde man te blijven. Als hij zichzelf werkelijk zou toestaan zich open te stellen, zou dat hem op een pad leiden dat hem uiteindelijk zou dwingen zichzelf te veranderen. Maar Zeke hield van zijn leven en van wie hij was; hij wilde dat niet in de waagschaal stellen.

'Zeke?' zei Fiona.

'Hm,' zei Zeke. Zijn gedachten bleven afdwalen. 'Sorry, Fiona, wat vroeg je?'

'Ik vroeg: heb je goed geslapen? Je hebt wallen onder je ogen.'

Zeke had niet goed geslapen, maar hij had besloten dat aan de jetlag te wijten, ook al bedroeg het tijdsverschil tussen Athene en Londen slechts twee uur.

'Dat beschouw ik als een nee,' zei Fiona, alsof ze dwars door hem heen kon kijken.

Meestal probeerde hij te verbergen wat hij dacht, maar dit keer wilde Zeke haar alles vertellen. Hij was nu bijna vijfentwintig en hoewel dat naar de maatstaven van de meeste mensen jong was, wist hij dat hij vlak bij zijn hoogtepunt in de atletiekwereld was. Als hij zou blijven trainen, goed voor zijn lichaam zou zorgen en ernstige blessures wist te vermijden, zou hij zeker nog minstens twee Olympische Spelen kunnen halen. Maar hij wist niet zeker of hij dat wel wilde.

Niet dat hij niet meer van hardlopen hield, want dat was nog steeds zijn favoriete bezigheid. En als atleet was zijn identiteit zo verbonden met zijn sport dat hij zich niet eens kon voorstellen wie hij zou zijn als hij niet aan wedstrijden deelnam. Maar de laatste tijd voelde het een beetje leeg. Hij had een onderbuikgevoel voordat hij aan zijn dagelijkse training begon en de kwalificatie voor de kwartfinales had hem niet hetzelfde gevoel van voldoening gegeven als anders. Het antwoord op de vragen van Fiona was dus ja: hij had wel iets aan zijn hoofd, en nee: hij sliep niet zo goed. Maar voordat hij zichzelf open durfde te stellen, was het uur om. Toen hij haar kantoor verliet, ging zijn telefoon.

'Allereerst gefeliciteerd met je wedstrijd. Ik wist dat je het zou gaan maken,' zei Haruki. 'Ten tweede denk ik echt dat ik de liefde van mijn leven heb gevonden en dat is geen grapje...'

'Alweer? Wie is het deze keer? Een Dominicaanse gewichtheffer, een Italiaanse schermer?' vroeg Zeke.

'Nee! Het meisje over wie ik je de vorige keer vertelde. Degene van wie ik de eerste dag een foto maakte en met wie ik geluncht heb. Ik heb haar net weer gezien,' zei Haruki.

Zeke kon de glimlach in zijn stem horen. 'Dus binnenkort zit ik mijn toespraak als getuige te schrijven?' zei Zeke grinnikend, terwijl hij door de gang liep.

‘Ik heb haar nummer en een afspraakje met haar gemaakt, ik denk dat het wel gaat lukken,’ zei Haruki.

‘Je hebt haar mee uit gevraagd? Oké Endō, dat is niet niks,’ zei Zeke, onder de indruk dat zijn vriend eindelijk de sprong had gewaagd.

‘Ja, we gaan naar de film. Ze zei dat ze haar beste vriendin mee zou nemen, maar...’

‘Ze neemt haar beste vriendin mee... op een date?’ vroeg Zeke.

‘Ja... Dat is geen goed teken, zeker?’ vroeg Haruki aarzelend.

‘Misschien vindt ze het fijn om niet alleen te hoeven komen,’ zei Zeke, in een poging hem gerust te stellen.

‘Nou, dat is eigenlijk de reden waarom ik je belde. Ik heb gezegd dat ik ook iemand zou meenemen... Dus, hoe sta jij tegenover een dubbeldate dit weekend?’ zei hij terwijl hij probeerde nonchalant te klinken, maar daar niet in slaagde. Wie het mysterieuze meisje ook was, Haruki was compleet voor haar gevallen.

‘Als je wilt dat ik kom, zal ik er zijn,’ zei Zeke.

26

Olivia

Dag vier van de Olympische Spelen van 2024

Olivia wilde de shuttle van kwart over acht terug naar Athene nemen. Ze moest nieuwe sollicitatiebrieven schrijven en haar cv bijwerken voor de lange lijst met banen waarop ze zou solliciteren. Dus toen ze in de lift stapte, begon ze een takenlijst op haar telefoon te maken. Toen de deuren op de zevende verdieping opengingen, was Olivia zo druk bezig dat ze niet eens doorhad dat er iemand in de deuropening stond.

'Olivia,' weerklonk een stem. Het geluid was laag en warm, en er liep een rilling over haar rug. Ezekiel Moyo bleef opduiken op de momenten waarop ze hem het minst verwachtte.

'Zeke,' zei ze. De lift voelde plotseling kleiner en benauwder.

'Ik wil niet brutaal zijn,' begon Zeke, terwijl hij naar haar handen keek. 'Maar is er een reden dat je een schilderij bij je hebt van een naakte man… die veel lijkt op de man met wie je bij het atletencentrum werkt?'

'Ik… Eerlijk gezegd heb ik daar geen goede verklaring voor,' zei Olivia. Ze keek naar het schilderij en zag het door de ogen van iemand die niet wist wat zij de afgelopen drie uur had gedaan. Toen ze weer opkeek, zag ze dat hij haar in zich opnam. Zijn blik gleed keurend over haar lichaam en hij leek geschrokken toen hun ogen elkaar weer ontmoetten. 'En wat doe jij hier eigenlijk? Is er een reden dat je nog steeds in de deuropening staat of ben je gewoon zo gebiologeerd door mij dat je niet weg kunt kijken?' vroeg ze geamuseerd.

Zeke had de atletiekkleding waarin ze hem die ochtend had gezien, verwisseld voor een casual wit overhemd, waarvan hij de bovenste knoopjes los had. Ze stonden aan verschillende kanten van de lift, maar ze hadden net zo goed schouder aan schouder kunnen staan, want Olivia was zich nog nooit zo bewust van iemand anders geweest als van Zeke. Hij keek recht voor zich uit, dus stond ze zichzelf toe om naar zijn krachtige kaak te kijken, naar de lachrimpeltjes rond zijn ogen en naar zijn brede, gespierde armen die helaas bedekt waren door zijn overhemd. Hij was stevig genoeg om haar moeiteloos op te tillen, sterk genoeg om haar met één hand vast te houden. Voordat ze haar gedachten de vrije loop kon laten gaan, keek hij weer naar haar en keek ze weg.

Olivia was ineens enorm geïnteresseerd in de verschillende manieren waarop het woord 'welkom' werd vertaald in de verschillende talen die op de Olympische Spelen vertegenwoordigd waren. Ze was gefascineerd door de felgekleurde plattegrond van het dorp en het bedieningspaneel met de knoppen. Ze bekeek werkelijk alles in de lift, behalve Zeke. Omdat ze bang was dat áls ze dat deed, ze haar oncontroleerbare gevoelens – die extreem gefocust waren op zijn glimlach – niet zou kunnen beheersen.

'Het is een heel goed schilderij,' zei Zeke, die de stilte verbrak. 'Op hakken rennen, roekeloos ongelukken veroorzaken met een golfkarretje, naaktschilderijen... Is er iets waar je niet goed in bent?'

'Dienbladen dragen,' antwoordde ze zonder aarzeling.

'Dienbladen dragen?' vroeg hij geamuseerd.

'Ja. Toen ik zeventien was, werkte ik in een Italiaans restaurant en liet ik elke dienst wel een dienblad vallen.'

'En ze hebben je niet ontslagen?'

'Ik was slecht in dienbladen, maar goed in al het andere.'

'Natuurlijk was je overal goed in,' zei hij met een ferm knikje.

'Jíj snapt het,' zei ze, en ze knipoogde. Waarom knipoogde ze nu? Ze had nog nooit in haar leven naar iemand geknipoogd. Het was beslist te warm in deze lift.

'Ik denk dat het slechts een kwestie van tijd is voordat jij deze plek ook gaat runnen,' zei hij terwijl hij een groots gebaar maakte.

'Het dorp? Denk groter, Zeke. Als hoofd van het Internationaal Olympisch Comité en vervolgens als secretaris-generaal van de Verenigde Naties, zal ik mijn krachtige internationale connecties gebruiken om miljardair te worden, waarna ik me terugtrek in een stadje in Australië aan een parelwit strand, en een combinatie van een boekwinkel, plantenzaak en café open.'

'Waarom heb ik het gevoel dat je dat hebt opgeschreven toen je elf was?' vroeg hij, terwijl die warme, diepe lach weerklonk die Olivia deed smelten.

'Negen om precies te zijn,' zei ze met een knikje. 'O, en natuurlijk geef ik al het geld weg voordat ik sterf, want niemand zou miljardair mogen zijn, als het erop aankomt.'

'Maar jij wilt het wel zijn?' vroeg hij.

'Gewoon om te bewijzen dat ik het kan,' zei ze schouderophalend. 'Zijn miljardairs onethisch? Ja. Houdt dat mij tegen om op de Forbeslijst te willen komen? Nee.'

'Je bent in ieder geval eerlijk.'

'Dank je,' zei ze terwijl ze haar hand in haar zij zette. 'En jij, wat heb jij voor grootse plannen?'

'Gewoon iets van wereldheerschappij, begrijp je?' zei hij.

'Dat begrijp ik wel,' zei ze met een glimlach.

'Zijn we al een verdieping verder?' vroeg hij, toen hij plotseling de stilte om hen heen opmerkte. Het duurde zeker niet zo lang voor een lift om drie verdiepingen te dalen. Olivia drukte nogmaals op de knop van de begane grond, maar de lift deed niets. Zeke drukte op de knop voor het openen van de deuren, maar de deuren bewogen niet. Olivia drukte op de knoppen voor de eerste, tweede en derde verdieping, maar het maakte geen verschil. Zeke deed hetzelfde, maar hun lift kwam niet in beweging.

Zeke drukte op elke knop, daarna wendde hij zich tot de liftdeuren om te proberen die handmatig open te krijgen, maar het lukte niet om ze uit elkaar te trekken. Hij klopte op de deur en hurkte op de grond om te kijken of hij om hulp kon roepen, maar de deur ging niet open.

'Ik weet niet of het mij gaat lukken om ons eruit te krijgen,' zei Zeke terwijl hij zich omdraaide. Maar Olivia stond al via een luidspreker in de zijkant van de lift met een monteur te praten.

'Hoe heb je dat voor elkaar gekregen?' vroeg Zeke verbaasd.

'Ik heb een cursus Liften gevolgd,' zei Olivia met een plechtig knikje en wees vervolgens naar de grote rode knop met de tekst DRUK IN GEVAL VAN NOOD.

'Ik ben alleen in het weekend een donjuan,' zei Zeke, terwijl Olivia haar wenkbrauwen optrok en via de luidspreker weer met de lifttechnicus sprak.

'Oké...' zei ze tegen de technicus. 'Bedankt... Nee, ik geloof niet dat een van ons claustrofobisch is...' antwoordde ze. 'Ja, ik zal oefenen met diep ademhalen,' knikte ze. 'Ik heb verder niets nodig... Geen zorgen. Ik denk dat we allebei muziek op onze telefoon hebben, dus het is niet nodig om de muziek van de lift aan te zetten, maar bedankt, Giannis, ik waardeer het aanbod... Oké, bedankt... Oké, spreek je later... Jij ook bedankt, doei.'

'Nou, Giannis, de lifttechnicus, is een aardige man die me doet denken aan mijn geschiedenisleraar van de derde klas,' zei ze, 'maar hij zit aan de andere kant van het dorp, dus het zal een halfuur duren voordat hij ons kan helpen.'

'Nou, mocht het een troost zijn: ik ben goed gezelschap,' zei Zeke en hij glimlachte naar haar, waarna Olivia zich langs de muur naar beneden liet glijden en op de grond ging zitten.

'Is het zo erg om met mij opgescheept te zitten, Olivia?' zei Zeke. Olivia probeerde ondertussen het gevoel te negeren dat in haar opkwam als hij haar naam uitsprak.

Olivia keek naar hem en sloot toen haar ogen. Nee, zo erg was het niet. Hij was helemaal geen slecht gezelschap. Maar de manier waarop zijn ogen oplichtten en er rimpeltjes omheen ontstonden als hij glimlachte, dát was erg. De manier waarop hij met evenveel plezier als nieuwsgierigheid op haar neerkeek was erg. En de manier waarop haar vervelende hart een beetje fladderde toen hij zich ook langs de wand naar beneden liet glijden en naast haar op de grond ging zitten, was erg. Olivia deed er alles aan om niet afgeleid te worden door Zeke Moyo, maar haar vastberadenheid begon weg te smelten. Het leek op te lossen in een gevoel dat veel ingewikkelder was.

27

Zeke

Dag vier van de Olympische Spelen van 2024

Terwijl Zeke naast Olivia zat, besefte hij dat wát hij ook voor haar begon te voelen, het al te laat was om het tegen te houden. Haar aanblik toen hij de lift binnenstapte, had zijn hart letterlijk doen overslaan. Hij had nog nooit zo heftig op iemand gereageerd. Het had hem echt een moment gekost om weer bij zijn positieven te komen. Ze droeg haar vrijwilligersuniform niet; hij zag het uit de tas steken die over haar schouder hing. Nu droeg ze een korte spijkerbroek en een wit linnen overhemd met een paar spikkels felgekleurde verf op de mouw. Toen ze langs de wand van de lift naar beneden was gegleden, had hij hetzelfde gedaan. Nu ze nog maar een paar centimeter van elkaar verwijderd waren, vroeg hij zich af of dat wel de juiste beslissing was geweest. Want hoewel hij het gesprek gaande had kunnen houden als ze nog hadden gestaan, kon hij, nu ze zo dicht bij elkaar zaten, de bijna magnetische aantrekkingskracht die ze op hem leek te hebben, niet meer negeren. Of het feit dat hij ontzettend gespannen was in haar gezelschap.

'Je bent toch niet claustrofobisch, hè?' vroeg Olivia terwijl ze naar hem keek. 'Ik ging er gewoon van uit dat dat niet zo was toen ik met de technicus sprak.'

Hij hield haar blik een seconde te lang vast en probeerde vervolgens zelfverzekerder te handelen dan hij zich voelde. 'Eerder het tegenovergestelde,' zei hij.

'Dus jij zit wel graag als haring in een tonnetje?' vroeg ze terwijl ze een wenkbrauw optrok. Die perfect gebogen wenkbrauw zou zijn hart nog eens fataal worden. 'Als dat jouw ding is, mij best. Dit is in ieder geval een *safe space*,' zei Olivia plagerig, terwijl ze haar schouders ophaalde.

Hij keek naar haar lippen, zag de dieprode lippenstift die ze ophad en keek toen snel weg. Hij moest zichzelf beter leren beheersen. 'Wat ik bedoelde is dat ik niet claustrofobisch word, omdat ik daarvoor getraind ben.'

'O, nu wil ik het hele verhaal weten.'

'Herinner je je die voetballer die een paar jaar geleden midden tijdens een WK verdween?' vroeg hij, dankbaar voor een gespreksonderwerp dat hem rust zou geven. 'Het officiële verhaal was dat hij verdwaald was in de stad waar ze moesten spelen, maar de waarheid is dat hij werd ontvoerd.'

'Echt?' vroeg Olivia met grote ogen.

'Echt. Gelukkig waren het behoorlijk amateuristische ontvoerders, in tegenstelling tot jou, want jij blinkt vast uit in ontvoeringen,' grapte hij.

'Ik heb er talent voor,' zei ze met de warme, heldere, aanstekelijke lach die hij altijd aan haar probeerde te ontlokken.

'De voetballer kon dus ontsnappen en de ontvoerders werden gepakt. Vervolgens stuurde elke internationale sportorganisatie atleten naar een verplichte cursus in ontvoeringspreventie en overlevingstactieken.'

'Dat klinkt als iets uit een film,' zei ze.

'Ja toch? Zo voelde het ook. We hebben allemaal een zelfverdedigingstraining gevolgd, een les escaperoom gekregen die toepasbaar is in het echte leven, geleerd hoe we onze adem moeten inhouden en…' zei hij terwijl hij om zich heen gebaarde.

'Geleerd hoe je niet claustrofobisch wordt in kleine ruimtes,' zei ze met een knikje.

'Precies,' zei hij. Terwijl Olivia verschoof om een comfortabeler houding aan te nemen, dreef een vleugje van het parfum dat ze ophad, vermengd met verf en vanille, zijn kant op. Ze rook zo lekker dat hij zijn adem moest inhouden om te voorkomen dat hij naar haar toe leunde.

'Ik schilderde dus een naakt van Arlo, maar wat deed jij hier dan?' vroeg Olivia.

'*Ik schilderde dus een naakt van Arlo*,' bauwde Zeke haar na. 'Wat een geweldige manier om een zin te beginnen.' Hij zweeg even. 'Ik was in therapie… En ik haat therapie.'

'Haat je het?' Haar gezicht stond zachtaardig en ook haar toon was begripvol.

'Ik heb er echt een hekel aan. Begrijp me niet verkeerd, ik kan best over mijn gevoelens praten,' zei hij, hoewel hij dat nooit tegen Fiona deed. 'Maar als je weet dat de ander alles wat je zegt gaat analyseren, sluit ik mezelf af,' zei hij.

Olivia knikte. 'Dat begrijp ik, het voelt niet echt als een normaal gesprek.'

'Het voelt eerder als een rare speurtocht. Welk trauma, welke onzekerheid of angst kunnen we vandaag ontdekken?'

'Emotioneel schatzoekertje? Dat klinkt eerlijk gezegd wel leuk,' zei ze, waardoor hij een beetje moest lachen. 'Ik hou ervan om over emoties te praten.'

'Echt?' vroeg hij.

'Ja, hoe meer ik ergens over praat, hoe duidelijker ik mijn gedachten kan vormen,' zei ze.

'O, ik hou meer van de stilte en kom dan tot mijn eigen conclusies,' zei hij.

‘Vind je het leuk om alleen te zijn met je gedachten?’ vroeg ze. ‘Voor mij klinkt dat als een hel.’

‘Het is ideaal, je kunt gewoon blijven zitten en uiteindelijk, als je lang genoeg wacht, verdwijnen de meningen van anderen en de dingen die voor je gevoel juist waren om te denken. Totdat datgene wat je echt wilt en voelt het enige is wat overblijft,’ zei hij. Bovendien betekende het feit dat hij zijn eigen conclusies trok dat hij vragen kon vermijden waarvan hij niet zeker wist of hij daar wel antwoord op wilde hebben.

‘Maar dan zou ik moeten luisteren naar wat ik echt wil, niet naar wat ik mezelf voorhoud wat ik wil,’ zei ze. Toen, alsof ze bang was dat ze te veel het achterste van haar tong had laten zien, voegde ze eraan toe: ‘En het lijkt me nogal eng om mezelf echt te leren kennen.’

‘En als iemand de dingen die ik tegen mezelf zeg om het leven gemakkelijker te maken in twijfel trekt, vind ík dat nogal eng,’ zei hij terwijl hij haar met een zelfbewuste lach aankeek.

Na enkele ogenblikken werden ze allebei stil. De stilte verdiepte zich, totdat Zeke alleen nog maar het zachte gezoem van de lift kon horen.

Hij keek naar Olivia en fluisterde: ‘Is dit de stilte die je hoort in je nachtmerries?’

Om de tijd te doden vertelde Olivia Zeke wat anekdotes over de vreemdste walkietalkieoproepen die ze had gekregen, en Zeke vertelde Olivia over de hevigste ongelukken tijdens een training die hij had gezien. Giannis, de lifttechnicus, belde om te vertellen dat het nog eens dertig minuten zou duren voordat hij hen zou bereiken. Dus zetten ze om de beurt hun telefoon op ‘shuffle’ en keken wie het liedje als eerste kon raden totdat het gelijkspel was.

Vervolgens liet Zeke Olivia de foto’s zien die hij had gemaakt van de exclusieve zones voor atleten in het dorp. Daarna speelden ze een spel waarbij ze om de beurt willekeurige data zeiden en door de fotogalerij op hun telefoon scrolden om te zien waar ze waren geweest en wat ze hadden gedaan.

'29 maart?' vroeg Zeke terwijl ze allebei scrolden.

'Het feestje van mijn neef voor zijn eenentwintigste verjaardag,' zei Olivia terwijl ze het scherm naar Zeke draaide; die knikte en haar aankeek.

'Ik was aan het kamperen,' zei hij, terwijl hij haar een foto liet zien waarop hij met Anwar en Frankie kampeerde op een regenachtige dag, hartje Wales.

'7 juni?' vroeg hij terwijl ze allebei scrolden.

'Op die dag haalde ik mijn masterdiploma.'

'Je ziet er goed uit met een academische baret en een toga,' zei hij. Hij hoorde hoe flirterig de ondertoon was.

'Dat zei mijn opa ook voordat hij mij probeerde te overtuigen om te promoveren,' zei ze plagerig. 'En jij?'

'7 juni... Toen had ik een fotoshoot.' Hij keek weg en scrolde snel langs de foto's.

'Zie je er zo uit als je je schaamt?' zei ze geamuseerd.

'Ik schaam me niet.'

'Wel waar.' Haar ogen werden groot van geamuseerdheid. 'Laat mij de foto's eens zien.'

'Nee,' zei hij, terwijl een plotselinge golf van gêne hem overspoelde.

'Zeke!' zei ze, en haar ogen werden nog groter. 'Je kunt me niet vertellen dat je een fotoshoot hebt gedaan op die dag en me dan de foto's niet laten zien.' Ze boog zich ondeugend naar hem toe. Hij vond het steeds moeilijker om haar iets te weigeren.

'Goed, goed,' zei Zeke terwijl hij haar zijn telefoon gaf om de foto's te bekijken. Terwijl ze erdoorheen scrolde, probeerde hij te raden wat ze dacht, maar haar gezicht was onmogelijk te doorgronden. 'Wat is het oordeel?'

Ze keek naar de foto en keek toen weer naar hem. 'Je ziet er goed uit,' zei ze zakelijk. 'Had je je wenkbrauwen ervoor laten doen?'

'Inderdaad, maar ik denk dat ze nu weer beginnen te groeien. Kijk,' zei hij terwijl hij naar zijn wenkbrauwen wees om Olivia de korte dunne haartjes te laten zien die teruggroeiden buiten de lijntjes die de stylist op de fotoshoot had gevormd.

'Zeke, je weet dat ik in veel dingen goed ben.' Ze rommelde in haar tas.

'Ik weet niet of ik deze ontwikkeling op prijs stel,' zei Zeke, half angstig en half geamuseerd, terwijl hij toekeek hoe ze een make-uptasje en een fles handdesinfectiemiddel tevoorschijn haalde.

'Vertrouw me,' zei ze, terwijl ze enthousiast een pincet tevoorschijn haalde.

'Je bent veel te enthousiast om je te kunnen vertrouwen,' zei Zeke, terwijl hij naar het pincet keek en vervolgens naar de opgetogen, bijna maniakale glimlach op Olivia's gezicht.

'Oké, dit kan een beetje pijn doen,' zei ze.

'Ik ben getraind in kidnapping, weet je nog? Marteling is mij niet vreemd.'

Olivia rolde met haar ogen en boog zich voorover. Ze legde haar handen tegen de zijkant van zijn hoofd. Ze waren warm, zacht en roken naar vanille. De zachtheid van haar aanraking verraste hem.

Misschien kwam het doordat ze vlak boven zijn gezicht zweefde. Misschien kwam het doordat ze nu al bijna een uur met elkaar praatten, maar hij had het gevoel dat de grenzen tussen hen veranderden. Alsof hij haar al veel langer kende. Hij voelde zich zo op zijn gemak bij haar dat hij er zenuwachtig van werd. Zeke voelde hoe hij in haar ban raakte. Hun gezichten waren slechts enkele centimeters van elkaar verwijderd, zo dichtbij dat Zeke de parfum op haar huid kon ruiken.

‘Als ik niet beter wist, zou ik denken dat je me probeerde te versieren,’ fluisterde hij.

‘Als je niet oppast, trek ik er misschien per ongeluk te veel uit,’ fluisterde ze terwijl ze zo dicht naar hem toe leunde dat er nauwelijks ruimte tussen hun lichamen was. De lift nemen was zijn beste beslissing van de hele week.

28

Olivia

Dag vier van de Olympische Spelen van 2024

En zo kwam het dat Olivia tien minuten lang op slechts een paar centimeter afstand boven Zekes gezicht zweefde. Ze nam de tijd toen ze zijn wenkbrauwen haar voor haar epileerde totdat ze begonnen te lijken op de vorm van de fotoshoot voor de cover van zijn tijdschrift. Ze hield de foto erbij als voorbeeld en iedere keer was het bijna een opluchting om naar een beeld te kunnen kijken in plaats van naar zijn echte gezicht. Op de een of andere manier legde de foto Zeke precies vast zoals hij van dichtbij was. Zo knap dat Olivia niet te lang naar hem kon kijken zonder zijn mooie wimpers aan te willen raken, of zijn absurd mooie lippen te willen kussen. Ze ving een glimp op van de flinterdunne ketting onder zijn overhemd, en de zacht rimpelende stof accentueerde alle uren die hij in de sportschool had doorgebracht. Zijn parfum was vol en muskusachtig.

'Hoe gaat het daarboven?' fluisterde hij na een paar minuten stilte.

'Het verbaast me dat iemand zulke sterke verhalen vertelt, terwijl je ogen na twee seconden begonnen te tranen,' zei Olivia. Ze streelde teder de huid rond zijn wenkbrauw en trok afwezig een lijn eromheen. Zijn huid was zacht en glad.

'Mijn ogen tranen niet, dat komt gewoon door het licht en de hoek,' zei hij zonder al te veel overtuiging.

Ze schudde haar hoofd en glimlachte in zichzelf. 'Oké, ik ben klaar,' zei ze zachtjes, terwijl ze achterover leunde om te controleren of zijn wenkbrauwen volledig symmetrisch waren.

'Hoe zie ik eruit, Olivia?' vroeg hij.

Ze vond het heerlijk om hem haar naam te horen zeggen. 'Goed,' zei ze. Om de een of andere reden had ze niet de behoefte om er een grapje over te maken of de stilte op te vullen. Hoewel ze wat meer afstand had genomen, waren hun gezichten nog steeds maar een paar centimeter van elkaar verwijderd. Alles in haar wilde wat dichter naar hem toe leunen en de afstand tussen hen verkleinen.

Zeke kwam een beetje dichterbij en Olivia ook. Ze leunden dichter naar elkaar toe, en toen nog wat dichter, alsof er een onzichtbare magneet tussen hen zat. Het leek onvermijdelijk. Terwijl Olivia inademde, voelde ze hoe Zekes neus zachtjes de hare raakte. Haar hartslag versnelde. Hij legde zijn hand op de zijkant van haar gezicht en paste zachte druk toe om haar dichterbij te brengen. Zonder na te denken pakte ze zijn schouder vast om hem naar zich toe te trekken. Zeke veegde teder een haarlok uit Olivia's gezicht en streek met zijn vinger vanaf de bovenkant van haar hoofd, over haar wang en vervolgens over haar lippen...

Zo pijnlijk langzaam dat Olivia voelde dat ze trilde. 'Zeke,' fluisterde ze, terwijl haar stem wegviel door zijn aanraking.

'Hm?' zei hij, terwijl zijn neus langs haar kin gleed en zijn hete adem langs haar nek streek, waardoor elke centimeter van haar huid aanvoelde alsof deze in vuur en vlam stond. Ze zou gek worden als hij niet gewoon opschoot en haar kuste.

'Zeke,' zei ze opnieuw, met gespannen stem. Ze waren nu zo dichtbij dat ze elkaars adem konden voelen en elkaars hartslag konden horen. De paar centimeter die hen scheidde voelde zo breekbaar. Ze wilde hem heel graag voelen. Toen raakten hun lippen elkaar. Olivia's adem stokte. Zijn lippen waren zacht en de kus was warm en verlangend. Ze sloeg haar armen om zijn hals en hij legde zijn hand om haar middel om haar dichterbij te trekken. Haar shirt was een beetje omhoog gekropen en het gevoel van zijn stevige handen tegen haar zachte, warme, gevoelige huid zorgde voor een straaltje genot langs haar ruggengraat. Ze verdiepte de kus, hield haar hoofd schuin en beet zachtjes op zijn onderlip, glimlachend tegen zijn lippen toen ze zijn zachte gekreun hoorde. Haar zelfbeheersing verdween toen ze zijn tong in haar mond voelde glijden. Ze smolt. In één moeiteloze beweging tilde Zeke haar van de grond en plaatste haar stevig op zijn schoot, terwijl zijn handen haar dijen omklemden. Ze sloeg haar benen om zijn middel en besefte hoe dun haar korte broek was toen ze voelde hoe hard hij was. Ze wilde dichterbij komen. Er mocht geen ruimte meer tussen hen zijn. Ze was bedwelmd door het gevoel van haar lichaam tegen het zijne. Ze bedekte zijn lippen met hete, ademloze kusjes en zijn handen waren verstrikt in haar haar. Ze trok cirkels over de sterke, zachte huid onder zijn overhemd. Ze begon het traag omhoog te schuiven en trok zich terug toen hij haar zo hartstochtelijk en dringend kuste dat ze zich licht in haar hoofd begon te voelen. Hij liet zijn handen langs de zijkanten van haar lichaam glijden, waardoor een behoefte ontstond die zo diepgeworteld was dat ze het onder haar huid voelde tintelen. Ze verloren zich beiden zo in de verblindende intensiteit van het moment dat het slechts enkele ogenblikken zou duren voordat ze het punt voorbij waren dat ze niet meer terug konden.

'Is dat jouw telefoon?' vroeg Zeke. Olivia opende haar ogen, kwam tot bezinning en klom van Zekes schoot. Ze bloosde en was een beetje gedesoriënteerd. Zekes overhemd was gekreukeld en zijn mond zat onder de lippenstift. Op zijn gezicht lag nog steeds een uitdrukking van bedwelmend, ademloos verlangen. En zij was daar de oorzaak van.

29

Olivia

Dag vier van de Olympische Spelen van 2024

Olivia schuifelde weg van Zeke en keek naar haar telefoon om te zien wie er belde.

'Het is mijn beste vriendin,' zei Olivia. Een deel van haar wilde de telefoon laten gaan en zich terug naar de andere kant van de lift haasten. Maar Aditi en zij waren beiden in het buitenland. Wat als het een noodgeval was en ze haar echt nodig had?

'Hey, is alles goed met je?' vroeg Olivia terwijl ze het videogesprek beantwoordde.

'Alles oké?' zei Aditi aan de andere kant van de lijn. 'Je appt me meestal elke drie minuten als je onderweg bent naar huis. Ik hoop dat er radiostilte is omdat je plezier hebt, niet omdat je ergens in een donkere kamer naar je scherm zit te staren om banen te zoeken en zit te mompelen over hoeveel hekel je hebt... Hé, waar ben je?' Aditi tuurde naar het scherm.

'Ik zit in een lift, ik zit vast in een lift,' zei Olivia.

'O nee, zijn er nog meer mensen bij je? Hoe kan het dat je wel verbinding hebt? Moet ik de beveiliging van het dorp bellen?' vroeg Aditi. Ze zei het alsof ze zich zorgen maakte, maar Olivia kon het genoegen in haar ogen zien glinsteren. Dit soort dingen gebeurden altijd in de Koreaanse dramaseries die ze op vrijdagavond keken.

‘Het gaat prima,’ zei Olivia.

‘De technicus zou hier over ongeveer vijf minuten moeten zijn, toch?’ zei Zeke. Maar voordat Olivia kon antwoorden, zag ze Aditi’s glimlach nog breder worden.

‘Wacht, is dat een man? Zit je met een man vast in de lift?’ Olivia sloot opgelaten haar ogen. Zeke keek vrolijk. Olivia beet op haar lip om haar kalmte te bewaren.

‘Olivia, geef de telefoon even door aan degene met wie je nu bent. Ik moet hen waarschuwen voor hoe intens jij kan worden als je langer dan tien minuten te maken krijgt met een situatie waarover je geen controle hebt,’ zei Aditi.

Zeke schoof dichterbij, en Olivia schudde verslagen haar hoofd toen de zijkant van zijn gezicht in beeld kwam. Aditi’s ogen werden groot en haar mond viel open.

‘Zeke Moyo? Lieve hemel,’ zei Aditi. ‘Hé, Olivia haat je.’

Olivia probeerde Aditi met haar blik het zwijgen op te leggen, maar dat werkte niet.

‘O, dat weet ik al,’ zei Zeke. ‘Ze liet zich meteen langs de wand van de lift naar beneden glijden toen ze zich realiseerde dat ze hier samen met mij vastzat.’ Hij vergat erbij te vermelden dat ze daarna boven op hem was geklommen, zodat ze hem vanuit een betere hoek kon kussen.

‘Nou, het lijkt net of je een veegje van iets op je lippen hebt, Zeke. Iets roods?’ zei Aditi niet echt subtiel, en ze wees op de lippenstiftvlekken rond Zekes mond.

‘Ik ga nu ophangen,’ zei Olivia.

‘Vage grenzen, toch?’ zei Aditi met een vileine glimlach.

‘Dag Aditi,’ zei Olivia toen ze het gesprek beëindigde. Ze stopte haar telefoon in haar zak en keek alle kanten op, behalve in Zekes richting.

‘Vage grenzen?’ vroeg Zeke.

Olivia was niet van plan hem antwoord te geven. Gelukkig

ging de noodtelefoon in de lift over voordat hij het opnieuw kon vragen. 'Hé Giannis... Ja, ik ben er,' zei ze, en ze probeerde haar stem vrolijk en nonchalant te laten klinken om zichzelf af te leiden van het feit dat haar hele lichaam nog steeds naar Zeke verlangde, om af te maken waar ze aan begonnen waren. Ze kon nog steeds zijn handen op haar heupen voelen, het duizelingwekkende effect van zijn lippen en hoe ademloos ze zich had gevoeld toen ze elkaar los hadden gelaten. De spanning hing nog steeds tussen hen in de lucht. Olivia wist dat als de liftdeuren gesloten bleven, ze niet zouden stoppen.

Maar ze hoefde de grenzen van haar zelfbeheersing niet op de proef te stellen, want de lift kwam eindelijk weer in beweging; Giannis was aangekomen en had het systeem opnieuw ingesteld. De lift kwam uiteindelijk aan op de begane grond. Olivia was zo opgelucht dat ze weer frisse lucht kon inademen, dat ze onmiddellijk opstond en naar buiten liep.

'Vergeet je niet iets?' vroeg Zeke, terwijl hij naar het schilderij van Arlo wees. Ze had het bijna laten staan in haar haast om te ontsnappen aan de ingewikkelde gevoelens die ze voor Zeke begon te koesteren. Wie hield ze voor de gek? Die ingewikkelde gevoelens koesterde ze al sinds ze die eerste dag boven op elkaar op de grond waren gevallen.

De zon was net ondergegaan toen Olivia en Zeke het gebouw verlieten. De lucht was wazig en de felgele lantaarnpalen die aangingen, zorgden voor een buitenaardse sfeer, alsof ze tussen dag en nacht zweefden. De lucht was doordrenkt van een bedwelmend gevoel van mogelijkheden. Ze konden zo gemakkelijk worden weggevaagd.

'Hier moet ik zijn,' zei ze, terwijl ze de stilte verbrak toen ze de bocht in het pad bereikten die haar naar de shuttlebus zou brengen.

'Oké, red je het verder? Er rijdt maar één shuttle per uur, toch?' vroeg hij.

Ze keken allebei overal naar, behalve naar elkaar.

'Ja, de volgende gaat over een kwartier,' zei ze terwijl ze op haar telefoon keek.

'App je me als je thuis bent?' vroeg hij met een tederheid waarvan ze schrok.

'Ik heb je...' Haar stem stierf weg. Hij stak zijn hand uit en zij gaf hem haar telefoon, hij typte zijn nummer in en gaf het toestel vervolgens aan haar terug, terwijl hun vingers zachtjes langs elkaar streken toen ze het aannam.

Zodra ze haar eerste stap richting het andere pad zette, pakte hij haar hand, zacht, maar dwingend. Haar hartslag begon te versnellen. Zijn hand was een vraag, en wat zij vervolgens zou doen het antwoord.

Als Olivia de trap had genomen in plaats van de lift, zou ze perfect op tijd thuis zijn geweest om met Aditi een herhaling van de olympische beachvolleybalwedstrijd van die middag te kijken. Als Zeke de trap had genomen in plaats van de lift, zou hij waarschijnlijk zijn sportschoenen hebben aangetrokken en meteen zijn gaan rennen. Als de lift niet ergens tussen de derde verdieping en de begane grond was blijven steken, hadden ze slechts een paar woorden gewisseld en waren ze vervolgens teruggelopen naar het dorp, te veel in beslag genomen door hun eigen leven en zorgen om tijd te besteden aan nadenken over de persoon die ze maar bleven tegenkomen. Maar zo was het niet gegaan.

Het probleem met magneten was dat hoezeer ze ook probeerden elkaar te weerstaan, de kracht tegen te houden, in tegengestelde richtingen te kijken en bij elkaar vandaan te blijven; de aantrekkingskracht altijd zou winnen. Ze konden het allebei voelen.

Olivia draaide zich om en keek naar Zeke. Zeke trok haar dichter naar zich toe. Hun lippen hadden gegloeid toen ze elkaar raakten, alsof het twee krachten waren die met elkaar in botsing kwamen in de meest magnetische, hartstochtelijke chemische reactie. Alsof hun lippen speciaal waren ontworpen om samen te smelten. Maar deze kus was anders. Hij kuste haar zachtjes, alsof ze iets kostbaars was. Hij streek zachtjes over haar haar en hield haar stevig vast, alsof datgene wat er tussen hen was, te delicaat was om haast bij te hebben. Ze kuste hem traag en genoot van elk moment. Ze liet haar handen lichtjes op en neer gaan over zijn rug, trok hem dichter naar zich toe en plaatste zachte, vederlichte kusjes op zijn lippen met een tedere intimiteit die haar verraste. Ze voelde zich bij hem op haar gemak alsof ze hem haar hele leven al kende, maar bij elke aanraking, kus en zucht tintelde haar hele lichaam.

In de lift was de spanning tussen hen zo intens geweest dat ze zichzelf er bijna van had kunnen overtuigen dat het iets fysieks was, een natuurlijke menselijke reactie op het feit dat je vastzit in een afgesloten ruimte met iemand tot wie je je aangetrokken voelt. Zeke was tenslotte belachelijk knap, waanzinnig goed in kussen en ze was een volwassen vrouw met wensen en verlangens. Maar toen ze elkaar kusten onder de lantaarnpaal, besefte ze dat het niet alleen maar lust was. Lust was geen probleem, voor lust was er een eenvoudige oplossing. Nee, terwijl ze teder het zachte gebied rond zijn mond kuste, wist ze dat haar gevoelens voor Zeke veel dieper gingen. Olivia hield van Zeke Moyo. En dat besef beangstigde haar. Terwijl hij liefdevolle kusjes op haar wang plantte, haar stevig vasthield en met een soort geschokte aanbidding op haar neerkeek, besefte ze dat hij misschien hetzelfde voelde. Wat haar nog meer angst aanjoeg. Dus maakte ze zich voorzichtig los uit zijn omhelzing. Olivia keek naar Zeke en de glans van haar lippenstift op zijn lippen, naar de plooien in zijn overhemd en de knopen aan de bovenkant, waarvan ze vrijwel zeker wist dat zij die had losgemaakt. Een ogenblik bleven ze zwijgend staan. Toen bukte Olivia zich, deed haar tas over haar schouder en pakte het schilderij weer op.

'De shuttle,' zei ze. Haar hart sloeg sneller dan gezond was.

'Slechts één keer per uur,' zei hij buiten adem, terwijl hij nog steeds met zijn hand langs zijn lippen streek.

Ze draaide zich om en liep het pad af richting de shuttlebus, vechtend tegen de drang om zich om te draaien en nog een keer naar hem te kijken.

Olivia kon hem nog steeds op haar lippen proeven.

30

Zeke

Dag vijf van de Olympische Spelen van 2024

Zeke zou zich eigenlijk op de training moeten concentreren, maar zijn gedachten bleven teruggaan naar de vorige avond. Die duizelingwekkende kus, die zijn wereld op zijn kop had gezet. Hij herinnerde zich de manier waarop hij zijn armen om haar heen had geslagen en hoe stevig ze zich tegen zijn lichaam had gedrukt, terwijl haar dunne overhemd en gekmakend zachte korte broek langs hem streken. Ze hadden zo verlangend gekust dat hij alles op alles had moeten zetten om los te laten. Het was niet zo'n kus die hij achter zich kon laten zonder erdoor veranderd te zijn. Olivia was niet zo'n vrouw die hij kon ontmoeten en dan gewoon de draad van zijn leven weer kon oppakken. En dat merkte hij die ochtend aan zijn prestaties. Het was de dag van de kwartfinales, maar hij bleef domme fouten maken.

'Te laat gestart, Moyo,' zei coach Adam hoofdschuddend na weer een ondermaatse run.

'Sorry coach, ik ben een beetje afgeleid,' zei Zeke.

'Hou jezelf onder controle.'

Zeke liep terug naar de andere kant van de baan om het opnieuw te proberen. Maar toen hij zijn positie innam, herinnerde hij zich de manier waarop Olivia naar adem had gesnakt toen hij haar van de grond had getild en hoe ze zijn naam had gefluisterd terwijl hij haar heet en verlangend in haar hals had gekust.

'Zeke!' schreeuwde coach Adam. Zeke keek om zich heen en realiseerde zich dat zijn coach op het fluitje had geblazen om het begin van zijn oefensprint aan te geven, maar Zeke stond nog steeds stil. Hij had nog nooit eerder de start gemist. Coach Adam keek hem aan met een mengeling van zorgen en verbazing. Zeke kon het zelf ook niet geloven.

'Ik weet niet waar jij met je hoofd zit, jongen,' zei coach Adam met een blik van puur ongeloof, 'maar je moet jezelf herpakken.'

'Ja, coach,' zei Zeke terwijl hij knikte.

Tegen de tijd dat hij het stadion binnenliep voor de kwartfinales, had Zeke bijna alle zaken waardoor hij werd afgeleid uit zijn hoofd gezet. Hij had naar muziek geluisterd die hem hielp zich te concentreren, video's van zijn oude wedstrijden bekeken om zijn techniek te bestuderen en het uur daarvoor alleen doorgebracht, zodat hij niet kon worden afgeleid door de gesprekken van anderen.

Zeke had de hele week naar de wedstrijden van zijn teamgenoten uit het Britse team gekeken. Hij had luid gejuicht toen hij had gezien hoe de roeiers de halve finale wonnen. Hij had op zijn nagels zitten bijten toen hij naar de intense kwartfinale van het boksen had gekeken. En hij had met zijn teamgenoten vol ontzag naar het scherm in de gemeenschappelijke ruimte van het Britse team gekeken naar de eerste wedstrijd van de schoonspringsters. Camille had haar pols verstuikt tijdens de training, dus de teamfysio had haar twee dagen rust voorgeschreven voordat ze weer ging trainen. Frankie haalde de kwartfinales van de vijfhonderd meter, maar Anwar miste de kwalificatie voor de volgende ronde van het speerwerpen met slechts een paar centimeter. In het Britse gebouw had men gemengde gevoelens, omdat sommige atleten hun eerste medailles vierden, terwijl anderen zich in hun kamers opsloten en hun koffers pakten om vroegtijdig naar huis te gaan. Elke keer dat Zeke zag hoe een van zijn teamgenoten zijn doel bereikte of werd geveld door de laatste hindernis, kwam er meer druk op en ging de inzet omhoog.

Toen hij het stadion binnenliep, was de stemming van het publiek van een heel ander niveau. Want terwijl de atleten hun energie in hun wedstrijd konden steken, deed het publiek dat door het stadion te vullen met de opwinding en energie van een festival. Er waren volwassenen met vlaggen op hun wangen geschminkt en kinderen met felgekleurde pruiken. Gezinnen die de wereld rond waren gereisd in bijpassende doe-het-zelfshirts en groepen vrienden die de woorden zongen en scandeerden van onofficiële volksliederen. Er klonk muziek uit de speakers, en de toeschouwers in het stadion golfden mee. Maar toen de honderdmetersprint werd aangekondigd, daalde er een stilte over hen neer.

Zeke schudde elk van zijn concurrenten de hand, herinnerde zichzelf eraan dat de belangrijkste sprinter degene in zijn baan was, en maakte zich klaar voor de start.

Toen het startschot klonk, begon Zeke goed en zelfverzekerd. Hij voelde de wind in zijn gezicht, waardoor alle afleiding als sneeuw voor de zon verdween. Het enige waar hij aan kon denken, was het geluid van zijn schoenen toen ze de baan raakten. Hij deed waarvoor hij op deze aarde was gezet, en dat deed hij uitstekend. Maar toen hij bijna bij de finish was, gleed zijn voet weg. Het duurde maar een fractie van een seconde, maar genoeg om zijn evenwicht te verstoren. Voordat hij het wist, viel hij. Alles daarna gebeurde in slow motion. Hij stak zijn handen uit om zichzelf op te vangen. De kleuren en lichten in het stadion begonnen te vervagen en de wereld draaide toen hij viel. Toen zijn handen op de harde rode ondergrond van de atletiekbaan landden, leek alles om hem heen even stil te staan.

Zeke voelde een overweldigende angst in zich opkomen bij het besef dat hij tijdens zijn wedstrijd was gevallen. Hij had zich natuurlijk allereerst af moeten vragen of hij geblesseerd was, of hij zich nu nog wel kon kwalificeren voor de halve finale of zelfs het goud nog wel kon winnen. In plaats daarvan dacht hij aan zijn vader. Wat als deze zomer zijn laatste kans was om de grote atleet uit hun dromen te worden? Wat als dit uiteindelijk een moment zou blijken te zijn waarop zijn carrière zou eindigen?

Zeke opende zijn ogen en werkte zichzelf omhoog terwijl de andere hardlopers voorbij denderden en zich herenigden met hun coaches. De wedstrijd was voorbij. Hij voelde dat hij in paniek begon te raken.

Toen begon het hele stadion hem toe te juichen. De moed zonk hem in de schoenen. Hij had dit soort gejuich eerder gehoord; het is oké, je hebt je best gedaan, wilde dat gejuich zeggen. Zijn gezicht betrok. Toen werd hij omringd door de rest van zijn teamgenoten. Anwar en Frankie sprongen op hem en de rest van het team rende naar hem toe om hem te omhelzen. Ze beukten op zijn rug en schreeuwden tot hun stemmen hees waren.

'Je bent er!' schreeuwde Anwar, die had besloten in Athene te blijven tot de Spelen voorbij waren.

'Wat?' vroeg Zeke, nog steeds in de war.

'Door naar de halve finale!' zei Frankie, die dat gisteren zelf had gepresteerd. Zeke keek ongelovig om zich heen. Zijn teamgenoten en het publiek gingen nog steeds uit hun dak. Hij keek naar het grote scherm om de herhaling te bekijken en toen vielen de puzzelstukjes ineen. Ja, hij was zijn evenwicht verloren terwijl hij nog op de baan was, maar hij was de hele wedstrijd aan de leiding geweest. Hij was gevallen nadat hij slechts een fractie van een seconde over de finish was gegaan. Als hij een halve seconde eerder was gevallen, was hij met lege handen naar huis gegaan. Maar nu was hij door naar de halve finale. Hij was zo vreselijk dicht bij verliezen geweest, dat het nóg spectaculairder aanvoelde.

Zeke staarde verbaasd om zich heen. Coach Adam omhelsde hem en schudde geschokt zijn hoofd.

'Dat was op het nippertje,' zei coach Adam.

'Op het nippertje,' zei Zeke, terwijl zijn ogen groot werden van zowel angst als opluchting toen de ernst van dit alles tot hem doordrong. Hij voelde zijn knieën prikken en toen hij naar beneden keek, zag hij het bloed. Hij had ze geschaafd, maar afgezien van een paar open wondjes en blauwe plekken die binnen een paar dagen zouden genezen, was hij er zonder verwondingen of ernstige pijn van afgekomen.

'Er moet daarboven iemand zijn die op je past,' zei coach Adam.

Zeke geloofde dat ook. Hoe ouder hij werd, hoe meer hij elke overwinning als een reden voor een feestje probeerde te beschouwen. En hij wist meteen hoe hij zijn nipte overwinning ging vieren.

Maar eerst moest hij Olivia vinden.

31

Zeke

Dag vijf van de Olympische Spelen van 2024

Zekes telefoon brandde in zijn zak sinds hij Olivia zijn nummer had gegeven. Hij had zich druk gemaakt over wat hij haar moest appen en had geprobeerd iets cools en geestigs te bedenken om haar aan het lachen te maken. Maar hoe meer hij erover nadacht, hoe meer hij besefte dat hij Olivia niet wilde appen, maar dat hij haar wilde zien. In levenden lijve. Dus zocht hij een excuus om naar het atletencentrum te gaan.

'Ik weet al wat je gaat zeggen,' zei Zeke, terwijl hij zijn handen ter verdediging opstak.

'Het begint op stalken te lijken,' zei Olivia, terwijl ze haar hoofd schuin hield. Zeke probeerde het effect dat ze op hem had door haar hoofd schuin te houden, te negeren. Het was dezelfde manier waarop ze haar hoofd schuin had gehouden vlak voordat ze hem kuste. Het enige wat hij wilde was naar de andere kant van het bureau lopen, haar op het blad zetten en haar opnieuw kussen. Haar zachte, volmaakte lippen tegen de zijne voelen en zijn armen om haar heen slaan. Ondanks gisteravond en het feit dat hij zonder enige twijfel wist dat hij haar leuk vond, wilde hij haar niet afschrikken door te veel te pushen.

'Jij werkt bij het atletencentrum, en ik ben een atleet. Het is onvermijdelijk dat we elkaars wegen steeds weer kruisen,' zei hij terwijl hij naar haar toe liep.

'Dit is toch niet het enige atletencentrum in het dorp?'

'Het is het dichtst bij mijn appartement,' zei hij.

'Ik denk dat je een smoes zocht om mij te zien,' zei ze terwijl ze zijn blik vasthield.

'Je hebt gelijk,' zei hij, 'ik was niet tevreden over gisteren.'

Olivia's ogen werden even groot.

Hij wist dat ze dacht dat hij het over de kus had. En als hij eerlijk was, dacht hij daar ook wel aan. Hij had zich de hele nacht afgevraagd wat er zou zijn gebeurd als haar telefoon niet was afgegaan. Als ze rechtstreeks vanuit de lift naar zijn appartement waren gegaan en zich hadden laten leiden door hun gevoelens.

Het voelde als een soort spel, als touwtrekken. De baas willen zijn. Kussen alsof het tegelijkertijd een duel en een dans was. Maar deze keer zaten ze in hetzelfde team.

'Waar... waar was je niet tevreden over?' vroeg Olivia, die er voor het eerst sinds Zeke haar had ontmoet kwetsbaar uitzag. Ze streek met haar vingers door haar haar.

Zeke keek haar aangenaam verrast aan; hij wist niet eens dat hij haar zenuwachtig kon maken. 'Dat liedjesspel dat we in de lift speelden. Ik was niet tevreden met het einde,' zei Zeke.

Ze hadden om de beurt hun telefoon op shuffle gezet en gekeken wie het eerst het liedje geraden had.

'Het eindigde in een gelijkspel, en ik ben een atleet. Een gelijkspel betekent dat je hebt verloren,' zei hij, terwijl hij geamuseerd zag dat er opluchting op haar gezicht verscheen.

'Welke gunst heb je nu weer nodig?' vroeg Olivia. 'Ik moet binnen tien minuten vijfduizend biologisch afbreekbare papieren vliegtuigjes aan het productieteam leveren.'

Hoe meer hij met haar praatte, hoe meer hij besefte dat hij weinig wist van al het andere dat zich in het dorp afspeelde, naast zijn trainingen. 'Een van mijn vriendinnen doet vanavond mee aan de turnwedstrijd.'

'En die vriendin is Valentina Ross-Rodriguez?' vroeg Olivia.

Zeke merkte de nadruk op die ze op het woord 'vriendin' legde, maar ook dat de uitdrukking op haar gezicht hetzelfde bleef. Hij vroeg zich af of ze alle krantenkoppen had gelezen over de breuk tussen hem en Valentina en alle daaropvolgende keren dat de pers ten onrechte had bericht dat ze weer bij elkaar waren.

'Ja, het is de wedstrijd van Valentina, we zijn nog steeds bevriend,' zei hij, waarbij hij extra nadruk legde op het woord 'bevriend', om duidelijk te maken dat dat alles was. Op haar gezicht zag hij een kleine flikkering van wat leek op opluchting. 'Ik wilde haar steunen, als vrienden onder elkaar,' zei hij. Hij wist dat het waarschijnlijk een beetje overdreven was om nog een keer 'vrienden onder elkaar' te zeggen, maar hij wilde niet dat Olivia zich zorgen zou maken. Hij sprak de waarheid. Hij en Valentina waren nu gewoon vrienden; hun relatie was volkomen platonisch.

'Maar ik vergat kaartjes te regelen,' zei hij. 'Dus ik vroeg me af of je zou kunnen kijken of er nog vipkaarten voor atleten zijn?'

'O, dat is een behoorlijke gunst. Veel mensen willen kaartjes voor vanavond,' zei ze terwijl ze zich omdraaide en zich over de archiefkast boog.

'Het ziet er niet goed uit, Moyo,' zei ze hoofdschuddend, terwijl ze tussen haar tanden floot. Ze bladerde door elke map van de kast... ondanks het feit dat ze allebei de lade naast haar konden zien, waarop duidelijk in felrode letters het woord ATLETENTICKETS stond.

Zeke keek haar geamuseerd aan. 'Je bent hier dol op, hè?'

'Waarop?' vroeg ze, nog steeds doend alsof ze in de mappen zocht.

'De macht hebben om te bepalen hoe de rest van mijn avond verloopt.'

'Ik hou wel van macht in het algemeen, ja,' zei ze nonchalant.

Ze had weer dat onwankelbare zelfvertrouwen over zich dat haar zo aantrekkelijk maakte. 'Het hoeft niet over iemand in het bijzonder te gaan. Het is gewoon het gevoel.'

'Dat vind ik leuk aan jou,' zei hij.

'Mijn honger naar macht?'

'Ja. En dat je niet bang bent om het toe te geven,' zei hij. Dat realiseerde hij zich steeds weer, dat ze volkomen zeker van zichzelf leek te zijn. Het trok hem aan.

'Waarom zou ik daarover liegen?' Ze haalde haar schouders op.

'Veel mensen verbergen hun ambitie en doen alsof de goede dingen in hun leven toevallig zijn gebeurd,' zei hij, terwijl hij tegen het bureau leunde en zijn stem lager werd. 'Maar de realiteit is dat mensen zoals wij alles uitstippelen en heel hard werken om te bereiken wat we willen bereiken.'

'Mensen doen alsof strategie een vies woord is, alsof iemand "berekenend" noemen een belediging is, maar ik hou ervan om de touwtjes in handen te hebben,' zei ze eerlijk.

Zijn gedachten flitsten terug naar gisteravond. Naar de manier waarop ze hem bij zijn schouders had vastgehouden, de manier waarop ze op zijn lip had gebeten, de manier waarop ze zonder woorden had gevraagd om te krijgen wat ze wilde en hoe elke kus hem dieper en dieper verzeild zou laten raken in het gevoel waarvan hij wist dat het liefde was.

'Als je weet wat je wilt, zorg je ervoor dat het gebeurt... toch?' zei hij. Alles wat hij dacht leek in de lucht te zweven in de korte stilte die hij liet vallen. Zijn gevoelens waren zo intens dat hij zich licht in zijn hoofd voelde.

'En weet jíj wat je wilt, Zeke?' vroeg ze terwijl ze zijn blik vasthield op een manier waardoor hij niet weg kon kijken. De manier waarop ze naar hem keek zorgde ervoor dat hij zin had in een lange, koude douche.

'Dat denk ik wel.' Zijn mond was droog.

'En wat is dat?' vroeg ze, hem uitdagend.

Ze hielden elkaars blik vast en even leek het alsof de tijd stilstond. Opnieuw voelde het alsof zij de enige twee mensen in de kamer, het dorp, heel Athene waren. Zeke wist dat hij misschien te laat zou komen voor Valentina's wedstrijd, maar de enige persoon aan wie hij kon denken was Olivia. Hij voelde dat hij verliefd werd op haar scherpe grapjes, haar humor en ondeugende glimlach. Hij viel voor de schittering in haar ogen en de zachte welving van haar lippen. Terwijl Zeke naar haar keek, vergat hij de vragen die hem bezighielden; hoe het kon dat hij midden in een wedstrijd was gevallen, en hoe hij nu door was naar de halve finale. De druk om te winnen en een gouden medaille mee naar huis te nemen, was groter dan ooit. Zijn zorgen smolten weg, want Olivia was op dat moment de enige die ertoe deed. Het was bedwelmend en angstaanjagend. Ze waren slechts een paar centimeter van elkaar verwijderd. Er zou niet veel voor nodig zijn om de afstand te overbruggen.

'Je moet nu gaan,' zei ze, waarmee ze de intensiteit van het moment verbrak.

'Waarom?' vroeg hij. Zeke wilde naar voren leunen en haar kussen, maar Olivia's gezichtsuitdrukking was veranderd, het moment was voorbij.

'De wedstrijd van je vriendin,' zei ze, terwijl ze hem een envelop overhandigde met twee kaartjes voor Valentina's finale. Olivia's gezicht stond even strak voor haar glimlach doorbrak, maar hij zag dat die haar ogen niet helemaal bereikte.

'Dag Zeke,' zei ze, voordat ze zich omdraaide en terugging naar haar papieren vliegtuigjes.

Hij wilde blijven, maar ze had gelijk. Als hij nu niet zou vertrekken, zou hij te laat komen, en de beveiligers zouden hem niet binnenlaten als de wedstrijd begonnen was. Dus knikte hij en liep met tegenzin weg.

'Hé, heb je de kaartjes geregeld?' vroeg Haruki, die net op het punt stond de deur van het atletencentrum te openen.

Zeke knikte en hield de envelop triomfantelijk omhoog.

'Dit wordt een geweldige avond,' zei Haruki toen ze samen terug naar het dorp liepen.

Zeke wist dat ze het best leuk zouden hebben. Maar hij vroeg zich af hoe de avond zou zijn verlopen als hij Olivia antwoord op haar vraag zou hebben gegeven door haar op het bureau te leggen en haar te kussen zoals hij dat had gewild.

'Wacht, is dat...' zei Haruki, zich omdraaiend.

'We komen te laat,' zei Zeke toen hij zag hoe zijn beste vriend weer richting het atletencentrum liep, naar binnen keek en vervolgens weer naar hem toe rende.

'Zeke! Dat is haar!' zei Haruki met een grijns.

'Wíé?' vroeg Zeke terwijl hij langzaam van de roze wolk af kwam waarop hij door Olivia beland was.

'Het meisje!' zei Haruki, alsof het volkomen duidelijk was waar hij het over had.

'Welk meisje?' vroeg Zeke verward.

'De toekomstige liefde van mijn leven! Het meisje dat ik tegenkwam buiten het dorp en het meisje met wie ik naar de openluchtbioscoop ga. Dat is haar!' zei Haruki, glimlachend van oor tot oor.

'Waar zie je haar dan?' vroeg Zeke geamuseerd.

'In het atletencentrum! Moet ik iets tegen haar zeggen? Vragen of ze zaterdag nog komt? Ik moet zeker iets zeggen,' zei Haruki, die ongewoon zenuwachtig leek. Maar Zeke snapte er niets van. Er was niemand anders in het atletencentrum. Dat wist hij zeker. De enige persoon in de kamer toen hij binnenkwam om kaartjes te halen, was...

'Olivia?' vroeg Zeke verward.

'Olivia... Ja, natuurlijk, dát is haar naam!' riep Haruki uit, alsof hij zojuist het ontbrekende stukje van een puzzel had gevonden. Maar toen keek hij verward naar Zeke. 'Hé, hoe weet jij haar naam? Ik heb je nooit haar naam verteld,' zei Haruki.

Zeke sloot even zijn ogen terwijl hij naar zijn beste vriend keek. Zijn hoopvolle, verliefde beste vriend. Gelukkig vond hij het helemaal niet verdacht dat Zeke haar naam kende en praatte hij meteen weer verder.

'Oké, ik ga morgen terug naar het atletencentrum om met haar te praten. We komen nog te laat Zeke, laten we gaan,' zei Haruki, terwijl hij vrolijk wegliep.

Zeke voelde zijn hart in zijn schoenen zinken. Het meisje over wie Haruki het had gehad… Al die tijd had hij het over Olivia gehad. Zeke zat nu pas echt in de problemen.

32

Olivia

Dag vijf van de Olympische Spelen van 2024

Olivia stapte meestal op de eerste de beste pendelbus die het dorp verliet als haar dienst voorbij was. Zij en Aditi huurden woonruimte in het centrum van Athene en Olivia had de gewoonte aangenomen om 's avonds bij thuiskomst op bed sollicitaties te schrijven totdat Aditi haar ervan overtuigde ermee te stoppen. Hoewel haar zomer een stuk beter verliep dan ze had verwacht toen ze hoorde dat haar stageplek niet door zou gaan, was het over drie weken al september en ze wist dat ze plannen moest maken voor het moment dat ze weer thuis zou zijn. Dit keer besloot Olivia met een omweg naar huis te gaan.

Athene baadde nog in het zonlicht. Terwijl ze door de drukke straten dwaalde, stopte ze even om te luisteren naar een geïmproviseerde band die muziek speelde midden op een plein met drukke restaurants. Ze dwaalde over een weg die werd omzoomd door citroenbomen en ging af op gejuich dat haar langs een bar leidde waar een hele groep mensen bijeen was om naar een olympische zeilwedstrijd te kijken. Toen sloeg ze links af en liep door een rustige straat tot ze haar bestemming bereikte: Meraki – een kleine, onopvallende winkel. De kunstwinkel was legendarisch, had Olivia gelezen toen ze haar reis plande.

Hij bestond al meer dan een eeuw en Olivia kon de geschiedenis bijna voelen toen ze binnenkwam. Ze hoorde de bel boven de deur rinkelen en trad een ruimte binnen die rook naar oude boeken, zoete thee en verf. Ze begroette de vriendelijke, oudere vrouw aan de balie en pakte toen alles van de schappen wat haar opviel. Ze had hier eigenlijk helemaal geen geld voor, maar ze had besloten in ieder geval íéts te doen wat helemaal voor haarzelf was. Ze had tenslotte zoveel geïnvesteerd in haar toekomst.

'Olivia, ik heb je al jaren niet meer zien schilderen,' zei Aditi toen ze thuiskwam en haar beste vriendin aantrof naast een keukentafel vol papier, penselen en glazen met water dat inmiddels allerlei kleuren aangenomen had.

'Ik had nooit moeten stoppen,' zei Olivia, terwijl ze de laatste hand legde aan het portret op ansichtkaartformaat, waaraan ze had gewerkt. Ze gaf het aan Aditi. Het was een schilderijtje waarop Aditi koffie zat te drinken op het terras bij Café Kalopsia. Aditi zweeg even, terwijl de tranen in haar ogen prikten.

'Je laat me er zo blij uitzien, Liv.' Ze kneep in Olivia's schouder. 'Ik was bijna vergeten hoeveel talent je hiervoor hebt,' zei ze, terwijl ze aan de andere kant van de tafel ging zitten.

'Intussen had ik me daarmee bezig moeten houden,' zei Olivia, knikkend naar een laptop vol halve sollicitatiebrieven. 'En daar zou ik nu echt mee verder moeten gaan.'

'Maar het is zomer,' zei Aditi nadrukkelijk.

'Het is zomer,' zei Olivia.

'Heeft het zonnetje Olivia toch besloten ons dit jaar met haar aanwezigheid te vereren?' zei Aditi, terwijl er een snelle glimlach op haar gezicht verscheen.

Olivia wist waar het gesprek heen zou gaan. De avond ervoor had Aditi haar bij de voordeur meteen klemgezet en haar ervan overtuigd elk detail te bespreken.

'Je straalt helemaal, je draagt korte rokjes en je bent aan het schilderen? Ik herken het zonnetje Olivia wel als ik haar zie,' zei Aditi veelbetekenend.

'Het heeft niets met Zeke te maken,' zei Olivia, iets defensiever klinkend dan ze had gewild. 'Oké, het heeft maar een heel klein beetje met hem te maken,' zei ze, terwijl ze haar handen ophief in een gebaar van overgave. 'Maar het komt meer door de zomer.'

'En is het woord "zomer" geheimtaal voor knappe atleten? Even checken of we op één lijn zitten.' Aditi was in de twintig jaar dat ze elkaar kenden nog steeds een opgewonden standje.

'Nee, ik bedoel de echte zomer. De vorige keer kwam het niet door de jongen en deze keer komt het ook niet door de jongen. Ik voel me gewoon zo als de zon schijnt.' Olivia legde haar penseel neer.

Aditi liep naar de koelkast, sneed wat mango, deed de stukken in een kom en zette die midden op tafel. Ze haalden altijd het fruit tevoorschijn als ze een lang gesprek gingen voeren.

'Weet je nog hoe onbevreesd we waren als kind?' vroeg Olivia.

'Zoals die keer dat ik in die vijver sprong en mijn been brak?' vroeg Aditi. 'Of de keer dat je me ervan overtuigde om naar dat feest in dat verlaten pakhuis te gaan toen we vijftien waren?'

'Ja, dat waren domme beslissingen, maar we dachten toen niet echt na over de gevolgen van wat we deden. We deden gewoon wat we leuk vonden en zochten later wel uit wat er echt speelde.

'Dus blijkbaar wil je vanavond naar een feestje gaan en het ervan nemen? Want als dat alles is, dan ben ik er klaar voor,' zei Aditi.

Hoewel dat best leuk klonk, had Olivia het gehad over de onbevreesde manier waarop ze hun toekomst tegemoetzagen toen ze tieners waren. Hoe ze met zijn tweeën op de slaapkamervloer van Olivia hadden gezeten en met glanzende ogen plannen hadden gemaakt, zodat ze de vrouwen zouden kunnen worden die ze wilden worden als ze volwassen zouden zijn. Aditi had ervan gedroomd ooit een eigen ijskoffiebedrijf te leiden, en Olivia droomde ervan om op de Olympische Spelen te werken. Sinds ze in het dorp was aangekomen, vroeg ze zich af wanneer haar kinderdroom zo'n vastomlijnd plan was geworden. Hoe iets waar ze zo opgewonden naar had gestreefd, het enige doel was geworden waar ze het succes van haar hele leven van af liet hangen. Haar vijfjarenplan was van het doel waar ze 's ochtends wakker van werd, veranderd in een bron van starheid en angst, zonder ruimte voor obstakels.

'Die zomer in Lissabon...' begon Olivia.

'Die zomer met Tiago?' vroeg Aditi, verwijzend naar de Portugese zomerliefde van Olivia.

'Soort van. Ik denk niet dat ik in eerste instantie verliefd werd op Tiago,' zei ze voor het eerst hardop.

Aditi knikte.

'Ik denk dat ik verliefd werd op het gevoel dat die zomer mij gaf.'

'Het was de beste zomer ooit,' zei Aditi weemoedig. 'Weet je nog? We gingen elke dag zwemmen en droomden 's nachts over onze toekomst, dwaalden door de straten zonder echt een doel te hebben.'

'Het was perfect. Alleen dacht ik vanwege de manier waarop het eindigde dat ik veranderd was door mijn gebroken hart, maar ik denk niet dat dat het was,' zei Olivia. 'Ik heb nu het gevoel dat die zomer de laatste keer was dat ik echt genoot. De laatste keer dat ik me ergens nog een kind voelde,' zei ze.

'Nou, het was ons laatste jaar van onze tienertijd, dus dat was ook zo,' zei Aditi met een vleugje weemoed in haar stem.

Die zomer was nu pas vijf jaar geleden, maar er was zoveel gebeurd. Ze waren naar de universiteit gegaan, hadden een bijbaan genomen en waren volwassen geworden.

Ze had het door elkaar gehaald. Ze had gedacht dat ze verliefd was geworden op een jongen, maar ze was verliefd geworden op de zomer. Een fractie van een seconde had ze erover nagedacht om tot het einde van het jaar in Portugal te blijven, haar laatste jaar aan de universiteit uit te stellen en te kijken waar de zomer haar zou brengen. Maar toen ze erachter was gekomen dat Tiago een vriendin had, had ze beseft dat haar epische zomerliefde niets meer was geweest dan een flirt om hem te vermaken terwijl zijn vriendin weg was. Die wetenschap raakte haar tot op het bot, dus was ze in paniek geraakt en had ze de eerstvolgende vlucht terug naar Groot-Brittannië geboekt.

Het had haar diep geraakt en hoewel ze het eigenlijk niet wilde toegeven, was ze sindsdien bij elke romantische ontmoeting een beetje op haar hoede geweest, iets minder snel van vertrouwen. Het was niet alleen het besef dat hij niet was geweest wie hij had gezegd te zijn, waardoor ze diepbedroefd was. Het was haar laatste zorgeloze tienerzomer geweest en na Tiago was ze naar huis gegaan en had ze beseft dat ze geen andere keus had dan volwassen te worden.

Als tiener had ze nog ondoordachte beslissingen kunnen nemen, zoals emigreren naar een vreemd land voor een jongen die ze nauwelijks kende, maar als volwassene moest ze een duidelijk pad kiezen dat ze na haar afstuderen kon volgen. Als tiener had ze signalen kunnen negeren en had ze een jongen nog op zijn woord kunnen geloven, maar als volwassene moest ze veel kritischer zijn. Als negentienjarig zonnetje kon ze roekeloos zijn en gaandeweg dingen uitzoeken. Maar in die nazomer had ze beseft dat ze niet alleen voor zichzelf leefde.

Ze was op een willekeurige zaterdag in Groot-Brittannië aangekomen en toen ze de voordeur opende, was er niemand thuis. Het was een zeldzaam perfect zomerweekend, maar haar ouders waren allebei aan het werk.

Het schooljaar was nog niet begonnen, maar haar moeder was op de middelbare school waar ze lesgaf – om de gratis zomerlunch te regelen. Haar vader had zijn vrije dag, maar was op het kantoor van de sociale dienst om op te komen voor een van de kwetsbare volwassenen met wie hij werkte. Er waren nooit genoeg maatschappelijk werkers of gemeentebudgetten om haar vader echt van zijn weekend te laten genieten, en er was nooit genoeg schoolgeld of overheidsgeld om haar moeder even haar leerlingen uit haar hoofd te laten zetten. Toch had Olivia honderden ponden verspild en een hele zomer... plezier gehad.

Olivia pakte haar jurken uit, keek rond in het kleine appartement met twee slaapkamers waarin ze woonden en dacht na over hoeveel geld ze had uitgegeven aan cocktails en leuke avondjes uit in Lissabon. Ze dacht na over de vele uren die haar ouders elke week werkten en schudde schuldig haar hoofd bij de gedachte aan de hoeveelheid tijd die ze op het strand had verspild.

Hoe had ze kunnen vergeten dat er meer in het leven was dan alleen plezier maken? Wat als haar droombaan nooit een optie zou zijn? Wat als ze nooit het huis voor haar ouders zou kunnen kopen dat ze altijd al hadden gewild? Wat als ze haar talenten niet zou benutten?

Als ze ooit haar doelen wilde bereiken, haar ouders trots wilde maken en een beter leven wilde opbouwen, zou ze zich moeten focussen. Dus had ze haar plan uitgewerkt.

Na die zomer was ze gedrevener dan ooit. Ze studeerde elke avond. Ze liep elke mogelijke stage tijdens haar vakanties. Ieder vrij moment probeerde ze haar toekomst op te bouwen. Kortom: alles in haar leven werd een missie, en ze was bang om te falen.

De waarheid was dat schuldgevoel het enige was wat haar ervan weerhield terug te keren naar de zorgeloze spontaniteit van die zomer. Maar het was gemakkelijker om haar liefdesverdriet de schuld te geven dan toe te geven dat ze haar jeugdigheid had verloren aan de volwassenheid en dat ze niet zeker wist of die ongedwongenheid ooit nog terug zou komen.

'Ik heb natuurlijk nog steeds een hekel aan Lars Lindberg,' zei ze.

'Met heel je hart,' zei Aditi met een knik.

'En die stageplaats had ik moeten krijgen,' zei ze.

'Je bent compleet bestolen,' zei Aditi.

'Maar als ik de stage had gekregen, had ik deze waarschijnlijk ook afgeraffeld en zou ik al mijn tijd besteed hebben aan het opbouwen van een netwerk en mezelf bewijzen... Wacht, nee. Dat neem ik terug,' zei ze, zich herinnerend wie ze was. 'Daar zou ik vast veel plezier in gehad hebben. Dat heb ik mijn hele leven al gewild. Dit wordt geen gesprek om te bewijzen dat ik niet ambitieus ben. Het feit dat ik me heb neergelegd bij een tweede plaats deze zomer, laat ik me niet meer afnemen,' zei ze.

'Wij zijn geen meiden uit de grote stad die per ongeluk in een van die zomerse romans terecht zijn gekomen, waar de conclusie is dat je geluk voor je carrière gaat!' zei Aditi, hoewel ze momenteel drie van dat soort boeken op haar nachtkastje had liggen.

'Ambitie is iets geweldigs! Ik wil nog steeds alles wat ik op die lijst heb geschreven. En ik zal het bereiken. Maar ik wil het omdat ik het leuk vind. Ik wil niet iedere morgen opstaan vanwege de angst dat ik mijn doelen niet bereik.'

'En hoewel Mai Nkomo en Baba Nkomo trots zijn op alles wat je doet, is het niet jouw verantwoordelijkheid om hun dromen na te jagen,' zei Aditi zachtjes.

Olivia knikte. Dat wist ze, maar het weerhield haar er niet van om die druk wel te voelen. 'Soms kan ik gewoon dingen voor mezelf doen, omdat ik dat graag wil,' zei ze.

'Precies,' zei Aditi, terwijl ze op tafel sloeg om haar instemming kracht bij te zetten.

‘En vandaag wil ik gewoon thuis zijn en schilderen in plaats van solliciteren.’

‘Omdat het zomer is,’ zei Aditi, terwijl ze haar favoriete mantra herhaalde.

‘En in de zomer ben ik gezellig,’ zei Olivia, terwijl ze het laatste stuk mango doormidden sneed en Aditi het grootste stuk gaf.

‘Liv,’ zei Aditi plotseling serieus. ‘Je weet dat dat gedoe met het zonnetje Olivia maar een bijnaam is, toch? Het zonnetje Olivia is precies wie je bent als je jezelf die kans geeft. Dat kan het hele jaar door.’ Aditi zette de kom op het aanrecht.

Olivia bleef even op de tafel zitten, een stille wens omhoog zendend dat ze de rest van hun leven beste vriendinnen zouden blijven.

‘Herinner je je onze regel?’ zei Aditi terwijl ze haar telefoon pakte en die met de boxen in de keuken verbond.

‘Welke regel?’ vroeg Olivia, maar toen hoorde ze het liedje dat Aditi speelde. ‘Hé, die regel geldt alleen voor willekeurige momenten, je kunt niet zomaar een liedje van Ciara opzetten om me een regel op te dringen.’

‘Ik maak de regel niet, ik handhaaf die alleen,’ zei Aditi. Ze begon door de keuken te dansen. Olivia schuifelde door de kamer en ging naar haar toe. Ze waren al vriendinnen sinds ze vijf jaar oud waren en kenden elkaars allerbeste en slechtste eigenschappen. Hun vriendschap kende geen regels. Alleen dat ze dansten als er toevallig een liedje van Ciara op stond.

Olivia danste. Soms vergat ze wie ze was. Maar Aditi was er altijd om haar daaraan te herinneren. Misschien was dat liefde, dacht ze terwijl ze ronddraaide in het late middaglicht. Misschien was het gewoon het gevoel in de buurt van iemand te zijn, door wie ze zich herinnerde wie ze was. Iemand die kanten van haar naar boven bracht die ze vergeten was. Of kanten die ze soms niet wilde laten zien. Ze voelde het als ze bij haar ouders was, zelfs als ze dingen voor hen verborgen hield om hen te beschermen. Ze voelde het als ze bij Aditi was, terwijl ze over alles en niets praatten, in de wetenschap dat ze elkaar nooit zouden vervelen. En ze besefte dat ze zich steeds meer zichzelf begon te voelen sinds ze in haar groene, met sap besmeurde pak door het dorp had gelopen.

Maar dat deed er niet toe, want die middag was ze in het atletencentrum herinnerd aan iets wat ze had willen vergeten. Iedereen wist van Zekes knipperlichtrelatie met Valentina Ross-Rodriguez, de beste turnster van Team USA. Ook Olivia wist daarvan. Ja, zij en Zeke hadden gekust, en ze was er vrij zeker van dat hij ook de vonk had zien overspringen. Maar hoe zelfverzekerd ze ook was, Olivia wist dat zijn ex van koninklijk bloed was op sportgebied. Ze was zelden onzeker, maar als het om haar en Valentina ging, maakte ze nauwelijks kans. Valentina was een van de grootste atleten ter wereld. Ze was getalenteerd, had klasse en was beeldschoon. Ze was het soort meisje dat je graag zelf wilde zijn of bij wie je dolgraag in de buurt was.

Olivia had tientallen foto's gezien van Zeke en Valentina op de rode loper, in stadions en op exclusieve feesten. Ze waren het favoriete koppel op sociale media. En ze vond het moeilijk om echt te geloven dat Zeke, die speciaal op zoek was gegaan naar kaartjes om de wedstrijd van zijn ex-vriendin te zien, geen gevoelens meer voor haar had.

Hoewel ze die zomer, vijf jaar geleden, een blauwtje had gelopen, was het enige wat ze niet wilde veranderen, haar vermogen om te hopen.

Ze wilde niet haar hele leven lang iedereen wantrouwen die ze tegenkwam, omdat één jongen tegen haar had gelogen. En hoewel ze niet meer dat zorgeloze meisje van negentien was, kon ze haar gedachten wel laten afdwalen naar die zwoele, perfecte kussen in de zomerzon, toch?

Ze mocht zichzelf toch wel toestaan te leven in de vreugde en onzekerheid van een verliefdheid?

Door de keuken dansen met haar beste vriendin en genieten van de onderhuidse spanning die je voelde als je aan iets begon, zonder dat je wist wanneer of hoe het afliep.

Olivia plande graag en probeerde elk terrein van haar leven in kaart te brengen. Maar liefde was te ingewikkeld om te proberen dat te plannen. Dus schudde ze haar hoofd, besloot gewoon te kijken hoe de zomer liep en stortte zich met al haar energie op het dansen door de keuken.

33

Zeke

Dag vijf van de Olympische Spelen van 2024

Telkens wanneer Zeke en Haruki samen een ruimte binnenkwamen, keek iedereen hun kant op. Ze waren twee van de beroemdste atleten ter wereld en hadden bij elkaar vijf olympische medailles in de wacht gesleept. Dus toen ze die avond het stadion binnenliepen en plaatsnamen in het vrienden- en familiegedeelte bij het turnen, draaide de camera in hun richting en begon het hele publiek te juichen. Deze keer had dat echter een iets andere reden.

'Denk je dat de shirts wat te overdreven waren?' vroeg Zeke aan Haruki terwijl ze in de camera keken en zwaaiden.

'Nee, we zien er goed uit, en ze gaat het geweldig vinden,' zei Haruki. Hij stak zijn handen in de lucht en het publiek juichte nog luider.

Het was zeker een statement om bij de finale van Valentina te verschijnen in roze, met juwelen versierde shirts met het opschrift TEAM ROSS-RODRIGUEZ en haar gezicht erop. Al haar vrienden en familie droegen ze. Maar Zeke was Valentina's even wereldberoemde ex-vriend, dus alle ogen waren op hem gericht. Toen het nieuws over hun breuk bekend werd, begonnen de blogs en roddelaccounts onmiddellijk te speculeren over wat er was gebeurd. En de paar keer dat ze sindsdien samen in het openbaar waren gezien, werden gezien als een teken dat ze óf weer samen waren, óf dat het weer uit was.

Hun vriendschap was ingewikkeld, zoals elke vriendschap met iemand op wie je ooit verliefd was geweest. Maar ze steunden elkaar nog evenzeer door dik en dun als toen ze nog samen waren. Daarom hadden er gepersonaliseerde T-shirts van Team Ross-Rodriguez voor Zeke en Haruki klaargelegen.

'Hebben jullie veel tijd met elkaar doorgebracht sinds de openingsceremonie?' vroeg Haruki.

'We zullen niet weer een stel worden, Haruki,' zei Zeke. Haruki wist niet waarom ze echt uit elkaar waren gegaan, en Zeke was absoluut niet van plan het hem te vertellen. Dat moest Valentina doen. Het was niet zijn verhaal om te vertellen. Maar soms werd het wel een beetje vermoeiend om alles de hele tijd uit te moeten leggen. Het vreemde aan een relatie die volop media-aandacht kreeg, was dat iedereen om hem heen hen zag als objecten, in plaats van als mensen van vlees en bloed. Zeke probeerde zich er niet door te laten storen, of de vele aandacht een eventuele nieuwe relatie in de weg te laten staan, maar hij vroeg zich af wat Olivia ervan zou vinden.

'Blijf geloven in de liefde,' zei Haruki weemoedig. Er was niemand die Zeke kende die oprechter geloofde in ware liefde en zielsverwanten dan Haruki. Dat was de reden waarom Zeke zich er zoveel zorgen om maakte dat het meisje over wie Haruki de hele week had gesproken, Olivia was.

Zijn beste vriend viel gemakkelijk voor een vrouw. Zijn verliefdheid duurde nooit lang en hij werd meestal vrij snel afgeleid door iets of iemand anders. Maar als hij Olivia echt leuk vond, dan was Zeke de afgelopen dagen vooral bezig geweest met nadenken over, flirten met en zoenen met de vrouw op wie zijn beste vriend verliefd was.

Hij wist dat het juist zou zijn om Haruki te vertellen dat hij haar had gekust. Haruki zou teleurgesteld zijn, maar als hij het hem nu zou vertellen, zou hij er niet achter komen op de vreemde dubbeldate die nu gepland stond. Zeke wilde niet dat zijn vriend nog meer om Olivia zou gaan geven dan hij al deed en er bovendien achter zou komen dat Zeke zulke essentiële informatie achterhield. Haruki zou zich op twee manieren verraden voelen.

Zeke had er onder normale omstandigheden al een hekel aan om over zijn liefdesleven te praten. En tegen zijn beste vriend zeggen dat hij had gekust met en misschien wel verliefd aan het worden was op hetzelfde meisje dat híj leuk vond, klonk als een gesprek dat hij echt niet wilde voeren. Dus besloot hij het uit te stellen tot morgen en gewoon te genieten van de finale.

'Dames en heren, welkom bij de turnfinale van de Olympische Spelen van 2024 in Athene,' aldus de omroeper. Het hele publiek juichte en zwaaide met vlaggen. Het was een van de populairste finales van de Spelen. Zeke had met zijn teamgenoten in de gemeenschappelijke ruimte van het Britse gebouw naar alle wedstrijden gekeken die hieraan vooraf waren gegaan. Maar het in levenden lijve zien was zoveel beter. Sinds zijn aankomst was hij zo gefocust geweest op hardlopen dat hij niets live had gezien. Maar nu voelde hij de energie, sfeer en opwinding van het publiek. Als hij vanaf het wedstrijdterrein naar hen opkeek, was het een motivatie voor hem, maar door samen met hen op de tribune te zitten, kreeg hij het gevoel dat hij deel uitmaakte van iets wat veel groter was dan hijzelf. Hij sloeg het op in zijn geheugen om eraan terug te kunnen denken als hij zich verloren voelde als hij op de baan liep.

Toen het eindelijk Valentina's beurt was om de vloer op te gaan, kon Zeke nauwelijks stil blijven zitten. Hij wilde zo graag zien dat ze deed waar ze goed in was, maar hij voelde ook die bekende angst in zijn maag. Want zolang hij haar kende, had Valentina zichzelf ertoe aangezet de meest riskante en extravagante stunts uit te voeren die ze kon bedenken.

Iedereen in het stadion hield de adem in toen Valentina het podium op liep in een glinsterend blauw turnpakje. Haar lange, bruine haar droeg ze in een paardenstaart. In haar ogen had ze een blik van pure concentratie. Het enige wat ze zag was de vloer en het enige wat ze hoorde was de muziek. Ze liep naar het midden, waar ze met haar armen uitgestrekt en haar hoofd naar de hemel opgeheven stond. Ze glimlachte, hoorde de eerste klanken van de muziek waarop ze haar oefening deed, en begon.

Zeke hield zijn adem in. Ze sprong, draaide en rende met zoveel lichtvoetigheid dat niemand zou vermoeden dat ze over meer kracht en vaardigheid beschikte dan de meeste atletiekteams samen. Elke overslag, flikflak en salto was majestueus. Maar het was allemaal ongelooflijk gevaarlijk. Hij wist dat ze maar één seconde hoefde te aarzelen om een catastrofale fout te maken, waardoor ze een blessure op zou kunnen lopen die haar leven op zijn kop zou kunnen zetten en een einde zou kunnen maken aan haar carrière. Maar ze maakte geen enkele fout. Toen ze haar afsprong maakte en boog, weerklonk er een luid applaus door het stadion. Hij hoefde de uitslagen niet te horen om te weten dat ze had gewonnen.

Het hele stadion juichte toen het publiek zag hoe het turnteam terugkeerde naar het podium in hun trainingspakken van Team USA en hoe Valentina haar gouden medaille kreeg. Niets maakte Zeke gelukkiger dan zijn briljante, hardwerkende, onverschrokken vrienden te zien winnen. Dus klapte hij totdat zijn handen pijn deden. Het volkslied boezemde hem ontzag in en hij zag de confetti naar beneden zweven, terwijl Valentina nog een laatste buiging maakte. Tijd om feest te vieren.

34

Zeke

Dag vijf van de Olympische Spelen van 2024

Om kwart voor twaalf waren Zeke, Haruki en Valentina op weg naar de derde club van die avond. Ze slenterden over een van de drukste straten langs het stadsplein toen ze langs een gebouw kwamen dat een pulserende energie uitstraalde die ze van buitenaf konden voelen. Achter de ramen brandden warme lantaarns en ze konden mensen zien dansen en bewegen op de muziek die buiten hoorbaar was. Het was een kleine bar met een bescheiden uithangbord, maar iets aan de uitstraling trok hen aan. Ze openden de deur van Club Cassiopeia en liepen naar binnen.

Het was alsof ze een filmscène in liepen. Iedereen in de club was aan het zingen, dansen of in een geanimeerd gesprek verwikkeld. De dj speelde een selectie nummers van over de hele wereld, en iedereen stond. De clubs in Athene gingen laat open, dus ook al was het bijna middernacht, het feest in het stadscentrum was nog maar net begonnen.

'Dit is zoveel beter dan waar we net waren,' zei Valentina.

'En wat zou onze favoriete legendarische turnster en meervoudig goudenmedaillewinnaar graag willen drinken?' vroeg Haruki.

‘Als jullie twee zouden drinken, dan zou ik voor tequilashots gaan,’ zei ze lachend, ‘maar aangezien jullie niet meedoen, kun je dan een mojito voor me regelen?’

Ze hadden besloten stiekem een avondje vrij te nemen om Valentina’s gouden medaille te vieren, maar de wedstrijden van Zeke en Haruki waren te dichtbij om iets sterkers dan een eiwitshake te drinken.

‘En jij Zeke? Alcoholvrije espressomartini?’ vroeg hij, glimlachend om Zekes nieuwe passie voor mocktails en het feit dat hij altijd cafeïne nodig had om een avondje uit door te komen.

‘Ik haal het wel,’ zei hij, terwijl hij zijn portemonnee tevoorschijn haalde.

‘Gast, een van ons heeft zojuist getekend voor een campagne met Louis Vuitton met zeven nullen, en jij was het niet. Ik neem de drankjes vanavond voor mijn rekening,’ zei Haruki terwijl hij naar de bar liep.

‘Deed hij nu…’ zei Zeke, terwijl zijn mond openzakte.

‘Of je blut was? Inderdaad.’ Ze begonnen allebei te lachen.

‘Ik kan de trendy Haruki niet bijhouden,’ zei Zeke, opgelucht dat hij ergens om kon lachen, zodat hij niet meer voortdurend dacht aan het gesprek dat hij de volgende ochtend met zijn vriend zou moeten voeren. Of aan zijn eigen finale. Sterker nog, hij was de hele avond al dankbaar dat hij uit was, ter afleiding.

Nadat Valentina’s coaches haar om zes uur hadden meegenomen voor een feestelijk diner, waren zij naar hun appartement gegaan om vroeg naar bed te gaan voor de laatste wedstrijden van de volgende dag. Dus om negen uur hadden Zeke en Haruki Valentina opgehaald en haar meegenomen naar de stad om het echt te vieren.

Ze waren begonnen in een glamoureuze luxebar. Die zat vol met extreem rijke mensen die van over de hele wereld naar de Olympische Spelen waren gekomen. Iedereen in de bar had voor

Valentina geapplaudisseerd zodra ze binnenkwam. Toen liet iemand anoniem een fles van de duurste champagne bij hen brengen om te proosten op Valentina's derde olympische gouden medaille. De bar was decadent en mooi, maar de inrichting was veel eleganter en de mensen waren veel gereserveerder dan zij drieën zich voelden. Dus gingen ze de stad in, op zoek naar een andere gelegenheid.

Een korte wandeling leidde hen naar zo'n bizar exclusieve club vol beroemdheden en kansrijke atleten. Iedereen binnen wilde maar al te graag met ze praten. Dus waren ze er met zijn drieën snel weer tussenuit geknepen. Ze dachten er net over om gewoon een afhaalmaaltijd te halen, terug te gaan naar het dorp en het daarbij te laten, toen ze Cassiopeia waren tegengekomen, en nu ze eenmaal binnen waren, wist Zeke dat dit de juiste beslissing was. Iedereen in de ruimte was meer bezig met dansen dan met aandacht aan hen besteden en Haruki vond het geweldig om te kletsen met de barmannen en aanbevelingen te krijgen voor de beste souvlaki in de stad.

'Ik hoorde dat Haruki verliefd is,' zei Valentina, zich naar Zeke wendend. Zijn maag draaide zich om. Tot zover het ontspannen avondje uit.

'O ja?' vroeg Zeke. Hij hoopte dat de teleurstelling niet door zou klinken in zijn stem.

'Ja. Hij belde me om me te vertellen dat hij een foto had gemaakt van een meisje bij de olympische ringen en dat – om hem maar te citeren – "het lot hen sindsdien steeds weer samengebracht heeft". Dus het zit nogal diep volgens mij.'

'Nou, het lot valt niet te ontlopen, toch?' zei Zeke, terwijl zijn schuldgevoel groter werd. Als hij meer aandacht aan Haruki had besteed, zou hij de puzzelstukjes misschien eerder in elkaar hebben gelegd. Het besef dat hij zo in zijn eigen leven was opgegaan dat hij had gemist waar zijn vriend doorheen ging, kwam aan als een trap in zijn buik. Maar hij voelde zich nog beroerder toen hij besefte dat zijn gevoelens voor Olivia ondanks Haruki's onthulling niet minder waren geworden. Hij wilde haar nog steeds appen, ontmoeten en kussen. Zeke had zichzelf nooit als een slechte vriend gezien. Terwijl hij met Valentina zat te praten, kwam hij erachter dat Haruki haar om advies had gevraagd over wat hij moest doen als hij Olivia weer zou zien. Het afspraakje in de openluchtbioscoop was haar idee geweest, en Haruki had haar die ochtend nog gebeld voor advies over wat hij als eerste appje moest sturen. Terwijl Valentina dat alles vertelde, besefte Zeke pas hoezeer Haruki hiermee bezig was geweest. En als hij het over iemand anders dan Olivia had gehad, zou Zeke heel blij voor hem zijn geweest.

Maar het ging over Olivia.

Hij wilde graag dat zijn beste vriend gelukkig was, maar niet met de vrouw voor wie hij gevoelens koesterde. Dat was een egoïstische benadering, dat wist hij. Hoe meer hij erover nadacht dat Olivia Haruki ook leuk zou vinden, een reëel scenario, hoe slechter hij zich voelde.

'Elke keer dat hij over haar praat, is hij helemaal door het dolle heen,' zei Zeke, die zich realiseerde dat hij Haruki de waarheid moest vertellen of zijn band met Olivia moest verbreken voordat ze zelfs maar waren begonnen iets op te bouwen.

'En jij,' vroeg ze vriendelijk. 'Ben je met iemand aan het daten?'

Hoewel hij en Valentina vrienden waren gebleven nadat ze een punt achter hun relatie hadden gezet en met elkaar optrokken wanneer ze in dezelfde stad waren, was het nieuw om te praten over hun romantische leven sinds ze uit elkaar waren.

'Ik... date momenteel niet,' zei Zeke. Het was moeilijk om uit te leggen wat hij met Olivia had. Hij sprak zelden met zijn vrienden over zijn relaties, maar hij zou Valentina wel over Olivia willen vertellen. Over het feit dat hij de hele week aan haar had gedacht en dat hij, sinds ze hem zijn nummer had gegeven, urenlang zijn best deed om iets leuks naar haar te sturen. Hij wist dat ze goed met elkaar op zouden kunnen schieten, maar de onthulling van Haruki maakte het ingewikkeld, dus beet Zeke op zijn tong en zorgde ervoor dat hij niet langer onderwerp van gesprek was.

'En jij?' vroeg hij, omdat haar eigen antwoord op de vraag voor haar belangrijker leek te zijn dan dat van hem.

Valentina zweeg even en toen verscheen er op haar gezicht een glimlach die hem alles vertelde wat hij moest weten. Hij verraste zichzelf door blij voor haar te zijn. Als hij op eenentwintigjarige leeftijd tegen zichzelf had gezegd dat Valentina het na twee jaar uit zou maken en dat hij een jaar later met haar in een bar over haar nieuwe liefde praatte, zou hij het niet geloofd hebben. Maar die avond in Athene was hij gewoon blij te horen dat ze gelukkig was.

'Hoe hebben jullie elkaar ontmoet?'

'Op een feestje. Het ging echt heel… natuurlijk. Ken je dat gevoel wanneer je iemand ontmoet en meteen weet dat die ander een heel belangrijk onderdeel van je leven gaat worden?' vroeg Valentina.

Zeke knikte. Zoiets had hij ook gevoeld toen hij naar Olivia in de lift keek.

'Zo was het,' zei Valentina, terwijl ze met een glimlach naar een armband om haar arm keek.

Hij had de screensaver op Valentina's telefoon opgemerkt toen ze naar buiten gingen om haar overwinning te vieren. Een foto van Valentina die glimlachte terwijl een meisje dat hij niet kende, haar op de wang kuste.

'Haar naam is Leila. Ze is een lerares Engels uit Chicago. Ze heeft mijn vrienden en het grootste deel van mijn familie ontmoet, en ik vind haar echt heel leuk. Sterker nog, ik hou van haar.' Ze scrolde door haar telefoon en liet hem foto's zien.

'Ik heb het gevoel dat ik een groot deel van mijn leven heb

geprobeerd de goedkeuring van anderen te krijgen, weet je? Ik spreek me nooit uit over politiek, waardoor ik geen mensen beledig, aan welke kant dan ook. Ik krijg advies van een hele commissie adviseurs voordat ik ook maar de kleinste zakelijke beslissing neem en laat alles wat ik post door ten minste tien mensen screenen om er zeker van te zijn dat er geen storm losbarst op sociale media.'

Zeke knikte. Hij deed hetzelfde.

'Maar ik zou willen dat dat voor mijn persoonlijke leven niet nodig was. Ik wil gewoon een lieve foto van mij en mijn vriendin plaatsen waar we op de bruiloft van mijn neef zijn, zonder dat het een probleem is. Ik verlang er niet naar een activist te zijn of het gevoel te hebben dat ik namens elke queer atleet ter wereld spreek. Maar ik weet dat als dit eenmaal bekend wordt, er geen weg meer terug is,' zei ze met een bezorgd gezicht.

'Het is speciaal en het is van jou, alleen van jou. Je bent de wereld geen uitleg of aankondiging verschuldigd,' zei hij in een poging behulpzaam te zijn. 'En je hoeft het niet te posten als je er nog niet klaar voor bent.'

'Ik denk niet dat ik er ooit echt klaar voor zal zijn, niet voor al die meningen. Ik ben doodsbang voor de krantenkoppen en voor de trollen en betweters die zich erop zullen storten en van alles over mij te zeggen hebben. Maar mijn liefde voor haar weegt zwaarder dan de angst.' Ze liet Zeke nog een foto op haar telefoon zien. De opname was bij weinig licht gemaakt en je kon hun gezichten niet goed onderscheiden, maar je kon wel hun jurken, hun verstrengelde handen en de liefdevolle blik op Valentina's gezicht zien, terwijl ze elkaar stevig vasthielden.

'Als je er klaar voor bent,' zei hij terwijl hij haar een kneepje in haar hand gaf.

'Als ik er klaar voor ben,' zei ze terwijl ze hem een kneepje terug gaf.

35

Zeke

Dag vijf van de Olympische Spelen van 2024

'Kijk eens wat een verzoening, de toekomst samen aan het plannen?' zei Haruki toen hij terugkwam met een mojito voor Valentina en twee ijskoude glazen water voor hem en Zeke. Zeke schudde zijn hoofd en Valentina sleepte ze allebei naar het midden van de dansvloer. Hun lichamen bewogen op de maat van de muziek te midden van een groep mensen die ze niet kenden, maar die net zo blij waren als zij om daar te zijn. De ruimte werd zwak verlicht door warme, felgekleurde lantaarns die aan het plafond hingen. Iedereen zag er prachtig uit, wat nu eenmaal het effect was wanneer iemands gezicht vervuld was van vreugde. Hun lichamen leken goudkleurig onder de warme verlichting boven de dansvloer en Zeke voelde zich licht, een gevoel dat hij al heel lang niet meer had ervaren. Zeke was gemakkelijk in de omgang, maar hij was verre van zorgeloos. Er was altijd wel iets om over na te denken, of dat nu in het verleden of in de toekomst lag. Terwijl ze die avond dansten, waren zijn vrienden en de muziek het enige wat voor hem telde.

Ze hadden moeten weten dat er iets op het punt stond te gebeuren. En inderdaad: er kwam iemand naar Haruki toe om een foto te vragen. De bars en clubs waar ze eerder op de avond waren geweest, waren exclusief met hun gastenlijsten en dat maakte ze ook vaak saai. Ze waren omringd geweest door mensen die eraan gewend waren in dezelfde ruimte te zijn met beroemdheden. En hoewel zulke exclusieve plekken saai waren, wisten de mensen die daar de avond doorbrachten hoe het was om zich opgejaagd te voelen en daarom haalden ze nooit hun camera tevoorschijn. Cassiopeia daarentegen was een onopvallende gelegenheid, vol met gewone Atheners. Het punt met feesten op gewone plekken was dat het slechts een kwestie van tijd was voordat iemand een foto nam en het uit de hand liep.

Het was Valentina die het als eerste opmerkte en geschrokken keek toen er plotseling een stel nieuwe mensen de club binnenkwam. Haruki's gezicht betrok toen hij een willekeurige man vroeg om te stoppen een video van hem op te nemen midden op de dansvloer. Zeke trok een grimas toen een groep mensen hem begon te vragen hoe het leven in het dorp was. Ze pakten elkaar bij de arm en probeerden subtiel te vertrekken. Maar ze werden opgewacht door een kleine groep fotografen die meteen vragen begon te stellen en foto's begon te maken. Dus haastten ze zich de club weer in en haalden de barman over om hen de achterdeur te laten gebruiken. Ze vluchtten het dichtstbijzijnde steegje in om zich te verstoppen voor de paparazzi die achter hen aan zaten.

Het was een lange, donkere steeg, alleen verlicht door de zwakke gloed van het licht dat door de ramen van de club naar buiten scheen en een lantaarnpaal in de verte, op een andere weg. In het schemerige licht zag Zeke zijn vrienden zoals ze werkelijk waren en hoe de wereld hen zag. Haruki, de jongensachtige enthousiasteling, de vriend die hem altijd steunde. Hij kon Haruki ook zien als de geweldige zwemmer wiens sixpackfotoshoots het internet op zijn kop zetten. Hij zag Valentina als de bedachtzame, diep medelevende persoon die ze was. Maar hij zag ook de felle, intrigerende atlete in haar die regelmatig op de covers van tijdschriften te zien was en mensen even stil liet staan. Hij wilde de tijd stilzetten, omdat hij voelde dat de wereld om hem heen veranderde. Ze waren allemaal begin twintig, maar als het op sport aankwam, waren ze op weg naar hun pensioen. Zeke besefte dat het niet echt lang zou duren voordat ze elkaar niet meer elke vier jaar in een olympisch dorp zouden zien. Hij wist dat ze contact zouden houden, maar buiten de wereld waarin ze elkaar hadden gevonden, zou het niet hetzelfde zijn. Hij deed zijn best om dit moment in zich op te nemen.

'We komen zwaar in de problemen,' zei Haruki. Valentina probeerde een taxi te bellen, maar ze had geen bereik. Haruki probeerde een appje naar een van zijn coaches te sturen, maar hij had zoveel filmpjes van Valentina's wedstrijd en foto's van hen drieën gemaakt dat zijn batterij leeg was.

Technisch gezien mochten atleten het dorp wel verlaten. Maar beroemde atleten mochten de stad niet in zonder officiële olympische beveiligers aan hun zijde. Deze beveiligers waren er niet alleen om voor hen te zorgen en hen te beschermen tegen overenthousiaste fans, ze hadden ook het soort autoriteit dat de paparazzi ervan weerhield foto's van hen te maken. Als ze het dorp met een beveiliger hadden verlaten, zou die hen naar de plek hebben gebracht waar ze heen wilden in een veilig geblindeerde auto die hen in een oogwenk kon oppikken, waardoor ze niet in een willekeurig steegje zouden stranden. Zeke kon de stemmen horen van mensen die langs hun steegje liepen. Ze waren alle drie in de problemen gekomen toen ze in Japan gingen karaoken. Niet omdat ze niet naar buiten mochten, maar omdat de paparazzi ze betrapt hadden toen ze de club uit liepen en er wild uitzagen, slechts een paar dagen voordat ze alle drie zouden deelnemen aan de grootste wedstrijden van hun leven. De laatste keer waren hun late avontuurtjes geëindigd in huisarrest door hun coaches. Ze konden het zich niet veroorloven opnieuw huisarrest te krijgen.

'Dit zouden mijn laatste Olympische Spelen kunnen zijn,' zei Valentina rustig.

'Zeg dat niet,' zei Haruki resoluut.

'Ik ben niet pessimistisch, ik ben realistisch,' zei Valentina. 'Ik word vijfentwintig. Tegen de tijd dat de volgende Olympische Spelen plaatsvinden, ben ik bijna negenentwintig en volgens turntermen ben je dan feitelijk bejaard.'

'Je zou nog steeds al die zestienjarigen kunnen verslaan,' zei Zeke.

'Zonder twijfel,' zei Valentina, 'maar misschien ook niet. Als dit het is, zou ik nergens liever zijn dan in dit smerige, stinkende steegje met jullie twee. Dit voelt als het hoogtepunt. Al het andere is gewoon een overvloed aan…' Valentina was een Texaans meisje uit een Mexicaans katholiek gezin, dus stond ze altijd in de startblokken om een toespraak te houden over dankbaarheid. Maar voordat ze haar zin kon afmaken, kwamen twee mannen met grote camera's de hoek om en renden op hen af.

'We moeten gaan, nu meteen!' Zeke duwde zijn vrienden voor zich uit, rennend tot ze een rustige straat in een woonwijk bereikten. Toen ze de paparazzi niet meer konden horen of zien, drong het tot Zeke door dat ze in een vreemde stad waren en dat ze geen van allen wisten hoe ze thuis moesten komen.

De batterij van Haruki's telefoon was leeg, Valentina had geen bereik en Zeke had nog 4 procent. Haruki probeerde hen ervan te overtuigen op een willekeurige deur aan te kloppen en te bidden dat de mensen aan de andere kant geen psychotische seriemoordenaars waren toen Zeke een idee kreeg.

'Ik denk dat ik iemand ken die kan helpen,' zei Zeke.

Hij kende één persoon die in het stadscentrum van Athene woonde en ook al stond zijn telefoon op het punt uit te vallen, het was het proberen waard. Hij wist dat dit zou betekenen dat hij alles eerder aan Haruki zou moeten uitleggen dan hij had gepland, maar op dat moment had hij geen andere keus. Dus pakte hij zijn telefoon en begon te bellen. Het voelde alsof elke toon bij het overgaan langer duurde dan de vorige, maar net toen hij op het punt stond de hoop op te geven, nam de persoon aan de andere kant van de lijn op.

'Ik weet dat ik je eerder had moeten bellen, geloof me. En ik weet dat het midden in de nacht is en dat je niet aan het werk bent. Maar voor de derde en laatste keer, dat beloof ik: mag ik je om een gunst vragen?'

Tien minuten later hoorde hij iemand 'Nine to Five' van Dolly Parton neuriën en zag hij het silhouet van een vrouw die twee zakken droeg met iets wat als souvlaki rook. Ze liep naar hen toe en zette haar koptelefoon af. Ze droeg een gele zomerjurk en haar vlechten vielen over haar rug. In haar ogen glansde nieuwsgierigheid.

'Ik weet al wat je gaat zeggen,' zei Zeke. Hij hield zijn armen verontschuldigend omhoog.

'Je hebt een paar behoorlijk slechte excuses verzonnen om me te zien, maar "help, ik word achtervolgd door de paparazzi en kan niet naar huis" brengt het naar een heel nieuw niveau, Zeke.'

'Je hebt gelijk, ik zocht alleen maar een excuus om je te bellen.'

Even had Zeke het gevoel dat zij de enige mensen in die straat waren, de enige mensen op de hele wereld. Ze keken elkaar diep in de ogen. Hij stond op het punt nog iets te zeggen, maar toen herinnerde hij zich dat ze niet alleen waren.

'Hallo, ik ben Valentina,' zei ze terwijl ze haar hand uitstak.

'Hoi! Ik ben Olivia. Gefeliciteerd met je grote overwinning! Mijn huisgenote en ik hebben ernaar gekeken en je was ongelooflijk goed,' zei Olivia met een brede glimlach, terwijl ze elkaar de hand schudden.

'Olivia? Hé!' zei Haruki met een grijns. Hij keek naar Olivia en vervolgens naar Zeke, terwijl de verwarring langzaam op zijn gezicht was af te lezen. Zeke voelde een zwaar schuldgevoel in hem opkomen.

'Haruki!' zei Olivia, terwijl ze zich naar hem toe wendde. Ze zei zijn naam met een nonchalante opgewektheid die Zeke nog nooit eerder bij haar had gezien. Nu hij erover nadacht, zag hij ook ineens met hoeveel bewondering ze naar Haruki keek.

'Ik dacht niet dat ik je zou zien voor *Bend it Like Beckham*,' zei ze.

Zeke keek van de een naar de ander. Ze gingen zo gemakkelijk en vertrouwd met elkaar om. Zeke had het zwaar. Normaal gesproken was hij niet snel jaloers, maar daar stond hij dan, duizelig door de plotseling zeer reële mogelijkheid dat Olivia Haruki misschien ook wel leuk zou vinden. De schok moet duidelijk op zijn gezicht te lezen zijn geweest, want Valentina keek hem vreemd aan. Ze trok haar wenkbrauw op.

'Wacht, ben ik ook uitgenodigd?' vroeg Valentina grappend, en ze begonnen een gesprek met zijn drieën. Zeke keek toe, maar hij was niet gefocust op de interactie zelf, hij was gefocust op Olivia, op hoe anders ze omging met Haruki en Valentina.

Toen drong het besef tot hem door. Olivia had dezelfde uitdrukking op haar gezicht als de mensen die hem op straat aanhielden om een foto te maken. Olivia was niet smoorverliefd op Haruki, althans dat hoopte hij. Ze deed zich ook niet heel anders voor tegenover Valentina, ze was gewoon een fan. Hij realiseerde zich dat ze echt onder de indruk was, nerveus vragen stelde en aandachtig knikte bij alles wat gezegd werd.

'Waarom krijg ik het gevoel dat je aardig bent tegen iedereen, behalve tegen mij?' vroeg Zeke.

‘Omdat niemand anders mijn rijgedrag bekritiseert en elke dag nieuwe redenen vindt om mij op mijn werk lastig te vallen,’ zei Olivia, meteen de gelegenheid aangrijpend om hem te plagen.

‘Ik wist niet dat jullie elkaar kenden?’ vroeg Haruki, van de een naar de ander kijkend, in een poging het te begrijpen.

‘Helaas,’ zei Olivia, en de blik die ze op Zeke wierp verraadde haar. Hij wilde naar haar glimlachen, maar toen ving hij Haruki’s blik op. Dit kon nog weleens heel ingewikkeld worden.

‘Oké, ik wil dit niet graag onderbreken, wat dit ook is, want het fascineert me mateloos,’ zei Valentina, ‘maar we moeten hier echt weg.’ Ze zei het terwijl ze knikte naar een kleine menigte die hen was gevolgd vanuit de club. Ze leken onschadelijk, maar ze hadden hun telefoons bij de hand en Zeke zag dat minstens een van hen een professionele camera had. De paparazzi kwamen altijd naar een stad zodra de Olympische Spelen plaatsvonden. Een goede foto van Zeke en Valentina, terwijl het internet nog steeds speculeerde over hun relatiestatus, kon binnen enkele minuten viraal gaan. Zeke en Haruki konden het zich echt niet veroorloven om feestend gefotografeerd te worden terwijl ze over een kleine week in de finale zouden staan. Niet weer.

Olivia keek naar hen drieën en vervolgens naar de man met de camera.

‘Ik woon tien minuten lopen verderop, jullie kunnen wel meegaan als jullie willen schuilen?’

‘Bied je dit alleen maar aan, zodat ik je iets verschuldigd ben?’ vroeg Zeke zo zacht dat alleen zij hem kon horen.

‘Je hoeft me niets verschuldigd te zijn,’ zei ze, en ze zweeg even. ‘Je komt toch wel terug.’

36

Olivia

Dag vijf van de Olympische Spelen van 2024

Toen Olivia die avond het appartement uit was gelopen om een afhaalmaaltijd te halen, was het meest opwindende wat ze had verwacht een nieuw item op de menukaart van het Griekse restaurant dat inmiddels haar en Aditi's favoriet was. Wat ze niet had verwacht, was dat ze om kwart voor twaalf op weg naar huis een telefoontje zou krijgen van Zeke. Maar daar liep ze dan, terwijl ze drie van 's werelds beroemdste atleten zeven trappen op loodste naar haar voordeur.

Ze waren extreem elegant gekleed, volkomen misplaatst in het trappenhuis van het appartement. Valentina zag er prachtig uit. Ze droeg een rode jurk die haar heupen accentueerde en haar krullen tuimelden langs haar rug naar beneden. Haruki zag er duur uit in een getailleerd vest en een onberispelijk op maat gemaakte lichtblauwe blazer. En Zeke? Olivia had nog nooit iemand gezien die er in zulke gewone kleding zo knap uitzag. Hij droeg een wit T-shirt, maar het paste zo perfect dat de gespierde contouren van zijn borst geaccentueerd werden, wat een gevoel in haar teweegbracht dat zo ongeremd en erotisch was dat ze de andere kant op moest kijken.

Olivia deed haar best om zoveel mogelijk lawaai te maken

toen ze het appartement binnenliep. Aditi verwachtte twee grote zakken Grieks eten om nachtelijke trek te stillen, niet drie atleten die gekleed waren voor een avondje uit. Olivia had in de haast een appje gestuurd waarin ze haar waarschuwde dat ze gasten mee zou nemen. Maar ze wist niet of Aditi haar bericht al had gelezen. Ze wist dat haar beste vriendin de neiging had om gewoon in de woonkamer in slaap te vallen in haar pyjama en met een slaapmasker op. Dus rammelde Olivia langer met haar sleutels in de deur dan nodig was en praatte ze extra luid toen ze het appartement binnenkwam. Ze had zich geen zorgen hoeven maken, want als er één les was die Aditi ter harte had genomen uit al die jaren dat ze samen naar de scouting gingen, was het dat een slimme meid overal op voorbereid moest zijn.

'Welkom in ons nederige stulpje,' zei Aditi zodra ze het appartement binnenkwamen. 'Willen jullie een hapje?' Op de een of andere manier was Aditi er in de vijf minuten sinds ze haar appje had ontvangen, in geslaagd het huis schoon te maken en een hele tafel vol hapjes klaar te zetten. Aditi had Olivia ervan proberen te overtuigen een feestje in hun appartement te geven sinds ze in Athene waren aangekomen, en zo te zien had ze besloten dat dit vanavond zou gebeuren.

'O, dat ziet er ongelooflijk lekker uit. Mag ik proeven?' vroeg Valentina. Aditi gaf haar het bord warme pitabroodjes en *taramasalata*. Valentina stak dankbaar een broodje in de dip en nam een hap.

'Weet je hoelang het geleden is dat ik zoiets lekkers heb gegeten? Ik heb het hele jaar zo'n streng dieet gevolgd voor deze wedstrijd. Maar nu kan ik eten wat ik wil.' Valentina was opgetogen.

'Nou, ik heb genoeg souvlaki voor een weeshuis,' zei Olivia, genietend van de oprechte vreugde op Valentina's gezicht.

'Ik zou een moord kunnen doen voor souvlaki,' zei Haruki. 'En zwemmers moeten veel eten.'

'Ik geloof niet dat het een goed idee is,' zei Valentina, alsof ze het tegen haar broer had.

Terwijl Aditi langs haar heen liep, keek ze Olivia met grote ogen aan en fluisterde: 'In het echt is hij nog knapper.' Olivia dacht meteen aan Zeke, maar toen zag ze Aditi naar Haruki kijken en ze glimlachte. Natuurlijk vond Aditi Haruki leuk, daarom had Olivia gezegd dat ze haar mee zou nemen naar de film. Maar in plaats daarvan ontmoetten ze elkaar in het appartement, met Zeke en Valentina. Het leek net of Olivia het vanaf een afstandje aanschouwde.

Ze had haar best gedaan om kalm te blijven toen ze had gemerkt dat Valentina Ross-Rodriguez met Zeke en Haruki in het steegje stond. Maar net als ieder ander die ooit een van Valentina's majestueuze optredens had gezien waarmee ze gouden medailles in de wacht sleepte, keek Olivia tegen haar op.

Als Valentina niet toevallig ook de zeer spraakmakende exvriendin van Zeke was geweest, zou Olivia waarschijnlijk vol enthousiasme tegenover haar hebben gezeten. Maar Valentina wás Zekes ex-vriendin.

Terwijl ze toekeek hoe ze met elkaar omgingen, zag ze hoe comfortabel ze zich voelden in elkaars gezelschap. Ze wisselden blikken uit zoals Olivia alleen maar deed met jongens met wie ze een relatie had gehad en met vrienden die ze al jaren kende.

Maar Zeke zag er niet uit alsof hij iets te verbergen had, en hij zou toch niet met zijn ex-vriendin naar haar appartement zijn gekomen als ze op dit moment meer was dan alleen zijn ex-vriendin?

En hij had Olivia gekust. Tweemaal. Dat betekende toch iets?

Of misschien voelde dat alleen voor haar speciaal en was het voor hem gewoon een kus om de tijd te doden tot hij weer samen met Valentina zou zijn. Olivia, een meisje dat hij pas een paar dagen geleden had ontmoet; Valentina was iemand die hij al jaren kende. Dat gevoel verdween niet zomaar. Zelfs als ze definitief uit elkaar waren, kon Zeke niet helemaal over haar heen zijn, toch?

Terwijl ze hen met Haruki en Aditi zag praten, voelde ze hoe haar zelfbewustzijn vermengd werd met onbehagen, een gevoel dat ze niet kende. Het was geen jaloezie, het was iets wat dichter bij angst stond. Ze had zich namelijk niet gerealiseerd hoezeer ze had gehoopt dat de kus na de lift tot iets meer zou leiden, totdat ze werd geconfronteerd met het vooruitzicht dat hun korte flirt wellicht voorbij zou zijn voordat die zelfs maar begonnen was. Het was verontrustend en ze kon het niet meer aanzien. Dus ging ze naar de keuken om wat borden te halen.

'Ik help je wel,' zei Zeke. Ze merkte niet eens dat hij haar gevolgd was. 'Waar staan de glazen?'

'In de kast naast het raam,' zei ze. Vanuit de keuken konden ze fragmenten horen van het gesprek dat Aditi voerde met Valentina en Haruki.

Het was vreemd om met Zeke in haar eigen huis te zijn. Als ze in het dorp was, voelde ze zich altijd een bezoeker, alsof ze in een alternatief universum werkte dat in werkelijkheid aan de atleten toebehoorde. Ze waren bijna allemaal vriendelijk en er hing een gezellige sfeer, maar als ze daar was, voelde ze zich te gast in hun wereld. Hier in het appartement voelde het compleet anders: alsof zij degene was die hen in haar ruimte verwelkomde. In het appartement kon ze gewoon zichzelf zijn. Zoals ze zich voelde in het gezelschap van Zeke.

Op straat had ze zich gerealiseerd dat ze zich anders was gaan gedragen. Ze wist dat ze onmiddellijk zachter was geworden toen ze Haruki en Valentina had gezien. Dat ze nog een beetje langer had geglimlacht en dat ze vriendelijker en gemoedelijker dan normaal had gedaan. Maar in de keuken met Zeke had ze niet het gevoel dat ze iemand anders moest zijn dan zichzelf.

Ze hoorde Valentina lachen om iets wat Aditi zei en zag Zeke meteen naar de deur kijken. Ze bestudeerde zijn gezicht een ogenblik om te zien of het haar vermoedens zou bevestigen of ontkennen. Maar ze kwam niet tot een conclusie.

Ze wendde haar blik af en liep terug naar de kast, waar ze een aantal borden op elkaar stapelde. Ze voelde hoe ze haar muren langzaam weer optrok. Misschien had ze te veel gezocht achter die starende blikken, Zekes voortdurende aanwezigheid bij het atletencentrum en die twee duizelingwekkende kussen. Ze wilde het weten. Toen ze omkeek, staarde hij haar aan.

'Waarom kijk je zo naar mij?' vroeg ze.

'Ik liep te denken,' zei hij, terwijl hij wat dichter naar haar toe kwam.

'Waar dacht je aan?' vroeg ze. Daar was het weer, dat gevoel van opwinding, sensatie.

'Ik denk dat je verliefd op me bent,' zei hij terwijl hij een slok nam van het ijskoude water uit het glas in zijn handen.

'Je hebt echt een hoge dunk van jezelf, nietwaar?' zei Olivia, terwijl ze haar best deed om niet te veel naar zijn lippen te staren.

'Ik heb een behoorlijk hoge dunk van mezelf,' zei Zeke, 'en ik weet dat jij ook een behoorlijk hoge dunk van jezelf hebt.'

'Vind je het niet terecht dan?' vroeg ze ad rem.

Ze stonden allebei aan een kant van de keuken, maar het voelde alsof ze naast elkaar stonden.

'Jawel. Ik vind je leuk, Olivia,' zei hij zonder een spoortje arrogantie. Alsof hij geen bekentenis aflegde, maar een feit constateerde.

Een deel van haar wist al dat hij haar leuk vond, maar dat weerhield de vlinders in haar buik er niet van om te fladderen nu ze het hem hoorde zeggen. Het nam haar onzekerheid niet compleet weg en ze durfde het niet terug te zeggen. 'Ik vind mezelf ook leuk,' zei Olivia.

Deze keer was het Zeke die met zijn ogen rolde. Hij liep naar haar toe tot ze nog maar een paar centimeter van elkaar verwijderd waren. Ze ademde de zwakke geur van zijn eau de toilette in. Hij rook naar de zomer. Het was bedwelmend. Hij kwam dichterbij, hun wangen raakten elkaar en ze voelde het zachte gevoel van zijn adem tegen haar lippen. Hun vrienden bevonden zich op slechts een paar meter afstand, maar ze wilde naar voren leunen om zijn glimlach te proeven. Zekes pupillen waren groot.

Voordat ze het wist, stonden ze tegen het aanrecht gedrukt en kusten ze alsof er niemand in de buurt was. Hij liet zijn handen om haar middel glijden en ze voelde een tinteling langs haar ruggengraat gaan. Ze sloeg haar armen om zijn nek en zuchtte terwijl hij met zijn vingers door haar haar streek. Hij kuste haar teder. Ze deed zijn lippen van elkaar. Hij liet zijn tong haar mond verkennen en verstevigde zijn greep op haar heupen. Toen streelde hij martelend langzaam de voorkant van haar benen, terwijl hij zijn vingers naar de achterkant van haar dijen liet cirkelen, waar hij stilhield op de zachte huid bij de zoom van haar jurk. Hun vrienden waren in de andere kamer. Toch merkte ze dat ze naar beneden reikte, haar hand op de zijne legde en die onder de zoom van haar jurk leidde tot zijn hand bijna lag waar ze hem wilde hebben.

Toen hoorde ze iemand opstaan en naar de keuken lopen. Olivia rukte zich los van hem en deed net alsof ze druk bezig was aan het aanrecht.

'Hoi!' zei Valentina toen ze binnenkwam, zo nonchalant alsof er niets aan de hand was. 'Aditi zei dat je wat olijven in de koelkast hebt, mag ik er een paar pakken?' Als Valentina nog net had gezien hoe ze kusten, zei ze niets. Als Valentina de vlek lippenstift op de mondhoek van Zeke of de geschrokken uitdrukking op Olivia's gezicht opmerkte, vestigde ze er geen aandacht op. En als de onmiskenbare spanning tussen Olivia en Zeke Valentina hinderde, wist ze dat behoorlijk goed te verbergen.

'Ja, natuurlijk.' Olivia liep naar de koelkast, in de hoop dat de koude lucht ervoor zou zorgen dat ze er niet zo blozend uitzag als ze zich voelde. 'Olijven... en we hebben ook hummus en gesneden groenten.' Ze hoorde dat haar stem hoger klonk dan anders.

Was het echt verkeerd om Zeke te kussen in de keuken terwijl zijn ex-vriendin in de kamer ernaast zat? Als Zeke en Valentina echt gewoon vrienden waren, kon het geen kwaad. En ook al leek Valentina zich totaal geen zorgen te maken over het feit dat ze tegen het aanrecht hadden staan zoenen, het betekende toch niet dat Olivia een of andere ongeschreven code van meiden onder elkaar overtrad?

Of had ze zich ongemerkt in een wespennest gestoken? Had ze zich gewillig laten meeslepen in de chaos van het leven van anderen? Olivia was niet zo'n soort meisje. Dus pakte ze de borden op en probeerde te bepalen of de veelbetekenende glimlach die Valentina haar schonk een teken van goedkeuring was, of een verkapt dreigement van *America's Sweetheart*.

37

Zeke

Dag vijf van de Olympische Spelen van 2024

Valentina keek hem geamuseerd aan en fluisterde dat het haar speet dat ze was binnengekomen tijdens een intiem moment voordat ze de keuken uit liep. Ze wist beslist dat er iets speelde tussen hem en Olivia. En uit de blik die ze met Aditi wisselde toen ze alle drie de woonkamer binnenliepen, was op te maken dat Olivia's huisgenoot het ook wist. Maar als Haruki al iets vermoedde, zei hij geen woord. Toch voelde Zeke zich schuldig omdat hij naar de keuken was gelopen om een vrouw te kussen terwijl zijn beste vriend haar leuk vond. Als hij had geweten dat Haruki de hele tijd over Olivia had gesproken, zou hij niet zo ver zijn gegaan zonder eerst met zijn beste vriend te praten. Maar nu ze allemaal samen in één kamer zaten, wist Zeke dat het slechts een kwestie van tijd was voordat de hele situatie uit de hand liep.

'Wat heb je veel spellen, echt ongelooflijk,' zei Haruki, die op de bank Aditi's bordspellencollectie doornam. Een spel! Dat was precies het soort afleiding dat Zeke nodig had om te voorkomen dat deze nacht compleet uit de hand zou lopen.

'Had iemand het over een spel?' vroeg Zeke, veel te gretig klinkend.

'Nee, nee en nog eens nee,' zei Valentina. 'Ik speel nooit meer een bordspel met jou.'

‘Zeke is waanzinnig competitief,’ zei Haruki terwijl hij naar Olivia en Aditi keek. Zeke wist niet of Haruki scherper klonk dan normaal, maar het viel hem wel op dat Haruki Aditi’s blik een moment langer vasthield dan nodig was. Interessant.

‘Hij speelt totdat iedereen naar huis wil en dan wint hij doordat hij vijf uur keihard zijn best blijft doen en dan nog steeds wil winnen,’ zei Valentina op plagerige toon.

‘Ooit overtuigde hij ons ervan om Monopoly te spelen op een houseparty, en dat duurde vier uur,’ zei Haruki.

‘Iedereen genoot met volle teugen,’ protesteerde Zeke, zich het feest herinnerend dat hij voor zijn eenentwintigste verjaardag had gegeven.

‘Iedereen speelde mee omdat het jouw verjaardag was,’ zei Valentina.

‘En iedereen liet jou winnen, omdat het jouw verjaardag was,’ zei Haruki, zijn blik zoekend.

Of Zeke was paranoïde geworden, waardoor hij te veel zocht achter de woorden van Haruki, of het was echt een steek onder water. ‘Ik zou sowieso gewonnen hebben,’ zei Zeke, en Haruki lachte. Zeke voelde een moment van opluchting. Haruki was niet boos op hem, hij maakte gewoon een grapje. Alles zou goed komen. Hij nam een slok van de ijskoffie die Olivia hem had gegeven. Maar hij was zo alert door de situatie waarin hij verzeild was geraakt, dat hij de cafeïne niet eens meer nodig had om op te blijven.

Toen deed Valentina een vreselijke suggestie.

‘Zullen we *Doen, durven of waarheid* spelen?’ vroeg ze met de glimlach van een onruststoker.

Zeke opende zijn mond om bezwaar te maken, maar hij kreeg geen bijval. Een spelletje *Doen, durven of waarheid* spelen met zijn ex-vriendin, zijn beste vriend, de vrouw die ze allebei leuk vonden en haar beste vriendin. Wat zou er nu mis kunnen gaan?

38

Olivia

Dag vijf van de Olympische Spelen van 2024

Ze zaten met zijn vijven in een kring op de grond rond de salontafel in de woonkamer. Olivia zat tussen Haruki en Aditi in, Zeke zat tegenover haar, en Valentina zat tussen Aditi en Zeke. Op tafel stonden borden met gyros, *dolmadakia*, souvlaki en mezze. Olivia was gefascineerd door de onderlinge dynamiek. Ze kende iedereen in de kamer al een beetje, behalve Valentina, maar nu ze hen zo samen zag, kwamen ze allemaal in een ander licht te staan. Terwijl ze aten, realiseerde ze zich dat als ze elkaar in normalere omstandigheden hadden ontmoet, ze gemakkelijk vrienden hadden kunnen worden. Valentina en Aditi hadden eenzelfde speelse en licht chaotische energie. Zeke en Haruki kibbelden als broers, waarbij Haruki hem steeds prikkelde en Zeke meespeelde of zijn schouders ophaalde.

Ondanks de lichte, maar voortdurende zorg dat ze de ex van Zeke was, mocht Olivia Valentina erg graag, en ze bleven lachen met elkaar. Aditi had Zeke speels maar gedegen onder handen genomen ter wille van Olivia, en tussen haar en Haruki hing iets sprankelends in de lucht wat iedereen in de kamer leek op te merken, behalve zijzelf. In de woonkamer hing de sfeer van een echt goed etentje.

'Oké, Valentina, doen, durven of waarheid?' zei Haruki.

'Eh, laten we rustig beginnen. Waarheid,' zei ze, terwijl ze een hap souvlaki nam.

'Oké, wat is de wildste roddel die je over jezelf hebt gehoord die echt waar was?' vroeg Haruki.

Valentina antwoordde zonder te aarzelen. 'Dat ik het uitgemaakt heb met iemand via een appje van twee regels,' zei ze, terwijl ze een gezicht trok.

Zeke spuugde bijna het water dat hij dronk weer uit. Hij keek naar Valentina, toen naar Olivia, en toen weer naar Valentina.

'Val? Is niets dan meer heilig?' vroeg hij, duidelijk meer in verlegenheid gebracht door de publieke onthulling dan dat hij boos was over de herinnering. Het was misschien egoïstisch, maar het maakte Olivia blij.

'Sorry, ik wilde je even de tijd geven om het nieuws op je te laten inwerken voor we gingen praten,' zei ze. Ze lachte en haalde haar schouders op.

'Oké, Zeke, doen, durven of waarheid?' vroeg Aditi. Olivia kende haar beste vriendin goed, maar ze kon nooit voorspellen wat ze zou gaan zeggen.

Zeke volgde nog steeds een streng pre-competitiedieet en kon zich niet te buiten gaan aan al het lekkere eten, in tegenstelling tot de anderen. Dus nam hij een hapje wortel en antwoordde: 'Waarheid.'

'Saai, maar oké dan,' zei Aditi speels. 'Zeke, wie is de laatste persoon met wie je naar bed bent geweest?' vroeg ze met een ondeugende glimlach.

'Aditi!' zei Olivia, terwijl ze met grote ogen een blik met haar uitwisselde. Olivia was geschokt, Aditi was in haar element.

'Niet met mij in ieder geval,' zei Haruki, waardoor de anderen moesten lachen.

'Ook niet met mij,' zei Valentina, 'tenzij… het al een jaar geleden is, Zeke? Als je het nodig hebt, kan ik je wel aan iemand voorstellen. Wie kan je daar nu beter bij helpen dan je ex-vriendin?' Valentina keek naar Olivia. Was dat een goedkeurend knikje? Het voelde in ieder geval alsof die verduidelijking voor haar uitgesproken werd, dus nam Olivia dat dan maar aan.

Zeke had het zwaar. Het was best leuk om hem op deze manier te zien. En Olivia was beslist nieuwsgierig naar zijn antwoord. Ze wilde meer weten over het romantische leven van Zeke, zodat ze kon inschatten of ze gewoon een van de vele meisjes in het dorp was voordat ze er tot over haar oren in verzeild raakte.

'Eh, de laatste persoon met wie ik naar bed ben geweest, was een model dat ik tijdens de London Fashion Week heb ontmoet,' zei Zeke fatalistisch.

'Een model? Dat is nogal basaal,' zei Valentina.

'Ik ben ook een model, je wilt mij toch niet basaal noemen?' vroeg Haruki zogenaamd beledigd.

'Jij bent nooit basaal,' stelde Zeke hem gerust.

'En wanneer heb je haar voor het laatst een appje gestuurd? Heb je nog contact met haar?' vroeg Aditi terloops.

Olivia's ogen werden nog groter. 'Oké, zo is het welletjes,' zei Olivia om Aditi een halt toe te roepen. Zeke glimlachte. Hij kon het wel waarderen dat Aditi zo toegewijd was dat ze hem door wilde lichten.

'Aangezien je zo enthousiast bent, Aditi, doen, durven of waarheid?' zei Olivia terwijl ze een slok van haar drankje nam.

'Durven natuurlijk,' zei Aditi zelfverzekerd.

'Oké, durf jij… de aantrekkelijkste persoon in de kamer te kussen?' zei Olivia.

Aditi keek de kamer rond. Ze zweeg even, alsof ze over haar opties nadacht. Toen stak ze haar hand op, drukte die tegen haar lippen en gaf zichzelf een kus.

'Boe!' schreeuwde Valentina.

'Flauw,' zei Haruki.

'Als ik tomaten had, zou ik ze nu naar je gooien,' riep Olivia.

'Hé, mag ik niet eens eerlijk zijn?' zei Aditi terwijl ze haar hand van haar gezicht weghaalde. De anderen lachten.

'Oké, kus de aantrekkelijkste persoon in de kamer… op jou na,' zei Olivia. Dus stond Aditi op. Ze maakte er een hele show van door twee keer om hen heen te lopen en ging toen naar Haruki.

'Hoi,' zei ze met een stem vol charisma.

'Hé,' zei hij met een glimlach.

'Ik ben Aditi,' zei ze terwijl ze kalm haar hand uitstak om de zijne te schudden, 'leuk je weer te ontmoeten.' Er was niets waar ze meer van hield dan flirten met nieuwe mensen.

'Haruki. Het genoegen is geheel aan mijn zijde,' zei hij, vol charme naar haar overbuigend. Het was een fascinerend tafereel, de spanning tussen hen was voelbaar.

'Oké, ik zie dat jullie liefde op het eerste gezicht naar een nieuw niveau tillen,' zei Valentina lachend.

'Wat zal ik ervan zeggen, ik ben nu eenmaal een romanticus,' zei Aditi grijnzend.

'Kom ter zake, Aditi!' Olivia lachte.

'Eh, ik heb eerst toestemming nodig, Olivia,' plaagde ze. 'Ja, Haruki is een heel knappe atleet en een geweldig model, maar dat betekent niet dat ik zomaar naar hem toe kan lopen en hem kan kussen.'

'Je mag me kussen,' zei Haruki speels. Aditi glimlachte, boog zich naar voren en kuste hem toen. Veel langer dan nodig was voor een simpele uitdaging.

'Wauw,' zei Olivia terwijl ze elkaar loslieten. Aditi liep terug naar haar stoel naast Olivia en wierp haar een we-moeten-praten-blik toe.

'Wie is er aan de beurt?' vroeg Valentina terwijl ze de kring rondkeek totdat haar blik bleef rusten op Olivia. 'Doen, durven of waarheid, Olivia?'

'Waarheid,' zei Olivia, nadat ze haar opties had afgewogen.

'Wat is de vreemdste plaats waar je ooit seks hebt gehad, of bijna hebt gehad?' vroeg Valentina.

Olivia verraste zichzelf door onmiddellijk te reageren. 'Bijna, in een lift,' zei ze schouderophalend onder luid gejuich van Aditi en Valentina, die veel te veel plezier hadden. Terwijl Olivia een glimlach wist te voorkomen en haar glas oppakte om een slok te nemen, keek ze Zeke aan.

39

Zeke

Dag vijf van de Olympische Spelen van 2024

Zeke had zichzelf altijd een behoorlijk slimme vent gevonden. Zijn hele carrière draaide om strategie, het inschatten van situaties, het berekenen van de risico's en het nemen van gedurfde beslissingen om het maximale te bereiken. Toen hij eerder uit de keuken terugkwam, had hij opgemerkt dat Aditi en Haruki telefoonnummers uitwisselden terwijl ze praatten over de openluchtbioscoop waar zij en Olivia dit weekend naartoe wilden gaan. Dus probeerde hij het probleem met Haruki op te lossen, zodat hij hem niet de waarheid zou hoeven vertellen en deed een gok. 'Haruki, doen, durven of waarheid?' vroeg Zeke.

'Eh... durven.'

'Durf jij het laatst opgeslagen nummer op je telefoon te bellen en... diegene mee uit te vragen?' vroeg Zeke, ervan overtuigd dat die persoon Aditi was. Hij zag dat Haruki zijn telefoon pakte, door zijn contacten scrolde en op bellen drukte. Zeke was precies één seconde trots op zijn strategie, toen kwam hij erachter dat zijn gok een vergissing bleek te zijn.

Eerst hoorde hij de kiestoon op Haruki's telefoon. Een paar seconden later hoorde hij elders in de kamer een telefoon overgaan. Toen herkende hij de beltoon. Het was 'Fantasy' van Mariah Carey.

'O, plotwending,' zei Valentina terwijl ze haar hoofd ondersteunde met haar handen en de scène voor zich zag alsof ze naar een tv-programma keek.

Zeke voelde zijn maag samentrekken toen hij Olivia zag opstaan en door de kamer zag lopen om erachter te komen waar Mariahs hoge noten vandaan kwamen. Olivia pakte haar telefoon alsof alles prima in orde was, en voor haar was dat waarschijnlijk ook het geval.

'Hallo?' zei ze, terwijl ze deed alsof ze het telefoontje niet had verwacht.

'Hoi, met... Haruki,' zei hij, duidelijk een beetje beschaamd.

'O, Haruki van de schildercursus?' zei Olivia, nog steeds meespelend.

'Ja, ik vroeg me af of je een keer mee uit wilt gaan, op date of zoiets?' vroeg Haruki zenuwachtig. Zeke voelde het schuldgevoel in zich opkomen; hij had het nooit moeten uitstellen om Haruki te vertellen hoe het zat. Maar nu was het te laat om de puinhoop die zich voor zijn ogen ontvouwde, een halt toe te roepen.

'Nou, je hebt zojuist mijn beste vriendin gekust,' zei Olivia plagerig.

'En het leek een behoorlijk goede kus,' voegde Valentina eraan toe.

'Wat zal ik zeggen, ik ben gewoon een natuurtalent,' zei Aditi.

'En ik heb gisteren je beste vriend gekust,' zei Olivia. Zeke hield zijn adem in terwijl hij en Olivia elkaar even aankeken. 'Dus misschien moeten we het gewoon bij *Bend It Like Beckham* houden,' zei Olivia nonchalant, zich er totaal niet van bewust dat het voor Haruki niet alleen maar een uitdaging was.

Zeke had het gevoel dat hij in slow motion naar een autoongeluk keek. Olivia, Valentina en Aditi waren zich totaal niet bewust van het onhoorbare gesprek dat tegelijkertijd gevoerd werd. Zeke koos een andere plek aan de tafel, zodat hij naast Haruki zat.

Voor iemand die hem niet kende, stond Haruki's gezicht volkomen emotieloos. Maar voor Zeke, die hem al acht jaar kende, was de blik in zijn ogen maar al te duidelijk. Teleurstelling.

'Juist,' zei Haruki, alsof een langgekoesterd vermoeden bevestigd werd, en hij het nu eindelijk zeker wist.

'Ik kan het uitleggen...' zei Zeke, zo zacht dat alleen zij het konden horen.

'Dat is niet nodig,' zei Haruki vlak.

Voordat Zeke nog iets kon zeggen of het kon proberen uit te leggen, haalden Valentina en Aditi een pakje *Uno* tevoorschijn en besloten een ander spel te gaan doen. Zeke voelde hoe ijzig zijn beste vriend was. Haruki werd snel weer zijn normale zelf, en deed mee met de anderen. Hij leek het naar zijn zin te hebben. Maar hij weigerde naar Zeke te kijken of contact met hem te hebben. Na twee rondes *Uno* lagen Olivia en Zeke er allebei uit, omdat ze allebei erg slecht waren in het spel en veel te competitief waren. Dus stonden ze op en brachten ze de vuile borden en afhaaldozen naar de keuken.

'Ik heb het gevoel dat onze vrienden tegen ons samenspanden,' zei Zeke. Toen Haruki bij hun vertrek zei: 'Zeke speelt om te winnen, het maakt hem niet uit wie hij pijn doet om daar te komen', was dat beslist een steek onder water, geen grap.

'Ze zagen aankomen dat we gingen winnen,' zei Olivia, die duidelijk een grapje maakte. 'Dus hebben ze ons erin laten trappen, zodat we de fout in gingen.'

Ze maakten de afhaaldozen plat.

'Hebben we je erin laten trappen of ben je gewoon al slecht in kaartspellen sinds we vijf jaar oud waren?' vroeg Aditi liefdevol, terwijl ze met de rest van de kopjes en borden de keuken in kwam.

'Het zou ook kunnen dat ik al sinds mijn vijfde slecht ben in kaartspellen,' zei Olivia lachend.

Het was vreemd om haar zo ontspannen te zien, dacht Zeke. Hij had er een glimp van opgevangen hoe Olivia was als ze zich vermaakte of in een speelse bui was, maar hier leek ze echt ontspannen. Waarschijnlijk omdat ze in het gezelschap van Aditi was, die haar goed kende en veel van haar hield. Haar gedrag deed Zeke denken aan hoe hij zich voelde als hij in het gezelschap van zijn broers, teamgenoten en – tot vanavond – Haruki was. Die weigerde nog steeds hem aan te kijken.

'Dus een van Aditi's vrienden geeft momenteel een feestje,' zei Valentina.

'Het wordt echt top!' zei Aditi, terwijl ze driftig knikte.

'Is het niet al één uur 's nachts?' vroeg Zeke, terwijl hij naar de klok aan de keukenmuur keek.

'Hé opa, de nacht is nog jong,' zei Valentina, duidelijk opgewonden over de spontane stapplannen. 'En voor het geval je het vergeten was: ik heb zojuist een gouden olympische medaille gewonnen,' zei ze onder gejuich van de anderen.

'Bedankt, bedankt,' zei ze, terwijl ze een buiging maakte vanwege hun applaus. 'Dit gebeurt niet elke dag en ik hoef deze zomer niet meer voor andere wedstrijden te trainen. Dus ik ga er weer op uit om het te vieren,' verklaarde ze.

'Wie gaat er met ons mee?' zei Aditi, terwijl ze een hand opstak alsof ze de gids van een grote groep was.

'Je weet dat ik dat graag zou willen,' zei Haruki, 'maar ik moet morgenochtend eerst trainen en nu echt gaan slapen.'

'Saai, maar verstandig,' zei Valentina. 'Zeke? Olivia?'

'Ik heb morgen ook training,' zei Zeke, 'en in de middag een wedstrijd.' Hij wist dat het onverantwoord zou zijn om te feesten tot de zon opkwam.

'Zullen we samen een taxi nemen? Ik regel het wel,' zei Haruki, die Zeke voor het eerst sinds *Doen, durven of waarheid* aankeek.

Maar toen keek Olivia naar Zeke, en Zeke keek naar Olivia, terwijl ze stilzwijgend communiceerden. Het appartement zou de rest van de nacht leeg blijven. En ze waren niet in het dorp.

'Ik ben nogal moe, dus ik denk dat ik maar thuisblijf,' zei Olivia. Zeke hield zijn adem in.

'Ik blijf dan nog even hier om... mee af te wassen,' zei Zeke, met een blik op de gootsteen en de stapel vuile vaat.

'Weet je het zeker?' zei Haruki. Zeke keek naar zijn beste vriend. Hij had een emotieloze uitdrukking en klonk weer als zichzelf. Maar Zeke wist dat als hij lang genoeg naar Haruki keek, hij zou moeten doen wat juist voelde. Dus keek hij niet.

'Ik weet het zeker,' zei Zeke. Hij voelde het schuldgevoel in hem opkomen, maar hij duwde het weg.

Valentina en Aditi namen afscheid, beloofden Olivia foto's van het stappen te sturen en vertrokken via de voordeur, met Haruki in hun kielzog.

Zeke keek hen na. Toen hij zich omdraaide, stond Olivia aan de andere kant van de keuken en keek uit het raam. Hij liep naar haar toe om te zien waar ze naar keek.

'Daar ligt het dorp,' zei ze, terwijl ze in de verte wees.

Zeke keek uit het raam en zag het ook. Het lag een paar kilometer buiten de stad, midden op het platteland, maar zo helder en uitgestrekt dat je het duidelijk aan de skyline zag liggen. 'Als je in het dorp bent, voelt het als het centrum van het universum, maar vanaf hier zijn het alleen maar gebouwen en lichten,' zei hij terwijl hij zijn blik even van haar afwendde.

'Het is toch prachtig. Hier ligt het begin van alles,' zei ze weemoedig. 'Daar op die heuvel ligt de Akropolis.' Er lag een gouden gloed over de oude ruïnes, wat zo majestueus was dat het er buitenaards uitzag.

Maar het was Olivia die hem pas echt de adem benam. Ze vertelde hem verhalen over de stad met zoveel verwondering in haar stem dat hij de wereldgeschiedenis door haar ogen wilde zien. Altijd wanneer ze sprak over iets waar ze van hield, was Olivia geanimeerd en helemaal niet met zichzelf bezig. Ze vertelde hem over plaatsen waarover ze documentaires had gezien en die ze graag wilde bezoeken, en Zeke kon zich niets beters voorstellen dan samen met haar op verkenning te gaan. Hij verwonderde zich over de manier waarop ze de wereld zag en over hoe hij zich voelde als hij bij haar in de buurt was.

Zeke zag hoe haar gezicht oplichtte en er rimpeltjes rond haar ogen verschenen als ze glimlachte. Haar gezicht, waarop zachtheid en scherpte om voorrang streden, leek te delicaat om vast te houden. Door haar ogen wilde hij haar het liefst al zijn geheimen toevertrouwen. Hij hield haar blik even vast en voelde de spanning tussen hen in de duisternis, en de magnetische aantrekkingskracht tussen hen zorgde ervoor dat hij nog dichterbij kwam.

Zeke begon zich een beetje licht in het hoofd te voelen. Misschien kwam het door de hoogte. Misschien door de bedwelmende aard van zomeravonden. Of misschien kwam het gewoon door Olivia. Zeke wist het nu zeker; hij was verliefd op haar.

'Zal ik die afwas even doen?' vroeg hij, terwijl hij naar de gootsteen keek.

'Dat kun je doen. Ik kan je ook vanaf het balkon een nog beter uitzicht op Athene bieden,' zei ze, en ze pauseerde even. 'Het grenst aan mijn slaapkamer.'

40

Olivia

Dag vijf van de Olympische Spelen van 2024

Toen Olivia de grote glazen deuren opende en de nazomerlucht in stapte, vielen ze beiden stil. Het uitzicht vanaf haar balkon was magisch. De nachtelijke hemel had zo'n diepe donkerblauwe kleur dat die perfect contrasteerde met de warme gele lichten van de stad. Olivia zag de kleine gestalten van mensen die zich over de hoofdwegen van Athene voortbewogen, en mensenmassa's die door de helder verlichte straten van het stadscentrum dromden. Ze hoorde in de verte muziek opstijgen uit de restaurants die nog laat open waren, en zag op een plein een groep artiesten dansen. De jacarandabomen en bougainvillestruiken waren versierd met warme, fonkelende lichtjes. Het leek alsof de hele stad feestvierde.

Ze keek naar Zeke. De lichten van de stad weerkaatsten op zijn huid, waardoor hij buitenaards leek. Hij leek volkomen tevreden, meer ontspannen dan ze hem ooit in het dorp had gezien. En hij keek haar aan alsof ze elkaar al veel langer kenden dan alleen deze zomer. Ze was ruim tweeduizend kilometer verwijderd van Londen, maar bij Zeke voelde ze zich meteen thuis.

'Dit is de eerste keer dat ik 's nachts in de stad ben, weet je,' zei Zeke.

Olivia probeerde zijn beeltenis in haar geheugen te prenten, omdat ze wist dat ze in de toekomst keer op keer naar dit moment zou willen terugkeren. 'Echt? Mogen atleten het dorp 's nachts niet verlaten?' vroeg ze.

'Het mag wel, maar het is gewoon niet verstandig om dat te doen totdat de wedstrijden zijn afgelopen. Je weet nooit hoe een menigte zal reageren,' zei hij schouderophalend, terwijl hij meteen weer aan de oorzaak dacht waardoor hij in Olivia's appartement terecht was gekomen.

'En of paparazzi je naar de club zullen volgen,' voegde ze eraan toe.

'En of een vreemd meisje je naar haar slaapkamer lokt om "het balkon te gaan bekijken".'

'Nou ja, ik had ook gewoon een taxi kunnen bellen om jullie naar huis te brengen, in het steegje.'

'Dat had je kunnen doen,' zei hij knikkend, 'maar dat was niet wat ik wilde.'

'En je hebt morgenochtend training,' voegde ze eraan toe.

'Ja,' zei hij terwijl hij een stap dichter naar haar toe deed.

'Waarom ben je gebleven?' vroeg ze zachtjes. Haar stem had echter een ondeugende ondertoon. Het was niet zozeer een vraag, maar een uitdaging. Ze voelde dat hij dichter naar haar toe kwam.

'Je bent me niet naar het balkon gevolgd omdat je Athene wilde zien, hè, Zeke?' De spanning tussen hen beiden nam meteen weer toe.

'Olivia,' zei hij, met een stem die zo diep en ruw was dat er een hete, heerlijke sensatie langs haar ruggengraat trok. Ze raakte zijn schouder aan en voelde zijn spieren samentrekken bij haar aanraking. De eerste paar knopen van zijn overhemd waren los, dus bewoog ze haar hand zachtjes over zijn schouder, streelde zijn nek en begon zich langzaam een weg naar beneden te banen langs het blote stukje huid van zijn borst. Voordat ze erover na kon denken, legde ze een vinger op een van de knopen van zijn overhemd en maakte die los. Hij keek op haar neer met een intense blik van verlangen die haar bijna deed stoppen. Maar ze wist wat ze wilde. Ze naderde hem, totdat hun lippen elkaar bijna raakten. Zijn handen gleden langs haar rug en rond haar middel. Hij leidde haar langzaam weg van het balkon, terug naar het zwakke, warme licht van de slaapkamer, waardoor de gloed van de stad steeds verder op de achtergrond raakte.

'Wil je dit?' vroeg hij, terwijl hij haar naar het bed leidde.

'Ja,' zei ze toen hij traag zijn handen om haar middel legde en vervolgens haar arm bedekte met warme, ademloze kussen, van haar hand tot aan haar schouders.

'Waarom ben je niet naar het feest gegaan?' vroeg ze. Ze was niet op zoek naar geruststelling, maar ze wilde hem het hardop horen zeggen. Het kwam eruit als een gefluister terwijl zijn warme, ruwe handen zachtjes de rondingen van haar lichaam volgden. Het was een langzame, zoete marteling, en ze wilde niet dat hij ophield.

'Olivia,' zei hij. Het geluid van haar naam op zijn lippen deed zijn oogleden fladderen, ze wilde het keer op keer horen. 'Je... weet... waarom,' vervolgde hij, zijn ademhaling onregelmatig.

'Ik weet het niet,' zei ze zo onschuldig mogelijk, terwijl hij opnieuw traag een verleidelijk spoor van kussen achterliet op haar lichaam en haar met een nonchalante aanraking van zijn vingertoppen in vuur en vlam deed staan. Hij streelde de zijkant van haar gezicht en keek haar in de ogen met een mengeling van verlangen en aanbidding waardoor ze zich heerlijk licht in haar hoofd voelde.

'Zeke. Geen daden... maar woorden,' zei ze, terwijl ze hem recht in de ogen keek. Deze keer zou ze de stiltes niet voor hem invullen.

'Ik wil...' zei hij, buiten adem klinkend en slikkend. 'Ik wil... jou.' Hij keek haar aan met zoveel intensiteit dat haar bravoure wegsmolt als sneeuw voor de zon.

'O,' zei Olivia, en ze veinsde verbazing terwijl haar lippen weer lichtjes omhoog krulden. Toen keek ze hem weer aan. 'Oké, tijd voor de daden,' fluisterde ze.

Hun lippen raakten elkaar en het voelde alsof er een wild vuur ontvlamde. Het gevoel van zijn handen op haar huid was bedwelmend, ze wilde meer. Ze sloeg haar benen om hem heen, trok zijn lip tussen haar tanden en zuchtte toen ze voelde welk effect ze zo duidelijk op hem had. Ze streek met de toppen van haar nagels over de huid van zijn blote armen en knoopte de rest van zijn overhemd los. Hij kuste haar schouders en borstbeen, heet, snel, kwellend. Zijn ogen waren wijd opengesperd om haar te ontdekken en elk onderdeel in zich op te nemen. Toen draaide hij haar om en begon traag, pijnlijk traag, de fijne sluiting van haar jurk los te maken. Olivia liet haar behoefte om alles onder controle te hebben varen en liet haar huid, lippen en heupen voor zich spreken terwijl ze bezweken voor het plezier dat door haar aderen stroomde. Ze trokken lijnen van verlangen langs de rondingen en ruwe contouren van elkaars lichaam, genietend van elke aanraking totdat ze zweefden op de dromerige wolk van genot.

41

Zeke

Dag zes van de Olympische Spelen van 2024

'Coach, we zouden het moeten vieren – ik ben eerste geworden!' zei Zeke, terwijl hij een handdoek om zijn schouders sloeg. Zeke zag zijn glorieuze overwinning in de halve finale nog steeds op de grote schermen en hij kon het gejuich van het publiek nog horen. Maar zodra hij over de finish was gekomen, had coach Adam gezegd dat hij meteen weer naar binnen moest gaan.

'Ja, Ezekiel, jij bent eerste geworden, maar dat is niet waar het allemaal om draait, toch? Hoezo? Omdat je besloot de nacht voor je halve finale… feestend door te brengen,' zei coach Adam, terwijl ze de kleedkamer binnenliepen.

'We vierden gewoon Valentina's overwinning,' zei Zeke.

Coach Adam keek hem streng aan. 'Valentina kan uitgaan en feest vieren. Hoezo? Omdat zíj haar medaille heeft. Zíj is gisteravond uitgegaan omdat ze de volgende dag geen wedstrijd had. Maar jij, Zeke, jíj had dat wel,' zei coach Adam geïrriteerd zijn hoofd schuddend.

'Maar ik heb niet gedronken en ben niet in de problemen gekomen,' zei hij. Het was een zwak excuus.

'Hoe vaak moet ik het nu nog zeggen? Maak plezier en geniet van je leven, maar laat het niet afleiden van je werk!' Coach

Adam slaakte een geïrriteerde zucht. 'Ja, het is de wedstrijd die ertoe doet, maar weet je wat er ook toe doet? Professionaliteit, de gedragscode voor atleten, je sponsoring en de reputatie van het hele team. De sprint is een op zichzelf staand evenement, maar je komt uit voor het Britse team, niet voor team Zeke. Als je iets onverantwoords doet, schaadt dat de reputatie van het hele team.'

'Ja, maar, coach...'

'Geen ge-ja-maar-coach. Weet je van wie ik vanochtend om zes uur een telefoontje kreeg?' vroeg hij.

Zeke had geen idee.

'De Griekse krant, toen van *The Sun* en toen van TMZ en uiteindelijk kwam ik in een videocall terecht met het pr-team van het Britse team,' zei coach Adam.

Zeke trok een grimas. Dat was geen goed teken.

'Maar dat heb ik allemaal voor je verborgen gehouden, zodat jij je kon concentreren op je wedstrijd. Gefeliciteerd, je was geweldig op de baan. Maar kijk...' De coach reikte naar zijn bureau en haalde er een stapel papieren en zijn iPad uit.

Hij las de eerste krantenkop: KROEGENTOCHT VOOR GOUDEN PLAK.

Op de voorkant stond een foto van hem, Haruki en Valentina, rennend door een steegje om aan de paparazzi te ontsnappen.

'"Zeke en Valentina's hete, wilde nacht in de stad",' las coach Adam hardop voor terwijl hij naar de volgende krant bladerde. '"Een loopje met de Olympische Spelen?"'

'We hebben er geen loopje mee genomen,' zei Zeke verdedigend.

'Ik pik dit niet langer, Zeke.'

'Sorry, coach, het zal niet nog eens gebeuren,' zei Zeke.

'Je weet dat ik nu een voorbeeld moet stellen, toch?' zei hij.

Zeke knikte alleen maar en wachtte op het vonnis.

'De rest van de Spelen mag je het dorp niet uit. En zojuist heb je ook een avondklok verdiend,' zei coach Adam. 'Ik wil dat je elke avond om stipt zeven uur terug bent in het appartement, en je mag pas rond zes uur 's ochtends weer naar buiten voor je eerste training.'

Zeke kende coach Adam al sinds zijn veertiende. Hij kende hem dus goed genoeg om te weten dat als hij eenmaal ergens een besluit over had genomen, het zinloos was om hem van het tegendeel te overtuigen.

'Oké, coach,' zei Zeke, die zijn lot aanvaardde.

'Oké, rust nu maar even uit. De training begint morgenochtend om halfzeven,' zei de coach toen hij opstond om te vertrekken. 'En Zeke? Wat het ook was waarom je vannacht weg bent gebleven, ik hoop dat het de moeite waard was,' zei hij, voordat hij de ruimte verliet.

Zeke ging op de bank zitten en dronk nog een fles water. Gisteravond was zeker de moeite waard geweest. Hij appte al met Olivia sinds hij haar die ochtend bij de poort van het dorp had gekust, en tussendoor had hij bijna voortdurend aan haar gedacht. Toen hij naast haar de zon had zien opkomen, voelde hij een vreugde die hij maar een paar keer in zijn leven had ervaren. Hij bleef maar denken aan hoeveel hij van haar hield, hoe mooi ze was, hoe perfect gisteravond was geweest. Ze hadden elkaar gekust alsof de lippen van de ander een reddingslijn waren, ze hadden elkaars lichaam vastgehouden alsof de wereld over enkele seconden zou vergaan en ze hadden elkaar de hele nacht gekoesterd alsof er niemand anders op de wereld was geweest behalve zij. Het was hartstochtelijk geweest, teder, heet, zoet, roekeloos en vol eindeloos genot.

Maar in plaats van in slaap te vallen, hadden ze de hele nacht doorgebracht met praten. Ze hadden elkaar hun favoriete herinneringen verteld en gepraat over de momenten die hun leven hadden gevormd. Hoe langer het duurde, hoe duidelijker het werd dat hij verliefd op haar aan het worden was. Hij wilde haar meenemen naar alle plaatsen die belangrijk voor hem waren, haar voorstellen aan de mensen van wie hij hield en haar hele geest, lichaam en ziel leren kennen. Hij had een glimp van een oneindige toekomst voor zich gezien. Zich voorgesteld hoe het zou zijn om met haar in de keuken te dansen en op zondagochtend met haar wakker te worden. Maar de angst kwam altijd weer terug.

Als het leven hem toelachte, was zijn eerste reflex om beren op de weg te gaan zien. Euforie en angst gingen bij hem hand in hand, maar de herinnering aan de manier waarop het maanlicht weerkaatst werd in haar ogen, liet hem niet los.

42

Olivia

Dag zes van de Olympische Spelen van 2024

'Je bent anders vandaag,' zei Arlo, terwijl hij naar Olivia keek.

'Hoe bedoel je?' vroeg Olivia terwijl ze een slok van haar koffie nam. Zij en Zeke hadden die ochtend bij het krieken van de dag het huis verlaten, zodat Zeke terug naar zijn appartement kon sluipen en Olivia om zeven uur in het dorp was om aan haar nieuwe werkdag te beginnen. Zij en Arlo zouden de vrijwilligers bij de registratiebalie helpen met het uitdelen van perskaarten aan de journalisten die verslag zouden doen van de wedstrijden van die dag.

'Ik weet het niet, je lijkt gewoon meer ontspannen dan anders,' zei Arlo terwijl hij haar aankeek. Arlo wist hoe ze eruitzag na haar drukste dagen met oproepen. Er bestond dus geen twijfel over dat dit waarschijnlijk de eerste keer was dat hij haar ontspannen zag.

'Vóór acht uur 's ochtends voel ik me altijd als herboren,' zei ze naar waarheid. Olivia was vroeg in de ochtend het meest ontspannen, voordat de indrukken van de dag haar blikveld vertroebelden. Maar er was iets anders op haar gezicht leesbaar en Arlo zag het.

'Ben je gisteravond echt bezig geweest met het schrijven van sollicitatiebrieven?' vroeg Arlo, terwijl hij een wenkbrauw optrok.

'Nou, zo begon mijn avond wel, maar toen... raakte ik afgeleid.'

'Afgeleid?' vroeg hij nieuwsgierig.

'Ja, je weet hoe het gaat,' zei ze terwijl ze haar schouders ophaalde.

'Olivia, nonchalant doen gaat je niet goed af,' zei Arlo terwijl hij haar nog eens goed in zich opnam in een poging haar te doorgronden; maar ze wendde haar gezicht af zodat hij de waarheid niet uit haar blik zou opmaken. 'Heeft het iets te maken met het feit dat je naar je telefoon blijft staren?' vroeg Arlo.

'Ik staar helemaal niet naar mijn telefoon,' zei ze verontwaardigd. Maar dat had ze wel gedaan. Zij en Zeke hadden met elkaar geappt sinds ze haar appartement hadden verlaten.

'Heeft het iets te maken met die lange, geweldig knappe atleet die duidelijk door jou geobsedeerd is?' zei Arlo op plagerige toon.

Olivia had hem niet verteld over de kus in de lift, of over alle overweldigende gedachten en gevoelens die sindsdien in haar opgeborreld waren. Dat het gisteravond gevoeld had alsof haar lichaam in vuur en vlam stond. Ze was er vrij zeker van dat het beeld van Zeke die de binnenkant van haar dij kuste, voor de rest van haar leven in haar geheugen was geprent. En dat, toen ze die ochtend wakker was geworden in Zekes armen, terwijl hij teder met zijn vingers door haar haar streek... ze zich zonder enig gevoel van twijfel had gerealiseerd dat ze er tot over haar oren in zat. En dat de kans klein was dat ze zich over haar gevoelens heen zou kunnen zetten.

Maar Arlo doorzag mensen als geen ander. 'Heb je vannacht überhaupt wel geslapen?' vroeg hij, terwijl hij geamuseerd zijn hoofd schuin hield.

Ze opende haar mond en sloot die meteen weer.

'Olivia!' riep hij opgewonden uit, terwijl hij haar eindeloos met vragen bestookte toen ze aan hun dienst begonnen.

Het werd al snel haar drukste dag tot nu toe. De oproepen bleven binnenkomen. De hele ochtend en middag liep ze van hot naar her in het dorp. Ze ging naar het appartementengebouw van Zuid-Korea om een stapel vipkaarten af te geven voor de boogschietwedstrijd van die middag en haastte zich vervolgens naar het paardensportveld om bezorgers te helpen uitzoeken waar ze achtendertig dozen hooi moesten afgeven. Na uren rondrennen kreeg ze eindelijk de kans om even te gaan zitten en een glas water te drinken, maar toen kwam haar walkietalkie weer tot leven.

'Op een schaal van één tot tien, hoe druk heb je het momenteel?' vroeg Arlo. 'Want er is nog een receptie vanavond waarbij ze vergeten zijn om...'

Ze wist al hoe Arlo zijn zin zou afmaken.

Bij de Olympische Spelen draaide alles om sport, maar door de enorme schaal en reikwijdte ervan vonden er elke dag altijd minstens een dozijn verschillende evenementen plaats in het dorp die niets met sport te maken hadden. Recepties voor internationale diplomaten, rondleidingen voor kinderen van lokale scholen en grote evenementen voor grote geldsponsors. Voor elk evenement waren catering, risicobeoordelingen en veiligheidscontroles nodig. Maar iedereen vergat altijd om goodiebags te bestellen, tot het allerlaatste moment. Dan zorgde Arlo of Olivia daarvoor.

Het kantoor aan de achterkant van het atletencentrum was eigenlijk een soort inpakruimte voor goodiebags en het zag eruit als de werkplaats van de Kerstman. Er stonden dozen vol met officiële olympische artikelen. Shirts, pennen, notitieboekjes, snoepjes, waterflessen; eigenlijk alles waar je een logo op kon laten zetten. Dus pakte Olivia honderdvijftig papieren tasjes en begon die te vullen. Onderwijl dacht ze aan Zeke. Als ze eerlijk tegen zichzelf was, dacht ze al de hele tijd aan Zeke. Tijdens het verzamelen van alle benodigde artikelen, speelde ze hun gesprekken steeds weer opnieuw af in haar hoofd. Telkens wanneer ze een tenue van het Britse team spotte, hoopte ze dat hij het was. Ze merkte zelfs dat ze glimlachte als ze langs een lift kwam.

Olivia was niet naïef; ze had de geruchten gehoord over het liefdesleven van olympische atleten. Hoe ze de atletenwijken van het dorp behandelden als een studentenhuis uit een van die ordinaire universiteitsfilms uit de jaren negentig. Ze wist dat, ondanks wat hij haar gisteravond had verteld, dit voor Zeke waarschijnlijk slechts een zomerliefde was. Een vrijblijvend iets. Ze wist best dat ze niet zo dom moest zijn om te rekenen op een sprookjesachtige romance. Ook al wilde ze dat wel graag. Dus hoewel het enorm verleidelijk was om zich voor te stellen dat dit langer zou duren dan de tijd die ze in Athene door zouden brengen, zorgde ze ervoor dat ze met beide benen op de grond bleef staan. Augustus zou niet eeuwig duren en als de maand voorbij was, zou ze het hopelijk te druk hebben met een nieuwe baan in een nieuwe stad om stil te staan bij haar gebroken hart. Dus schudde ze haar hoofd, pakte de laatste goodiebags en reed naar het chique restaurant aan de andere kant van het dorp.

Het was veel gedistingeerder dan ze had verwacht. Op elke tafel stonden verse bloemen en flakkerende kaarsen. De naamkaartjes waren met de hand gekalligrafeerd en er speelde ontspannende jazzmuziek toen ze binnenkwam. Het zag er allemaal zo elegant en georganiseerd uit dat Olivia zich helemaal niet op haar gemak voelde in haar felblauw met gele uniform en kleurrijke goodiebags. Het was echter haar laatste oproep van de dag, dus ze was te moe om daarover na te denken. Toen Arlo haar belde over het evenement, had hij haar alleen verteld waar het was en hoeveel tassen ze moest meenemen. Maar pas nu ze naar het scherm keek, besefte ze waar ze beland was. Op het scherm stond DIPLOMATENDINER OLYMPISCHE SPELEN 2024. Olivia slaakte een diepe zucht.

Ze keek naar de andere kant van de ruimte, waar twee mannen in pak stonden te praten en toen ze goed keek, herkende ze hen als twee functionarissen uit het Internationaal Olympisch Comité. Ze las de naamkaartjes op de tafels en realiseerde zich dat die voor de ambassadeurs van de deelnemende landen waren, die ze zo graag had willen ontmoeten.

Olivia voelde hoe de doffe pijn van verdriet zich in haar binnenste begon te nestelen. In je verbeelding voor je zien hoe je zomer had kunnen verlopen was heel anders dan binnenlopen in de alternatieve versie van haar toekomst. Het leek een wrede grap. Zíj had daar bij de functionarissen moeten staan, in een van de vele formele jurken die ze voor dit soort gelegenheden had ingepakt. Ze zou vroeg zijn aangekomen en de hele avond indruk op hen hebben gemaakt met haar uitgebreide kennis over internationale betrekkingen. Ze had erover gefantaseerd dat ze zó zou uitblinken dat ze haar droombaan bij de Olympische Spelen op een presenteerblaadje aangeboden zou krijgen. In plaats daarvan stond ze bij de deur in haar verkreukelde vrijwilligersuniform en zag ze eruit als een bezorgster. Ze wilde snel de tassen afgeven, terugrijden naar het atletencentrum en de volgende shuttle naar huis nemen. Maar toen hoorde ze een stem achter zich.

'Zijn dat de goodiebags? Gelukkig, ik zou zwaar in de problemen zijn gekomen als ze er niet waren,' zei de stem.

Olivia kende die stem. Ze was meteen in een grimmige stemming. Het was die vervloekte Lars Lindberg.

En opeens was het alsof ze weer terug was op de universiteit. Olivia was toen niet echt veel met Lars omgegaan. Hij had nauwelijks tijd op de campus doorgebracht, behalve met feesten of kletsen met de gastsprekers met wie zijn ouders altijd een ontmoeting voor hem regelden. Ze waren elkaar zelden tegengekomen, dus had ze geen reden om stil te staan bij die belangrijke pief van de campus, wiens rijke, invloedrijke familie met genereuze donaties de renovatie van de bibliotheek financierde. Behalve die ene avond in haar tweede jaar.

Olivia was erop gebeten geweest om een goede zomerstage te bemachtigen. Het begin van het jaar had ze voortdurend open dagen bezocht, bijeenkomsten georganiseerd en ervoor gezorgd dat zij het hoogste cijfer haalde, niet alleen van haar klas, maar van de hele faculteit. Op papier had ze alles voor elkaar, dus had een van haar favoriete docenten haar uitgenodigd voor de chique jaarlijkse receptie die de universiteit hield voor haar invloedrijkste alumni. Ze was naar de winkelstraat gerend en had zich in de schulden gestoken om een outfit te kopen die haar het gevoel gaf dat ze erbij hoorde. Vervolgens had ze haar haar ingevlochten en in een paardenstaart gedaan en was ze naar de receptie gegaan. De zaal zat vol met CEO's, oprichters van grote bedrijven, partners van advocatenkantoren, politici en IT-ondernemers. Hoewel Olivia nog maar twintig was en zich nog steeds een beetje een vreemde eend in de bijt voelde als ze omringd werd door zulke succesvolle mensen, had ze haar best gedaan. Ze had rondgelopen en zichzelf voorgesteld aan de mensen die de loop van haar carrière konden beïnvloeden. Ze had haar uiterste best gedaan om te doen alsof ze daar thuishoorde. Toen stelde een van haar docenten haar voor aan Christian Millar, de baas van Millar and Partners, het beste advocatenkantoor in Londen.

Haar docent prees haar de hemel in en liet haar daarna aan haar lot over toen ze in een gesprek verwikkeld was met Christian over een grote rechtszaak in de stad, waarover ze wekenlang had gelezen. Maar toen had Christian langs haar heen gekeken. Ze kende die blik – de persoon met wie ze sprak keek de zaal rond om te zien of er iemand anders was met wie hij liever praatte. Ze was eraan gewend, vooral op dergelijke evenementen. Maar in plaats van met een andere CEO, zakenman of succesvolle collega te gaan praten, wendde Christian Millar zich van Olivia af, terwijl ze haar zin nog niet afgemaakt had om met... Lars Lindberg te praten. De zoon van een van zijn belangrijkste klanten.

Olivia werd al snel het onzichtbare derde wiel aan de wagen toen het gesprek haar boven de pet ging. Met haar glas in haar hand luisterde ze een tijdje naar de verhalen over het skiseizoen en de favoriete golfclub van Lindberg. Zwijgend hoorde ze aan hoe ze een diner planden in Lars favoriete restaurant in de stad en met lede ogen zag ze aan hoe ze bij haar wegliepen zonder afscheid te nemen. Olivia's docent wierp haar een meelevende blik toe vanaf de andere kant van de ruimte, maar zo ging het nu eenmaal. Jongens als Lars, die in dit soort kringen waren opgegroeid, zouden altijd makkelijker kunnen bereiken wat ze wilden.

Ergens wist Olivia best dat als ze was opgegroeid met dezelfde rijkdom, mogelijkheden en kansen als Lars, ze daar ook het beste van zou hebben gemaakt. Ze wist ook dat Lars zich die avond waarschijnlijk niet eens herinnerde, of zelfs maar weet had van het feit dat hij altijd perfect leek te passen op de plaatsen waar Olivia niet binnen kon komen. Maar hem hier te zien, op de stageplaats die zij zo graag had gewild, raakte haar diep. Dus zodra ze Lars zag, stond ze klaar met haar oordelen.

Ze had een afkeer van zijn dure maatpak. Ze verafschuwde het horloge om zijn pols, dat zeker meer kostte dan het jaarsalaris van haar ouders. Maar bovenal haatte ze de toon die hij tegen haar aansloeg.

'Je hebt me echt uit een lastige situatie geholpen, je bent mijn redder in nood,' zei hij voordat hij weer naar zijn telefoon keek en wegliep.

'Graag gedaan. Ik moet deze trolley wel mee terug nemen,' zei ze.

'Prima, je kunt hem meenemen als je alle goodiebags hebt uitgepakt,' zei Lars, terwijl hij nog steeds op zijn telefoon keek. Wanneer ze op evenementen aankwam met lastminutegoodiebags, bedankten de stagiaires en assistenten die ze hadden besteld haar meestal snel en haastten zich om de tassen op te halen en op de tafels te zetten, om alles gereed te hebben voor hun gasten. Maar toen ze Lars door zijn telefoon zag scrollen, realiseerde ze zich dat hij van haar verwachtte dat zíj de honderdvijftig tassen oppakte en ze door de hele zaal op de stoelen van de gasten plaatste voor het evenement dat hij duidelijk zou coördineren.

Meestal hielp ze de andere stagiaires en assistenten. Ze deed haar best meer op Arlo te lijken en had een aantal mensen van haar leeftijd ontmoet die in het dorp werkten. Ze had ook genoten van de walkietalkiegesprekken waardoor ze meer dan vijftien minuten met een onbekend iemand kon doorbrengen. Maar Lars stond daar maar op zijn telefoon te kijken, wachtend tot zíj de goodiebags uitlaadde.

'Ik ben alleen voor het inpakken en bezorgen van de goodiebags,' zei ze kortaf. Hij keek naar haar op. Ze weigerde het oogcontact te verbreken. Ze zaten in een impasse, maar het was volkomen eenzijdig. Lars had een stoïcijnse uitdrukking op zijn gezicht.

'Ik zou het zeer waarderen als je op iedere stoel waar een naamkaartje voor staat een goodiebag zou zetten. Het kost niet veel tijd,' zei hij met een knikje voordat hij wegliep.

Toen draaide hij zich om en zei, alsof het een bijzaak was…

alsof het een bijzonder vriendelijk gebaar was in plaats van slechts het absolute minimum: 'Bedankt', met een knipoog, en liep toen weg om met de andere mannen in pak te praten.

Olivia voelde de stille, zinderende woede langzaam opkomen. Het begon in haar vingers, trok omhoog via haar armen en veroorzaakte vervolgens spanning in haar schouders en nek. Ze klemde haar tanden op elkaar en slikte. De toon die hij zojuist tegen haar had aangeslagen kende ze als een tweede taal. Ze wist precies hoe hij zijn stem had verdraaid om de schijn van beleefdheid op te houden, het familiaire toontje om het zakelijke karakter van de opdracht te verhullen. Het was gepolijst en vaak in de praktijk gebracht. Ze wist dat hij het haar niet vroeg, maar dat hij het haar opdroeg. Het was de stem die rijke, goed opgevoede mensen gebruikten als ze met de hulp spraken. Ze hoorde in gedachten al hoe Lars' moeder deze toon aansloeg. Ze was waarschijnlijk een elegante vrouw van eind vijftig, wier haar altijd pas geföhnd was en die wikkeljurken van Diane von Fürstenberg droeg alsof ze speciaal voor haar gemaakt waren. De moeder van Lars dacht waarschijnlijk dat de mensen die haar eten kookten, haar gazon maaiden en haar toiletten schoonmaakten, haar als een vriendin beschouwden. Waarschijnlijk kwam de moeder van Lars uit een oud geslacht van dames die mensen zoals zij inhuurden om de rommel op te ruimen die ze zelf hadden veroorzaakt, maar toch een goed gevoel hadden over zichzelf omdat ze hun een vrije dag hadden gegeven. Terwijl ze met Kerstmis natuurlijk alle hulp nodig hadden die ze konden krijgen.

Zijn woorden waren op zich niet zo slecht, maar in zijn stem klonken alle blauwe hyperlinks door naar andere rijke erfgenamen op de wikipagina van zijn familie. Olivia zag voor zich hoe hij zijn hele leven in de watten werd gelegd door de bedienden in een van de acht (ze had het gecontroleerd) huizen over de hele wereld. Ze wist dat iemand anders haar misschien verbitterd zou noemen, maar dat zorgde er niet voor dat de groeiende wrok jegens Lars minder werd. Dus in plaats van de goodiebags op te pakken en ze een voor een op de stoelen te plaatsen, zoals hij had gevraagd, nee, zoals hij haar had opgedragen… pakte ze zoveel mogelijk tasjes tegelijk, zette ze op de grond en reed haar karretje het restaurant uit. Toen ze wegging, hoorde ze Lars roepen.

'Hé, ik dacht dat je me zou helpen…' zei hij, maar ze onderbrak hem.

Ze draaide zich om en glimlachte beleefd. 'Ik ben alleen voor het inpakken en bezorgen van de goodiebags… Het kost niet veel tijd,' zei ze, schouderophalend zijn woorden herhalend terwijl ze zich omdraaide en haar lege karretje het restaurant uit reed.

Maar zoals meestal voelde die kleine daad van verzet niet zoals ze had gewild. Ze had gedacht dat als ze de tassen op de grond zou zetten en zijn woorden zou herhalen, ze zich stoer zou voelen. Maar dat was niet het geval.

Inderdaad, Lars zou voor één keer in zijn leven zelf zijn handen uit de mouwen moeten steken. Maar hij was nog steeds de man in het dure pak die tijdens het chique diplomatieke diner met andere machtige mannen in pak praatte. Hij bevond zich in een positie waardoor hij alles kon bereiken wat hij wilde. Hij had een vangnet van een miljard dollar en een familie achter zich met grote namen die hem zouden steunen, zodat hij niet zou struikelen. Ondertussen was Olivia gewoon het zoveelste anonieme gezicht voor mensen zoals hij, die op vrijwillige basis aan het werk was in haar inmiddels gekreukelde, iets te grote, blauw-gele uniform. Dat voelde helemaal niet als een triomf.

43

Zeke

Dag zeven van de Olympische Spelen van 2024

Zeke had Haruki een appje gestuurd, maar hij reageerde nergens op. Hij had geprobeerd hem te bellen, maar de telefoon bleef overgaan tot die uiteindelijk overging op voicemail. Haruki wilde niet met Zeke praten en Zeke kon het hem niet kwalijk nemen. Zeke werd gemarteld door de herinnering aan de overrompelde blik in Haruki's ogen gisteravond. De blik die hij had genegeerd. Zeke had nergens spijt van wat Olivia betrof, maar het speet hem wel dat hij Haruki zoveel verdriet had gedaan.

Zeke was niet van plan geweest hem een rad voor ogen te draaien. Ja, Haruki had de hele week gepraat over het meisje dat hij leuk vond, maar hij had haar naam nooit genoemd, dus Zeke had niet kunnen weten dat het Olivia was. Als hij meer vragen had gesteld en de puzzelstukjes in elkaar had gepast, had hij misschien beseft dat ze al die tijd aan dezelfde vrouw hadden gedacht. Als dat het geval was geweest, had Zeke het kunnen stoppen voordat het te ver was gegaan. Maar tegen de tijd dat ze bij Aditi's appartement waren, wist Zeke hoe het zat. Hij had dus sowieso geen excuus gehad om door te gaan met Olivia. Hij had het aan Haruki moeten uitleggen of aan het eind van de avond naar huis moeten gaan. Maar Zeke was in het appartement van Olivia gebleven. Wie deed dat zijn beste vriend aan?

Zeke had net besloten om zijn maaltijd over te slaan en naar het gebouw van Japan te gaan om Haruki's huisgenoten over te halen hem door te laten en zich persoonlijk te verontschuldigen, toen hij een bekende stem hoorde en zijn plannen vergat.

'*Mukoma* Ezekiel, ben jij dat?' Zeke draaide zich om.

'Simba? Waarom heb je me niet verteld dat je hier was!' zei Zeke, oprecht verrast hem te zien. Simba was de aanvoerder van het Zimbabwaanse roeiteam.

'We wisten nou eenmaal niet of we ons zouden kwalificeren,' zei Simba lachend. Zeke omarmde hem en de rest van het roeiteam. Hij was zo blij om ze te zien. Hoewel de atleten van het Britse team als familie voor hem waren, voelde de omgang met de sporters van het Zimbabwaanse team anders. Het was meer alsof hij tijd doorbracht met zijn neven of beste vrienden. Ze spraken dezelfde taal, hadden dezelfde opvoeding gehad en deelden een verleden. Gesprekken met hen gingen als vanzelf.

Het Zimbabwaanse team was niet echt uitgebreid. In feite was het dat jaar een van de kleinste delegaties van atleten op de Spelen. Maar wat ze misten aan omvang en financiering, compenseerden ze met energie. Ze haalden eten in de kantine en gingen naar de grote picknicktafels bij het meer. Zeke voelde dat hij overspoeld werd door een golf van troost. Samen met hen eten terwijl ze elkaar moppen vertelden in het Shona voelde alsof hij even thuis aan tafel zat. Simba haalde zijn luidsprekers tevoorschijn en op de achtergrond speelden de bekende liedjes waarmee hij was opgegroeid, terwijl hij Zimbabwaans eten at en naar de anderen luisterde, die hem overdreven verhalen vertelden met weidse gebaren over hoe ze op het nippertje naar de Spelen konden. Iets aan dit alles zorgde ervoor dat hij zich volkomen op zijn gemak voelde.

Het gevoel van thuis kun je overal ter wereld ervaren. Dat had Zeke geleerd tijdens zijn allereerste internationale wedstrijd, een atletiektoernooi in Toronto, waar hij op twaalfjarige leeftijd met zijn vader naartoe was gereisd. Hij had op zijn tweede avond heimwee gehad tot zijn vader zijn favoriete Zimbabwaanse liedjes begon af te spelen in de hotelkamer. In Londen vond hij de liedjes meestal irritant. Zijn moeder liet ze elk weekend bij het krieken van de dag al door het huis schallen, om niet zo subtiel aan te kondigen dat het een schoonmaakdag was en dat ze wachtte tot hij en zijn broers naar beneden kwamen om haar te helpen. In Londen zorgde het geluid van de marimba's, akoestische gitaren en teksten in het Shona ervoor dat hij eerder wakker werd dan hij wilde en wist hij dat zijn vader en moeder hem over school zouden ondervragen terwijl hij zijn klusjes deed. Toen zijn vader de liedjes afspeelde in een hotelkamer aan de andere kant van de wereld, tijdens zijn eerste grote reis, zorgden ze ervoor dat hij zich thuis voelde.

Maar toen weerklonk er een ander liedje uit de luidsprekers van Simba. Een elektrische gitaar begon te spelen, vervolgens viel de piano in en toen begon de tekst. Zeke kende elke noot en elk woord van dat nummer. Maar hij had zichzelf er al jaren niet toe kunnen brengen ernaar te luisteren. Het was het favoriete liedje van zijn vader.

Als het nummer in zijn afspeellijst was langsgekomen, zou Zeke onmiddellijk op skip hebben gedrukt. Als het op een familiefeestje was gebeurd, zou hij naar het toilet zijn gegaan. Toen het uit de bluetoothluidspreker van Simba weerklonk bij het aangelegde meer, stond Zeke onmiddellijk op om te vertrekken, om zo ver mogelijk weg te vluchten van de picknicktafels en de muziek. Zeke wist namelijk dat, zodra het refrein zou beginnen, hij het effect dat het nummer op hem had niet meer zou kunnen tegenhouden. Hij kreeg al flashbacks naar de laatste ochtend met zijn vader. Weer zag hij de vreugde op het gezicht van zijn vader voor zich en de manier waarop de zon door het raam naar binnen scheen. Zeke had de afgelopen tien jaar gewenst dat hij terug kon gaan in de tijd en dat moment nog één keer kon beleven. Maar dat ging niet en het verdriet dreigde hem te overweldigen.

Hij negeerde de verwarde en bezorgde blikken op hun gezichten en beloofde er te zijn bij de volgende maaltijd met team Zimbabwe. Hij negeerde het geroep van Simba die wilde weten of alles in orde was en liep weg, want op dat moment wilde Zeke niets liever dan weten of iedereen thuis wel in orde was.

Hij pakte zijn telefoon en belde zijn broers, maar ze namen geen van beiden op. In Athene was het twee uur later dan in Groot-Brittannië, dus als het hier vijf uur was, was het pas drie uur in Londen. Waarom namen ze niet op?

Hij belde zijn moeder, maar ook zij nam niet op. Zijn moeder stuurde meestal de hele dag door Bijbelverzen, oude foto's en kettingberichten met complottheorieën naar de groepschat van hun familie. Maar ze had die dag niet één bericht gestuurd.

Hij belde haar nog eens en nog eens. Toen belde hij zijn broers nog eens en nog eens. Hij stond midden op het pad stil en appte hen, terwijl de spanning in zijn nek zich opbouwde.

Het gevoel verspreidde zich naar zijn armen en zorgde ervoor dat zijn borst zich samentrok. Hij rekte zich uit en probeerde de spanning van zich af te schudden, maar het werd alleen maar erger. Hij telde om te proberen zijn ademhaling te reguleren, maar dat gaf hem juist het gevoel dat hij niet genoeg lucht kreeg.

Zijn eerste paniekaanval was niet die keer 's nachts, nadat hij zijn eerste medaille had gewonnen; dat was alleen de eerste keer geweest dat hij zich bewust was van het feit dat het om een paniekaanval ging. Zijn eerste paniekaanval kreeg hij toen hij veertien jaar oud was, na het telefoontje dat zijn hele leven op zijn kop zette.

Toen Zeke door het dorp liep, voelde hij de stekende angst en pijn waarvoor hij sinds zijn kindertijd al wegvluchtte. De angst maakte zich van hem meester en hij kon er dit keer niet aan ontkomen. Het maakte hem zwak, waardoor hij nauwelijks op zijn benen kon blijven staan. Elke keer dat hij een paniekaanval kreeg, stond de angst van jaren geleden hem weer helder voor ogen. Alsof dat wat er met zijn vader gebeurd was, hem ook zou overkomen.

Zeke probeerde zich alle technieken voor ogen te halen die hij door de jaren heen had geleerd. Maar hij kon zich niets meer herinneren. Hij probeerde wanhopig zijn ademhaling onder controle te houden, maar het voelde alsof hij erin bleef. Het lukte niet meer om te blijven staan, zijn knieën knikten en hij voelde dat hij zou vallen. Maar voordat hij de grond raakte en zichzelf zou bezeren, voelde hij iemands handen tegen zijn rug. Diegene brak zachtjes zijn val en hielp hem op het gras te gaan zitten. Ze rook naar vanille en sprak met zachte, vriendelijke stem. Olivia.

'Hé, alles komt goed, alles komt goed,' zei ze zachtjes terwijl ze hem hielp om zich zachtjes op de grond te laten zakken.

Zeke probeerde iets te zeggen, maar het kwam eruit als een verstikt gemompel.

'Ik ga nergens heen, je hoeft niets te zeggen,' zei ze terwijl ze zachtjes over zijn arm wreef. 'Alles komt goed, ik ben hier, ja?' zei ze.

Hij mompelde iets wat als 'oké' klonk en sloot toen zijn ogen.

Zeke was aan het trainen geweest toen zijn vader de hartaanval kreeg waaraan hij bezweek. Hoe het eruitzag of hoe het voelde als iemand een hartaanval kreeg, wist hij dus niet. Maar elke keer dat Zeke een paniekaanval kreeg, had hij het gevoel dat hij hetzelfde kreeg als waardoor zijn vader tien jaar geleden het leven had gelaten.

Zijn paniekaanvallen begonnen altijd langzaam. Hij voelde

het vertrouwde gevoel van angst dat hij normaal gesproken in zijn dagelijks leven kon beheersen. Maar dan gingen de emoties over in iets fysieks. De angst trok dan op een trage en onplezierige manier door zijn lichaam. Meestal lukte het hem wel als hij zichzelf snel genoeg geruststelde. Maar af en toe escaleerde het zo snel en heftig dat zelfs zijn beste pogingen niet konden voorkomen dat de angst de overhand kreeg. En hoe.

Zeke voelde zich duizelig. Hij voelde zich misselijk. Hij had het gevoel dat er een band om zijn borst zat, zo strak dat hij niet meer kon ademen. Zeke kreeg het warm. Dan weer koud. Hij had het gevoel dat zijn hart zo snel klopte dat het slechts een kwestie van tijd was voordat zijn lichaam het op zou geven. Hij beefde en zijn ademhaling ging hortend en stotend. Het enige waar hij zich van bewust was op dat moment, was de koele, harde grond waarop hij zat en de warme, zachte hand die de zijne vasthield.

Olivia praatte tegen hem, maar Zeke kon haar niet echt verstaan. Het lukte hem niet om zichzelf te worden. Het enige wat hij kon doen was proberen dóór te blijven ademen. En dat deed hij ook. In en uit, in en uit.

'Ik ga nergens heen, oké? Ik blijf bij je,' zei ze.

Zeke ademde in en uit, in en uit. Toen opende hij zijn mond. 'Honderd… negenennegentig… achtennegentig,' zei hij terwijl hij diep ademhaalde en worstelde om de woorden over zijn lippen te krijgen.

'Je kunt dit,' zei ze toen Zeke tussen zevenenzeventig en zesenzeventig moeite had om op adem te komen.

'Zesenzeventig… vijfenzeventig… vierenzeventig,' zei hij. Elk woord voelde als een gevecht en elke ademhaling voelde als een strijd om te overleven. Maar langzaam telde hij af.

'Drie… twee… één,' zei hij, terwijl zijn lippen trilden en de tranen over zijn wangen rolden.

'Je bent er, wat goed,' zei ze geruststellend. 'Noem nu eens vijf dingen op die je ziet?'

Zeke haalde diep adem en bewoog zijn schouders in een poging de spanning te verlichten. Hij wist waar ze naartoe wilde. Het was de 5-4-3-2-1-methode die Fiona hem had opgedragen toe te passen wanneer hij zich zo voelde.

'Vier dingen die je kunt voelen?' vroeg ze.

Hij probeerde zich te concentreren op alle sensaties buiten zijn lichaam in plaats van die binnen in hem. 'De stof van mijn shirt... de zolen onder mijn voeten.' Hij ademde diep in en ademde vervolgens lang uit. 'De grond onder mijn linkerhand... jouw hand op mijn rechterhand.' Haar hand was zacht en warm, en ze had de zijne stevig vast. Hij kwam langzaam uit de foetushouding en leunde tegen de muur waar ze tegenaan zat.

'En wat proef je?' vroeg ze.

'Tranen, zou ik zeggen, maar ik vind je te leuk om toe te geven dat ik huil. Ook al is dat precies wat ik nu doe, dus ja... ik proef zout water,' zei Zeke.

Olivia moest lachen. Haar lach klonk als honing. Het was het vrolijkste gevoel van die dag, en het zorgde even voor opluchting, al was het dan maar tijdelijk. 'Je kunt gewoon tranen zeggen, Zeke,' zei ze, en ze keek hem aan met een zachte blik in haar ogen.

Ze bleven nog een tijdje naast elkaar zitten en de tijd verstreek. Ze hield nog steeds zijn hand vast. Dat was niet nodig, maar hij wilde ook niet dat ze hem los zou laten.

Zeke was dankbaar. Het engste aan paniekaanvallen was dat hij altijd het gevoel had dat hij op het punt stond te sterven. Hoezeer hij ook tegen zichzelf zei dat hij het rationeel moest benaderen, niets hielp, totdat het vanzelf voorbijging. Het feit dat er iemand bij hem was tijdens zijn paniekaanval, hielp hem zichzelf sneller te herpakken, zodat hij via hen een glimp van de werkelijkheid kon zien voordat hij alles weer op een rijtje had.

Zo bleven ze een tijdje zitten, hand in hand naar het dorp starend. Olivia gaf hem een veilig gevoel. Bij haar hoefde hij niemand anders te zijn dan zichzelf. Vanaf het allereerste moment dat ze elkaar ontmoetten, was hij bij haar helemaal zichzelf geweest. Om de een of andere reden was het bij haar niet nodig om te doen alsof. Hij had niet het gevoel dat hij charmant moest zijn of zich beter voor moest doen dan hij was. Als hij naast Olivia zat, kon hij gewoon zijn wie hij was.

44

Olivia

Dag zeven van de Olympische Spelen van 2024

Olivia voelde hetzelfde. Het gevoel was zo sterk dat ze er bang van werd. Zeke hield haar nog steeds vast, dus tilde ze zachtjes haar arm op en gaf een kus op de rug van zijn hand. Het was een daad van tederheid die haar volkomen onbekend was, maar het voelde net zo natuurlijk als het ondergaan van de zon, die wazige roze en oranje lijnen in de lucht achterliet. Zeke sloeg zijn arm om Olivia's schouder en ze schuifelde dichter naar hem toe totdat ze naast elkaar zaten. Hij plaatste een tedere kus op haar hoofd en liet toen langzaam zijn hoofd op het hare rusten. Ze zaten daar een tijdje in comfortabele stilte. Zekes hartslag vertraagde en zijn ademhaling werd weer normaal.

De zon scheen nog steeds en de rest van het dorp bruiste van de activiteit, maar nu alle andere atleten aan het trainen waren of aan wedstrijden deelnamen, was het atletengedeelte vreemd vredig, alsof de wereld in slow motion draaide.

'Ken je dat gevoel dat je krijgt als kind wanneer je ouders later thuiskomen dan ze hadden gezegd?' vroeg Zeke.

'Als je begint te denken dat er iets ergs met hen is gebeurd?'

'Ja, precies. Als kind dacht ik erover na wat ik zou moeten doen als er ooit iets ergs met mijn ouders zou gebeuren,' zei Zeke in de verte kijkend. 'Ik had een heel plan. Mijn oudere broers zouden terug naar huis komen om voor mij te zorgen, we zouden blijven wonen in het huis waarin we waren opgegroeid en bij het ouder worden zouden we huizen kopen in dezelfde straat. Ik had het gevoel dat als ik me het ergste voorstelde en daarop voorbereidde, het gewoon niet zou gebeuren,' zei hij, beseffend dat hij het nog nooit zo duidelijk had kunnen verwoorden. 'Maar het gebeurde toch.'

Olivia knikte en gaf zacht een kneepje in zijn hand.

Hij beantwoordde het gebaar. 'Ik dacht dat ik nu geen plan meer nodig zou hebben om niet in paniek te raken als de telefoon niet opgenomen werd. Dat ik wist wat verlies was en dat overleefd had, betekende dat ik de angst dat het opnieuw zou gebeuren, aankon. Maar het enige wat nodig was, waren twee onbeantwoorde oproepen naar mijn broers en mijn moeder om mij te reduceren tot... nou ja, dit,' zei hij terwijl hij met zijn linkerhand zwaaide.

Zijn rechterhand klemde de hare nog steeds vast. Ze bleven nog een ogenblik zwijgend zitten. Olivia had niet de behoefte om de stilte op te vullen. Toen ging Zekes telefoon. Hij beantwoordde het videogesprek en op het scherm van zijn telefoon verscheen een oudere vrouw die een chique jurk droeg en op een feestje leek te zijn.

'Ezekiel! Ik heb mijn tas al gepakt om naar je toe te komen,' zei ze grijnzend, waarna ze vertelde dat zij en de broers van Zeke van plan waren om aan het eind van de week al naar Athene te vliegen om over te komen voor zijn finale. Op Zekes gezicht lag een blik van pure opluchting. Het bleek dat zijn moeder die middag op de traditionele Zimbabwaanse bruiloft van een familielid was.

'Mam, ik belde alleen maar om te vragen of alles goed met je gaat,' zei Zeke met een opgewekte stem.

'Het gaat geweldig, uitstekend, fantastisch,' zei zijn moeder, terwijl ze elk woord benadrukte door haar telefoon te bewegen. 'Wacht, wacht, je moet even je tante Chipo gedag zeggen,' zei ze terwijl ze opstond.

'Ik heb helemaal geen tante die Chipo heet,' zei Zeke terwijl hij naar Olivia keek, die lachte toen ze de perplexe blik op zijn gezicht zag.

'Chipo! Chipo! Ezekiel is aan de telefoon, kom snel,' zei de vrouw terwijl ze met haar telefoon in de lucht zwaaide.

'Chipo! Chipo! Ah, daar is ze,' zei Zekes moeder toen een andere even chic uitziende oudere dame in beeld kwam.

'Ezekiel! Ben je het echt? Je moeder zei al dat je volwassen was geworden, maar ik wist niet dat je net zo knap zou zijn als je vader,' zei de andere vrouw.

'Bedankt, tante Chipo,' zei Zeke en hij keek opgelaten toen hij merkte dat Olivia grijnzend naar hem keek.

'Wacht, wacht, is dat een meisje? Ezekiel?' vroeg zijn moeder met grote ogen. 'Ezekiel, heb jij een vriendin? O, Heer, U hebt al mijn gebeden verhoord!' Ze hief een arm ten hemel om dank te zeggen.

'Mam, hou op,' zei Zeke, die zich inmiddels echt begon te schamen.

'Stel je voor, Chipo. Ik heb een zoon van vierentwintig. Hij is atleet, afgestudeerd en superberoemd, maar hij schaamt zich als ik zeg dat hij een zeer begeerde vrijgezel is,' ging Zekes moeder verder.

'Nou zeg, stel je voor,' zei tante Chipo hoofdschuddend.

Olivia glimlachte terwijl ze nadacht over hoe de familiediners van de Moyo's zouden zijn.

Nadat de telefoon was doorgegeven aan zo'n tien familieleden en zijn tantes hem allemaal wilden ondervragen over zijn liefdesleven, overtuigde Zeke uiteindelijk zijn moeder ervan op te hangen.

Toen zaten hij en Olivia op het gras, lachend terwijl ze praatten over de zomers die ze bij hun grootouders in Zimbabwe hadden doorgebracht. Ze wisselden de wildste verhalen uit hun families uit.

'Hoe is jouw familie?' vroeg Zeke.

'Rustig. Ik heb geen broers of zussen, maar ik ken Aditi al zo lang en goed dat ze als mijn zus voelt,' zei Olivia, terwijl ze eraan dacht hoeveel geluk ze had dat ze haar getroffen had.

'En je ouders?'

'Ze zijn dol op mij,' zei Olivia, terwijl ze dacht aan alle appjes die ze gestuurd hadden met vragen over haar stage. En de telefoontjes die ze niet had opgenomen, het tijdsverschil de schuld gevend.

'Het zijn geen stereotype Zimbabwaanse ouders die overbezorgd zijn, maar soms bekruipt me het gevoel dat ze te veel hoop op mij hebben gevestigd,' zei ze.

'Hoe komt dat?' vroeg hij.

'Misschien doordat ze een typische immigrantenachtergrond hebben. Ze hadden een toekomstdroom, zagen die in rook opgaan en stelden toen hun hoop op hun dochter om alsnog hun droom te verwezenlijken. En dat zal ik doen,' zei ze.

'Natuurlijk,' zei Zeke knikkend en hij keek haar vol genegenheid aan.

'Ik weet niet... Soms vraag ik me af wie ik zou zijn geworden als het voor mij niet zo belangrijk zou zijn om succesvol te willen zijn voor hen.' Ze haalde haar schouders op. 'Ik vraag me af of ik zoveel van mezelf erin zou hebben gestoken om de persoon te worden die ik probeer te zijn als ik dat niet voor hén had gedaan.'

'Je weet dat ze trots zullen zijn, wat er ook gebeurt, maar je wilt toch alles voor ze doen,' zei hij precies wetend wat ze bedoelde.

'Juist. Ik wil ze dat tonen door alles wat ik heb gedaan en waardoor ik steeds dichter bij de vervulling van mijn dromen kom,' zei ze.

'Ik heb een jonger nichtje dat Rumbi heet,' zei Zeke. 'Elke paar dagen stuurt ze me een nieuw artikel over iets problematisch wat een van mijn sponsors heeft gedaan of over een kwestie waarover ik me zou moeten uitspreken.'

'Hoe oud is ze?' vroeg Olivia.

'Zeventien,' zei Zeke.

'Kritisch publiek,' zei Olivia.

'Het is de leeftijd waarop je eigenlijk al volwassen bent, maar nog niet voldoende ervaring hebt om het te overzien,' zei Zeke, terwijl hij in de verte staarde.

'Ja, ik herinner het me. Toen ik zeventien was, stippelde ik mijn hele toekomst uit. Wie ik wilde worden, wat ik wilde doen en waar ik in geloofde. Sindsdien heb ik eigenlijk alles gegeven om die geïdealiseerde versie van mezelf te worden.'

Olivia knikte. 'Terwijl ik inmiddels allerlei compromissen heb gesloten die ik als tiener echt niet leuk zou hebben gevonden.' Olivia's gedachten gingen terug naar alle keren dat ze de andere kant op had gekeken – van de vijandige omgevingen tot de roddels over slechte mensen die hoge posities bekleedden.

'Maar soms moet je compromissen sluiten, toch?' zei Zeke zachtjes.

'Ja, maar waar trek je de grens?' vroeg Olivia, terwijl ze eraan dacht hoezeer haar persoonlijkheid was veranderd sinds ze van school was gegaan. 'Toen ik van Rumbi's leeftijd was, waren er zoveel grenzen waarvan ik dacht dat ik ze nooit zou overschrijden. Maar soms besef ik dat ik mijn grenzen verschuif en vrede heb met het sluiten van kleine compromissen als ik daardoor kan bereiken wat ik wil.'

Sinds ze Lars bij het diplomatendiner had gezien, had ze nagedacht over manieren waarop ze toch zou kunnen bereiken wat ze wilde. Ze had erover gedacht rechtstreeks naar Noahs kantoor te gaan en het belangenconflict onder de aandacht te brengen waardoor Lars de voorkeur had gekregen voor de positie. Ze had met het idee gespeeld om anoniem met een journalist te spreken over hoe goed het uitkwam dat de zoon van een miljardensponsor, die in een ernstige juridische procedure verwikkeld was, plotsklaps een baan kreeg bij een organisatie die zichzelf zo luid en duidelijk prees om haar onbevooroordeelde werving. Maar het feit dat ze iets zó graag wilde dat ze daarvoor bereid was over lijken te gaan, gaf haar het gevoel dat ze al te ver was afgedwaald van wie ze ooit had gedacht te zijn.

'Toen ik zeventien was, kon ik goed en kwaad haarfijn onderscheiden en wist ik precies hoe ik níét wilde zijn. En nu zegt een stemmetje in mij: ja, natuurlijk was je zo, omdat je nog nooit iets had meegemaakt dat tegen je principes indruiste. Het is gemakkelijk om idealistisch te zijn als je nooit een compromis hebt hoeven sluiten. Maar een ander stemmetje zegt: als je bereid bent al die compromissen te sluiten, alleen maar om te bereiken wat je wilt... heb je dan wel ooit echt waarde gehecht aan je principes?' zei ze.

'Dat gevoel heb ik ook,' zei Zeke. 'Soms vraag ik me af of ik het pad dat ik heb gevolgd wel zou hebben uitgestippeld als ik van tevoren had geweten hoe het mij zou veranderen.'

Olivia voelde hetzelfde. Ze had altijd geloofd dat ze kon bereiken wat ze wilde en dat ze schone handen kon houden. Maar misschien moest ze haar handen een beetje vuilmaken om bij de grote mannen te horen en de top te kunnen bereiken. De helderheid van dat besef – en het feit dat ze meer dan bereid was die compromissen te sluiten – zorgde voor een innerlijk conflict. 'Ik ben bang dat ik zo ver ben gegaan met het sluiten van compromissen dat ik verander in een persoon die ik niet wil worden,' besloot ze.

'Ben je dusdanig veranderd dat je geen respect meer voor jezelf hebt?' Er was geen oordeel in Zekes ogen, alleen een vraag.

Ze zweeg en nam de tijd om erover na te denken.

'Nee, nog niet. Maar soms voel ik dat ik kleine stukjes van mezelf opoffer en steeds meer van mezelf verlies. Zelfs hier in het dorp is er een pad dat ik zou kunnen bewandelen om hogerop te komen,' zei ze, terwijl ze dacht aan alle manieren waarop ze Lars en Noah terug zou kunnen pakken. 'En als ik die weg insla, bereik ik wat ik wil, maar...'

'Maar tegen welke prijs?' zei hij met een knikje. En toen draaide hij zich om, met een ongemakkelijke uitdrukking op zijn gezicht. 'Ik hoop dat Rumbi nooit verandert, want jij en ik, Olivia...' zei hij grinnikend.

'Wij zijn al veel te diep gezonken,' zei ze, dankbaar voor het luchtige moment tijdens deze dag, die haar zo zwaar gevallen was. Een deel van haar wilde daar nooit meer weggaan en naast hem zitten tot de zon onderging.

'Wat was je aan het doen voordat je mij zag?' vroeg hij.

'Ik was op weg naar de halte van de shuttle,' zei ze, al was ze haar shuttle van kwart over vijf allang vergeten.

'Ik wil wel een taxi voor je regelen, maar ik ben bang dat je me dan vorsend zou aankijken en zou zeggen...'

'Dat ik zelf wel een taxi kan regelen?' zei ze met een glimlach. 'Op wedstrijdavonden rijden de shuttles ieder kwartier, dus dat komt het wel goed,' zei ze, terwijl ze naar de bushalte liepen.

'Olivia, laten we uitgaan. Op een echte date.' Zeke zei zachtjes: 'Noem maar een dag. Ik wil weten wanneer ik je weer zie.'

Ze wilde een grapje maken en in de bus springen. Doen alsof alles gewoon informeel was om zichzelf te beschermen in plaats van zichzelf volledig te laten gaan en zich kwetsbaar op te stellen. Maar over ongeveer een week zouden de Spelen voorbij zijn en zou iedereen in het dorp, inclusief Zeke, weg zijn. Deze zomer was te kort om zichzelf ervan te weerhouden te ervaren hoe het zou zijn om al haar kaarten op tafel te leggen. 'Overmorgen?' vroeg ze.

Hij keek haar recht in de ogen en de intensiteit waaraan ze gewend was geraakt, maakte plaats voor iets zachters, teders.

O nee, dacht ze. Ze was te gelukkig en er was geen weg terug meer.

45

Zeke

Dag acht van de Olympische Spelen van 2024

De hele wandeling terug naar zijn appartement dacht Zeke aan Olivia. Aan de dates die ze samen konden hebben, aan wat hij nog allemaal over haar te weten wilde komen en aan wat hij over zichzelf met haar wilde delen. Hij had haar aardig gevonden vanaf het moment dat ze hem had overtuigd om te zingen tijdens het feest na de openingsceremonie. En sinds die avond in de lift was ze niet meer uit zijn gedachten geweest. Hij had zich al lang niet meer zo gevoeld. En dit gevoel was nog niet eerder zo snel opgekomen.

Toen hij zijn kamer binnenkwam, ving hij een glimp van zichzelf op in de spiegel. O, dacht Zeke, toen hij de verdwaasde blik op zijn gezicht zag en de glimlach die hij niet kon onderdrukken. Hij was verliefd op Olivia, zo simpel was het. Hij was als een blok voor haar gevallen, maar het voelde alsof hij zweefde.

Maar toen herinnerde hij zich dat Haruki sinds die avond in Olivia's appartement zijn telefoontjes en appjes niet had beantwoord, omdat hij zogezegd aan het trainen was. Zeke had dus niet de kans gekregen om iets uit te leggen of zich te verontschuldigen. Maar hij wist dat ze moesten praten over alles wat er gisteravond was gebeurd. Dus belde hij hem opnieuw op.

Dit keer nam Haruki wel op, maar hij zei meteen dat hij het te druk had om iets te zeggen en hing op.

Toen het gesprek beëindigd was, staarde Zeke naar zijn telefoon en voelde zich schuldig. Hij ging naar Haruki's contactgegevens in zijn telefoon en keek naar de foto die hij daar had opgeslagen. Het was een foto waarop ze met elkaar lachten tijdens de Olympische Spelen in Tokio. Hij kon zich de grap niet meer herinneren en de details van de dag waarop ze hem hadden genomen waren niet meer helder. Maar ze zagen er gelukkig uit, op hun gemak bij elkaar, alsof ze familie waren. Hij had zijn best gedaan om het schuldgevoel voldoende te onderdrukken om door te gaan met Olivia, maar hij kon het niet meer ontkennen. Zeke had het helemaal verprutst bij zijn beste vriend. Hij moest het goedmaken, en dat kon alleen door Haruki op te zoeken en een gesprek te voeren dat lang en eerlijk genoeg was om zich te kunnen verontschuldigen. Maar Haruki zou nu gaan zwemmen, dus zou hij hem pas tegen de avond kunnen treffen. En Zeke moest over tien minuten op de atletiekbaan staan. Hij moest het goedmaken met zijn beste vriend en dat zo snel mogelijk doen, maar dat gesprek zou moeten wachten tot na de training.

In de dagen voor een wedstrijd was de planning van Zeke strakker en waren zijn trainingen strenger. Hij wist dat hij zijn energie moest richten op het verhogen van zijn snelheid en het perfectioneren van zijn stap en dat hij er alles aan moest doen wat mogelijk was om beter te lopen dan ooit tijdens de finale. Maar hij was gedurende de hele training afgeleid. Hij probeerde ideetjes te bedenken voor zijn date met Olivia en formuleerde in zijn hoofd alvast excuses aan Haruki.

Na de training kwam hij Valentina tegen. Ze was op weg om wat ijs te halen, dus besloot hij mee te gaan.

'Trouwens, Olivia's huisgenoot gaf me dit laatst toen ik het koud kreeg,' zei Valentina terwijl ze hem een blauw vest gaf.

‘Waarom geef je dat aan mij?’ vroeg Zeke. Valentina vond het leuk om zich als een goede fee op te werpen voor anderen.

‘Om jou een reden te geven om Olivia nog eens op te zoeken, duh,’ zei ze alsof het de meest voor de hand liggende zaak ter wereld was. ‘Omdat je anders weer zes maanden wacht om haar een appje te sturen.’

‘Ik heb haar gisteren mee uit gevraagd,’ zei hij schouderophalend.

‘O ja?’ vroeg Valentina verrast terwijl ze rechtop ging zitten. De vrienden van Zeke plaagden hem altijd met het feit dat hij alles te traag aanpakte als hij verliefd was.

‘Dat is niet de Zeke die ik ken,’ zei ze onder de indruk. ‘Meestal heb je twee weken de tijd nodig om haar nummer te vragen, ben je zes maanden gewoon met haar bevriend en vraag je haar na tien maanden pas mee uit, als je allang verliefd bent,’ zei ze terwijl ze hem probeerde te doorgronden.

‘Helemaal niet,’ protesteerde hij, maar zo was het met Valentina ook gegaan.

‘Of je pakt het zó aan, of je ontmoet een meisje dat je maar half zo leuk vindt, gaat met haar naar bed en ontmoet haar daarna nooit meer,’ zei ze, een niet zo subtiele verwijzing naar de korte romantische verhoudingen die hij het afgelopen jaar had gehad en waarover de roddelbladen hadden bericht.

‘Er zit wel een soort patroon in, hè?’ Zeke haalde zijn schouders op.

‘Dus als je al met haar appt, haar mee uit gevraagd hebt en nog niet weggevlucht bent… dan moet je haar wel echt leuk vinden,’ zei Valentina. Het was een conclusie, geen vraag.

‘Ik vind haar echt leuk en dat heb ik haar ook verteld,’ gaf hij toe en Valentina slaakte een gilletje.

‘Echt? En wat zei ze?’ vroeg Valentina, genietend van dit gesprek.

‘Dat ze zichzelf ook leuk vindt.’

‘O, dan past ze echt bij je,’ zei Valentina, terwijl ze allebei lachten. Ze legde haar gezicht in haar handen en luisterde.

Dus toen vertelde hij haar alles, nou ja, bijna alles. Hij sprak over de eerste keer dat ze elkaar ontmoet hadden, over wat hij leuk vond aan Olivia en wat hij voor haar voelde. Toen gaf hij toe dat, hoe fragiel en riskant het ook leek, hij hiervoor wilde gaan, wat het dan ook was.

Zeke kon zich de dag dat Valentina het uitmaakte nog goed herinneren. Hij had het min of meer zien aankomen. Relaties op afstand waren altijd moeilijk, maar in de maanden voorafgaand was Valentina ongewoon afstandelijk. Hun FaceTimegesprekken werden steeds minder frequent en oppervlakkiger, en hij had gevoeld dat ze uit elkaar groeiden en dat er iets in de lucht hing. Dus toen ze met tranen in haar ogen bij zijn appartement was aangekomen en had gezegd dat ze uit elkaar moesten, omdat ze het gevoel had dat ze niet trouw was aan zichzelf, was hij gewoon gaan zitten en had hij haar aangehoord. Ze had hem alles verteld. Over haar eerste verliefdheid uit haar kindertijd, het meisje dat ze op haar veertiende op een gymnastiekkamp had gekust en alle zorgen die haar ervan weerhielden het leven te leiden dat ze echt wilde. Hij had niet anders gekund dan vrienden met haar blijven. En terwijl ze buiten op het gras zaten, besefte Zeke dat hij en Valentina waarschijnlijk de rest van hun leven met elkaar bevriend zouden zijn. Hij was zo dankbaar dat alles zo was gelopen. Dergelijke vriendschappen waren zeldzaam, dus kocht hij nog een bakje ijs en praatte de rest van de middag met haar. Ze vertelde hem over Leila, over hoe ze elkaar hadden ontmoet en over de dag waarop ze haar aan haar familie had voorgesteld. Hij vertelde haar over Haruki en hoe schuldig hij zich begon te voelen over hoe alles was verlopen, en zij gaf hem advies over hoe hij de situatie moest aanpakken. Toen begon Valentina’s telefoon te rinkelen.

Zeke pakte zijn telefoon en begon naar plekjes te zoeken voor zijn date met Olivia zonder zijn uitgaansverbod of de belachelijke avondklok van zeven uur te overtreden. Maar toen beëindigde Valentina haar telefoongesprek en trok een grimas naar Zeke.

'Eh, Zeke? Hoe leuk vind je Olivia?' vroeg ze.

De waarheid was dat Zeke zich de afgelopen dagen had gerealiseerd dat hij langzaamaan verliefd op haar begon te worden. Elke keer dat hij bij haar was, voelde hij zich beter op zijn gemak dan ooit tevoren. Als ze lachte, of zijn woorden beantwoordde met een korte opmerking, begon hij zich af te vragen hoe het zou zijn om voor altijd bij haar te blijven. Maar het was te groot en te snel om dat toe te geven, dus in plaats daarvan antwoordde hij...

'Ik vind haar heel leuk.'

'En hoe zeker weet je dat Olivia jou ook leuk vindt?'

'Ik... denk dat dat wel zo is,' zei hij, de aanhoudende, zeurende twijfel negerend die hij tegenwoordig over alles leek te voelen.

'Ja, ik denk ook dat zij je leuk vindt. Dat betekent dat je een probleem hebt. Dat was mijn publiciteitsmanager aan de telefoon. Ze vertelde me net dat we de slechtst mogelijke plek hebben uitgekozen voor ons ijsje.'

Een paar meter bij hen vandaan stond een groepje tieners in schooluniform die daar waarschijnlijk waren voor een rondleiding door het dorp. Ze maakten foto's van Zeke en Valentina zonder daar echt heimelijk over te doen. Maar er stonden honderden foto's van hem online die ongemerkt waren gemaakt. Hij vond het niet prettig, maar het was niet echt ongewoon.

'Kijk,' zei Valentina, terwijl ze hem haar telefoon gaf om hem de foto's te laten zien waarover haar publiciteitsmanager gebeld had.

Zeke zag meteen wat het probleem was. Op de foto zaten hij en Valentina zo dicht bij elkaar dat het leek alsof ze op het punt stonden elkaar te kussen. In werkelijkheid hadden ze zich gewoon naar elkaar overgebogen, zodat ze elkaar konden verstaan boven de muziek uit van de luidsprekers van de ijscowagen. Zeke zag echter meteen hoe dit geïnterpreteerd kon worden. Hun gezichten, het ijs, de manier waarop het zonlicht door de bladeren gefilterd werd. Het zag eruit als een romantisch afspraakje, alsof ze net zo verliefd waren als de roddelbladen beweerden. Zeke keek naar het vest in zijn handen en vervolgens naar Valentina.

Zeke moest dit alles uitleggen voordat Olivia de foto's zou zien.

46

Olivia

Dag acht van de Olympische Spelen van 2024

Toen Olivia de wasruimte binnenkwam, glimlachte ze om alle uiteenlopende dingen die ze de afgelopen twee weken had gedaan en die ze nu op een alternatieve versie van haar cv kon zetten. Ze was een expert geworden in het bezorgen van paardenhooi, had honderden kilometers in het golfkarretje gereden, wist precies hoe ze in minder dan tien minuten tweehonderd journalisten door het accreditatiebureau kon krijgen en kon vrij nauwkeurig raden welke sport iemand deed door alleen maar naar hun schoenen te kijken.

Sinds ze Lars Lindberg niet meer volgde, dacht ze er niet meer steeds aan hoe de zomer eigenlijk had moeten zijn en concentreerde ze zich op de zomer die ze daadwerkelijk meemaakte. En dat zorgde voor een wereld van verschil. Ze had met hardlopers uit Sierra Leone gesproken over hun favoriete tv-programma's, Peruaanse badmintonspelers geholpen aan nieuwe sleutels voor hun appartement en voor het eerst Indonesisch eten geprobeerd met een groep gewichtheffers die haar een lepel lieten proeven van alles wat opgediend werd bij hun teammaaltijd. Dankzij haar walkietalkieoproepen kon ze het dorp echt verkennen en er waren ontelbaar veel interessante gesprekken en ervaringen voortgekomen uit haar beslissing om overal ja op te zeggen.

In een pauze onder het verwisselen van de badhanddoeken in de sportschool waar het Servische vrouwenbasketbalteam zojuist gebruik van had gemaakt, pakte ze haar telefoon om even te scrollen. En toen ze dat deed, zag ze een foto van iemand die ze herkende. Zeke.

Voor de zekerheid klikte ze op de foto. Het was hem echt. Hij zat lekker in de zon en at een ijsje. Hij zag er zo goed uit. Zijn gezicht straalde en hij leunde naar voren op de manier waarnaar ze verlangde als ze in het dorp iemand zag aankomen van zijn lengte en huidskleur. Zijn glimlach verwarmde haar hart, en de weerspiegeling van de zon in zijn ogen zorgde ervoor dat ze nóg meer uitkeek naar hun date van morgen. Ze stond op het punt op de likeknop te drukken toen ze zich realiseerde dat het bericht uit meerdere foto's bestond. Ze bladerde erdoorheen en verstijfde. Ze wilde niet geloven wat ze zag, maar ze kon haar ogen er niet van afhouden.

De foto's waren onduidelijk, maar de feiten waren zo helder als wat. Direct naast Zeke zat Valentina Ross-Rodriguez, gekleed in een geraffineerde groene jurk. Ze zaten zo dicht bij elkaar dat Olivia er geen moment aan twijfelde dat de fotograaf een privémoment had vastgelegd. Ze keek naar het gras en zag dat Valentina Zekes hand vasthield. Ze bekeek de hele reeks en zoomde in om te checken of de foto's wel echt waren. Ze kende die ijscowagen, die stond op een plaats die maar tien minuten lopen was van waar zij was. In eerste instantie probeerde ze zichzelf wijs te maken dat het oude foto's waren, gemaakt aan het begin van de Spelen. Maar daar op het gras naast Zeke lag iets wat Olivia onmiddellijk herkende: Aditi's favoriete vest.

Ze had deze bij het stappen laatst aan Valentina gegeven en

het was duidelijk dat de foto's in de afgelopen twee dagen waren gemaakt.

Hoewel ze het eigenlijk niet wilde, scrolde Olivia door de reacties van de zogenaamde ValenZeka-fans die dolblij waren dat hun favoriete stel het weer bijgelegd had. Olivia probeerde een excuus te verzinnen waarom Zeke een een bak ijs zou delen met zijn ex-vriendin en haar hand zou vasthouden... platonisch. Maar er waren grenzen aan waar ze zichzelf van kon overtuigen. Het was weer net als met Tiago. Zeke had haar verteld dat er niets aan de hand was tussen hem en Valentina. Als Olivia inzoomde op de foto's en zag hoe Valentina naar hem keek, zag ze best dat Zeke niet zo eerlijk was als ze dacht dat hij was.

Haar angsten werden bevestigd. Olivia zette haar internet uit, zette haar telefoon op 'Niet storen' en stopte die helemaal onderin haar tas weg, zodat ze niet meer gekwetst kon worden. Ze ging op een van de banken in de sportschool liggen en staarde naar het plafond, zonder van haar plaats te kunnen komen door de overweldigende golf van verdriet die ze voelde.

Natuurlijk hield hij nog steeds van Valentina. Wie zou Valentina niet nog steeds leuk vinden? Ze was mooi, zó mooi dat, als ze niet al turnster was geweest, ze door een modellenbureau zou zijn gerekruteerd. Ze was succesvol: twee dagen geleden had ze zelfs een olympische gouden medaille gewonnen. En de hele wereld zat te hopen dat zij en Zeke weer bij elkaar zouden komen. Ze had de reels en tweets van fans best gezien. Ze hoefde geen Zekentinafan te zijn om te weten dat het gewoon logisch was dat Zeke en Valentina weer bij elkaar waren. Ze waren allebei atleet én beroemd, mooi en charismatisch. Valentina was ambitieus, maar op een inspirerende manier; indrukwekkend, maar zonder naast haar schoenen te lopen; en beeldschoon zonder er moeite voor te hoeven doen.

Olivia stond op en begon de schoonmaakkar de sportschool

uit te duwen. Ze voelde tranen in haar ogen opwellen, maar knipperde die meteen weg. Ze schudde beschaamd haar hoofd. Had ze dan niet geleerd dat zomerliefdes niet betrouwbaar waren? Hoe had ze zich zo snel kunnen laten meeslepen? Zeke had gezegd dat hij haar leuk vond. Maar dat had voor hem geen enkele betekenis. Hij was een atleet en dit waren de Olympische Spelen. Zij was gewoon een toeschouwer. Hoe had ze zo naïef kunnen zijn om te denken dat zij de enige was?

Ze verliet de sportschool en liep terug naar het dorp, terwijl ze in stilte op zichzelf foeterde, omdat ze zo snel de realiteit uit het oog had verloren. Toen begon ze te huilen. Trage, stille tranen. Ze liet de schoonmaakkar voor wat hij was en ging op een bankje bij de sportschool zitten, terwijl ze toekeek hoe alle activiteiten in het dorp zonder haar gewoon doorgingen. Olivia vond het vreselijk dat ze het zo ver had laten komen. Het was weer net als in Lissabon.

Ze wist nog precies hoe Tiago's vriendin had gekeken toen ze uitlegde dat Olivia haar zomer had verspild met een jongen die ieder jaar weer hetzelfde deed, steeds met een ander meisje. Ze had de hele vliegreis naar huis gehuild. Maar het waren vooral tranen van schaamte geweest. Ze was boos op zichzelf geweest omdat ze zo op was gegaan in de romantiek van het moment dat ze de overduidelijke tekenen had gemist dat Tiago niet de droomjongen was die hij voorgaf te zijn.

Maar deze keer met Zeke was het anders. Ze schaamde zich niet en had er zelfs geen moment spijt van. Omdat ze, ondanks haar instinct om te vluchten, zich de afgelopen dagen was gaan voorstellen hoe het zou zijn om een relatie met hem te hebben. Het was te groot en te snel, maar ze wist dat ze voor hem gevallen was, waardoor het besef dat ze hem niet kon vertrouwen meer pijn deed dan enige andere teleurstelling die ze ooit te verwerken had gekregen.

Olivia voelde een golf van liefdesverdriet opkomen, waardoor de wereld er ineens heel anders uitzag en haar gevoel van eigenwaarde wankelde. Ze wist uit ervaring dat het geen zin had om te proberen dit gevoel te ontlopen. Ze moest het over zich heen laten komen en zichzelf voldoende afleiden om er niet aan onderdoor te gaan. Dus veegde ze haar tranen weg en liep terug naar het atletencentrum, in de hoop de rest van de dag goed door te komen, door zich op boodschappen en walkietalkieoproepen te storten.

Maar toen ze daar aankwam, stond Zeke voor het pand.

47

Olivia

Dag acht van de Olympische Spelen van 2024

Olivia draaide zich onmiddellijk om. Ze wilde niet dat hij haar rode ogen zou zien.

'Wacht! Olivia,' zei Zeke, terwijl hij haar volgde.

'Ik heb het druk, Zeke,' zei Olivia zachtjes, terwijl ze haar schoonmaakkarretje vastgreep en de andere kant op probeerde te manoeuvreren. Ze kon de gedachte niet verdragen dat hij in haar gezicht zou liegen; ze had de foto's al gezien.

'Maar ik moet met je praten,' zei hij.

'En ik moet tweehonderd handdoeken afleveren bij een van de sportscholen,' zei ze star voor zich uit kijkend, omdat ze wist dat als ze naar Zeke keek, ze een manier zou vinden om van gedachten te veranderen.

'Heb je de foto's gezien? Laat het me uitleggen,' zei hij terwijl hij snel achter haar aan liep.

'Ik heb je uitleg niet nodig. Het zit wel goed. Jij bent mij niets verschuldigd, en ik ben jou niets verschuldigd,' zei ze. Ze klonk niet boos, ze klonk verslagen.

'Liv, het is niet wat het lijkt,' zei hij.

'Het is altijd wat het lijkt, Zeke. Je hoeft geen praatjes te verzinnen om mijn gevoelens te beschermen. Dat lukt me zelf ook wel.'

'Geef me op zijn minst een kans,' zei Zeke.

Olivia stopte en sloot haar ogen. Hij had gelijk. Ze besloot hem één kans te geven om te zeggen wat hij ook maar te zeggen had. Toen ze zich echter omdraaide en hem aankeek, zag ze iemand anders die ze herkende. Olivia verstijfde. Want daar, gekleed in een perfect maatpak en met een keycord om zijn hals... liep Lars Lindberg, recht op hen af.

'Zeke! Hoe gaat het? Gefeliciteerd met je goede race,' zei Lars, terwijl hij Zeke op de rug klopte alsof ze oude vrienden waren.

Dat was de druppel die Olivia's emmer deed overlopen.

'Bedankt, vriend, dat waardeer ik. Je ziet er weer strak uit,' zei Zeke. 'Goede zaken aan het doen dankzij mij?' Olivia keek naar Zeke en ze zag hoe hij veranderde en de rol van Ezekiel Moyo aannam. Ze vond het niet leuk.

'Ik kon kiezen, óf dit, óf die ouwe zou me in het kantoor in Londen planten,' zei Lars. Olivia schrok van zijn nonchalance.

'Laat me je even voorstellen,' zei Zeke, maar toen hij naar Olivia keek, zag ze de bezorgdheid in zijn ogen. Hij probeerde haar te zeggen dat hij wanhopig graag van Lars af wilde en dat hij dit gesprek helemaal niet zou willen voeren. Maar het was te laat.

'Olivia, dit is Lars, een van mijn vrienden,' zei hij. 'Lars, dit is Olivia, die over een paar jaar deze hele zaak gaat runnen.' Zeke dacht dat hij haar een plezier deed door haar voor te stellen aan een van de machtigste mensen (in afwachting van de dood of pensionering van zijn vader) in de sportwereld. Maar de aanblik van Lars maakte haar misselijk.

'Leuk je te ontmoeten Olivia, ik ben Lars Lindberg,' zei Lars, terwijl hij zijn arm uitstak om haar de hand te schudden.

'We hebben elkaar al eerder ontmoet, hè?' zei Olivia.

'O ja?' zei Lars.

'Twee dagen geleden heb ik die goodiebags bij je bezorgd,' zei Olivia. Ze vond het vreselijk dat ze zich meteen afvroeg of haar toon te fel was. Ze voelde dat ze ongemerkt weer de persoon werd die ze was geweest tijdens al die uren die ze in kantoren had doorgebracht terwijl ze zich onzichtbaar voelde.

'Sorry, ik herinner me je niet. Weet je zeker dat we elkaar hebben ontmoet?' vroeg hij.

'We hebben dríé jaar lang dezelfde studie aan de universiteit gevolgd,' zei ze, terwijl ze hem in zich opnam om te zien of er een glimp van herkenning op zijn gezicht doorbrak. Dat was niet het geval. Lars herinnerde zich haar niet en waarom zou hij ook? Voor een man als hij was ze gewoon het zoveelste type in uniform, zonder naam en gezicht, dat zijn leven in het dorp er gemakkelijker op maakte.

Ze wist dat Zeke de enige reden was dat hij haar de hand schudde. Zeke praatte met haar en dat gaf haar waarde in Lars' ogen. Ze moest iemand zijn, of bij een belangrijk iemand horen, als ze Ezekiel Moyo kende, toch? Terwijl ze naar Lars keek, zag ze dat hij haar probeerde te peilen, om erachter te komen of ze het waard was om tijd aan te besteden; of ze van nut kon zijn bij zijn carrière. Toen wierp hij echter een blik op haar schoonmaakkarretje en verloor hij zijn interesse. Ze trok haar hand terug en veegde het zweet van zijn handpalm af aan de achterkant van haar shirt.

'Bedankt voor alles wat je voor het dorp doet, de Spelen zouden niet hetzelfde zijn zonder zulke geweldige vrijwilligers zoals jij,' raffelde Lars af, alsof het een zin was die hij goed in zijn hoofd geprent had.

Zijn zogenaamde beleefdheid zorgde voor zo'n vieze smaak in haar mond dat ze haar beide handen op haar schoonmaakkarretje legde en die weg begon te duwen. Het was te veel om dit alles ineens te verwerken.

'Olivia, wacht even!' zei Zeke. Ze schudde haar hoofd en liep verder.

'Zeke, ik snap het. Dit, wij samen? Het was een slippertje, een vergissing, uitleg is echt niet nodig,' zei ze terwijl ze hem wegwuifde.

'Een slippertje? Olivia, kom op, je weet dat het meer was dan een slippertje.'

'Zomaar een zomerliefde dan. In de zomer is iedereen roekeloos,' zei ze, terwijl ze voor hem uit liep zonder zich om te draaien.

'Dus ik was gewoon een lichtvaardige keuze voor jou?' zei Zeke vlak. Olivia liep door, maar ze kon het antwoord in haar hoofd horen. Het was geen onbezonnen keuze geweest, het was een van de beste beslissingen die ze het hele jaar had genomen. Maar voor het eerst sinds lange tijd had ze een beslissing genomen door naar haar hart te luisteren in plaats van naar haar hoofd. Ze kon niet geloven dat ze zich had laten leiden door zoiets onvoorspelbaars als gevoelens.

'Zeke, ik wil niet praten. Laat me gewoon met rust,' zei ze terwijl ze sneller liep en probeerde de tranen terug te dringen die achter haar ogen brandden.

'Als ik een vergissing was, zal ik je niet voor de voeten lopen,' zei Zeke, die vertraagde, waardoor zij een voorsprong kreeg.

'Prima,' zei ze terwijl ze vooruitsnelde zonder achterom te kijken. Hij was er zo goed in geworden om haar een veilig gevoel te geven, dat ze haar afweer had laten zakken en het automatisch ging. Maar nu liep hij niet meer achter haar aan. Dus ging ze verder. Ze duwde het karretje voort terwijl ze op haar lip beet en weigerde zich om te draaien. Ze mocht hem niet laten zien dat ze huilde. Ze mocht hem niet laten weten hoe graag ze wilde dat hij naast haar zou blijven lopen.

48

Zeke

Dag acht van de Olympische Spelen van 2024

Zeke wilde achter Olivia aanrennen. Hij was naar het atletencentrum gegaan om alles uit te leggen, om haar te vertellen dat de foto's van hem en Valentina niet de werkelijkheid weerspiegelden.

Maar toen ze zei dat het 'zomaar een zomerliefde' was wat ze hadden, was hij verstijfd. Omdat hij zichzelf had toegestaan te geloven dat zij hetzelfde had gevoeld als hij. De chemie tussen hen wanneer ze spraken, de tederheid die hun rustige momenten vulde, de rauwe passie toen ze kusten. Maar terwijl hij haar zag weglopen, veranderde het hoopvolle, verliefde gevoel dat hij de hele week had gehad in angst. En terwijl hij op weg was naar zijn middagtraining, begon de angst dat hij misschien op de zaken vooruit was gelopen aan hem te knagen.

'Til je voeten hoger op, Zeke,' zei coach Adam. Zeke was aan het joggen terwijl hij probeerde zijn knieën zo hoog mogelijk te krijgen. Maar elke lift kostte meer moeite dan de vorige, omdat hij zich zorgen maakte over het feit dat Olivia had gezegd dat hun relatie alleen maar een 'zomerliefde' was.

Hij wist niet wat een zomerliefde precies inhield, maar hij wist wel wat het níét inhield. Het was niet de bedoeling dat ze over een toekomst samen of over oud zeer praatten. Het was niet de bedoeling dat ze elkaars vrienden en familie zouden ontmoeten. En het was niet de bedoeling dat ze zinspeelden op meer ná augustus. Maar als Olivia alleen maar een zomerse affaire wilde, had hij al zoveel regels overtreden. Misschien wel te veel.

'Oké, planken,' zei coach Adam. Zeke stopte en begon te planken.

Ze had hem laatst gekscherend een afleiding genoemd en hij had gelachen, maar hij wist dat er een kern van waarheid in haar woorden school. Hij kon een afleiding zijn. Hij had altijd een drukke planning, trainingssessies en publieke afspraken. Misschien had Olivia zich gerealiseerd dat ze geen zin had in de voortdurende complicaties die bij zijn baan hoorden. De controle, de druk en alles wat ervoor aan de kant gezet moest worden.

'Zeke?' zei coach Adam. 'Gaat het?'

'Ja, met mij gaat het goed,' zei Zeke. Maar dat was niet zo.

'Het kost je veel meer tijd om je oefeningen te doen dan anders. Ben je moe?' vroeg de coach bezorgd. Coach Adam was meestal vrij gemakkelijk, maar als het om zijn atleten ging, nam hij al snel een beschermende rol aan. Ze voelden als kinderen voor hem.

'Het gaat goed,' zei Zeke.

'Je lijkt een beetje afwezig. Ga je nog wel naar je sessies met Fiona?'

'Ja, coach,' zei Zeke met een vleugje irritatie in zijn stem. Hulp zoeken moest een keuze zijn en geen verplicht onderdeel om bij het team te mogen horen.

'Ik hou je gewoon in de gaten, jongen,' zei coach Adam.

'Dat is niet nodig,' zei Zeke. Het kwam er scherper uit dan hij bedoeld had. Het was even stil.

'Is er een probleem?' vroeg coach Adam resoluut maar niet onvriendelijk.

'Nee, coach,' zei Zeke. Coach Adam keek hem aan. Zeke deed zijn best om er normaal uit te zien, maar de coach kende hem lang genoeg om te weten dat er wat aan de hand was.

'Ga eerst maar lunchen,' zei coach Adam.

'Ik heb al gegeten.'

'Oké, ga dan even wandelen.'

'We zijn net begonnen met trainen,' zei Zeke. De irritatie klonk duidelijk in zijn stem door.

'Dat is waar, maar je bent er met je hoofd niet bij, Moyo. Als je afgeleid bent, ga je fouten maken.'

Zeke stond op. 'De wedstrijd is al over vijf dagen.' Liefdesverdriet vermengde zich met de angst die hij de hele week af en toe al had gevoeld.

'Maak je hoofd leeg, Ezekiel. Ga een eind lopen,' zei coach Adam beslist, op afgemeten toon. Er viel niet over te discussiëren.

Zeke haalde gefrustreerd adem. Hij stond op het punt te antwoorden met een korte opmerking, waarin hij zei dat het zíjn trainingssessie was en dat hij pas zou stoppen als híj dat wilde. Dat coach Adam niet het recht had om hem te vertellen wat hij moest doen, dat hij niet zijn vader was, of zijn oom, en dat Zeke kon en zou doen wat hij zelf wilde. Maar toen Zeke op het punt stond dat te zeggen, besefte hij dat er misschien iets over zijn lippen zou komen wat hij niet meende. Dat betekende waarschijnlijk dat hij echt zijn hoofd leeg moest gaan maken. Dus pakte hij zijn tas en verliet de sportschool zonder nog een woord te zeggen. Toen deed hij wat hij altijd deed als hij emoties voelde waarvan hij niet wist hoe hij ermee om moest gaan. Hij ging hardlopen.

Hij startte bij het Britse appartementengebouw en sloeg toen links af. Hij drukte op play op een nieuwspodcast, maar gesprekken over politieke chaos en natuurrampen konden hem niet voldoende afleiden van de gedachte aan Olivia.

Zeke had jarenlang niet echt met iemand over zijn vader gesproken of over alle moeite die gepaard ging met het verdriet, omdat hij zich zorgen maakte over wat er zou gebeuren als hij zich te veel openstelde. Hij wilde niet dat mensen anders naar hem zouden kijken, dat ze in plaats van Zeke Moyo, de topatleet, kleine z voor zich zagen; de veertienjarige jongen die net zijn favoriete persoon op aarde had verloren en geen idee had hoe hij daarmee om moest gaan. Het was nu meer dan tien jaar geleden en hij wist nog steeds niet precies wat hij ermee aan moest.

Hij rende langs de atletengebouwen, over de brug, een park vol bomen in. Hij had een manier gevonden om met zijn verdriet om te gaan door zichzelf af te leiden met hardlopen en wedstrijden en de meedogenloze drang om zichzelf voortdurend te overtreffen. Maar de waarheid was dat het gesprek met Olivia een grotere last van zijn schouder had weggenomen dan alles wat hij verder had gedaan. Misschien was dat het probleem. Dat hij met haar op de grond had gezeten en haar een kijkje in zijn onzekerheden had gegeven, haar dingen had verteld. Misschien had ze hem wel leuk gevonden, maar had hij haar afgeschrikt met de paniekaanval en zijn gepraat over gevoelens. Had hij te veel emoties getoond, zich te kwetsbaar opgesteld? De meeste vrouwen zeiden dat ze een man leuk vonden als hij over zijn gevoelens kon praten, maar misschien alleen als dat op een beheerste manier ging, om nog steeds mannelijk over te komen.

De foto's met Valentina hielpen niet, maar misschien was het voor haar gewoon een gemakkelijk excuus geweest om er een punt achter te zetten. Het was veel gemakkelijker om iets te beeindigen wanneer je vermoedde dat iemand onbetrouwbaar was, dan om ergens een punt achter te zetten omdat de man van wie je zou kunnen houden te veel emoties had getoond en problemen had. Zeke verhoogde zijn tempo, geïrriteerd door het feit dat hij te veel van zichzelf had gedeeld.

Terwijl hij terugliep naar de atletengebouwen, zag hij iemand in een wit en rood trainingspak naar het appartementengebouw van Japan lopen. Zeke voelde zich al behoorlijk neerslachtig, maar toen hij besefte dat die man Haruki was, werd zijn verdriet nog heviger.

Loyaliteit was Zeke van jongs af aan bijgebracht. Hij zag zijn beste vrienden als broers en zussen. Als hij met iemand bevriend was geweest of als zij er voor hem waren geweest toen hij ze het meest nodig had, voelden ze voor Zeke als familie. Dus toen hij naar Haruki liep, voelde Zeke de scherpe pijn die je voelde als je iemand van wie je hield in de steek had gelaten. Haruki glimlachte gewoonlijk altijd, maar toen hij zich omdraaide, zag Zeke alleen maar teleurstelling.

'Hé, ik heb geprobeerd je te bellen,' zei Zeke, beseffend dat hij beter zijn best had moeten doen om weer in contact met Haruki te komen.

'Ik had het druk,' zei Haruki ongewoon koeltjes.

Zeke wist dat hij een fout had gemaakt, maar pas toen hij naar Haruki's gezicht keek, besefte hij hoe erg het ervoor stond. Hij moest zich verontschuldigen. 'Over Olivia. Het spijt me. Ik wist niet dat je het had over...' zei Zeke, maar Haruki onderbrak hem.

'Nee, we hebben het er niet over gehad. We praten immers nooit echt.'

'We praten wel.'

'Ík praat de hele tijd tegen jou, ík vertel je over mijn werk en met wie ik date, over mijn familie en wat me bang maakt. Maar jij vertelt mij nooit iets. Niet echt,' zei Haruki, met een mengeling van verdriet en woede in zijn stem.

'Ik bel je supervaak,' zei Zeke verdedigend.

'Nee, ik bel jou. Wist je dat je broers en je moeder mij vaker bellen dan jij?'

'Belt mijn moeder je?' Zeke was verrast.

'Ja, je hele familie. Altijd als je verdrietig en afstandelijk bent en nergens anders over wil praten dan over hoe je laatste wedstrijd is verlopen, bellen ze míj om te vragen of het wel goed met je gaat, omdat je óók niet met hen praat,' zei hij.

'Dat is niet waar.'

'Ja, dat is wel waar. Je vertelt ons nooit hoe je je voelt. Soms zie ik je en weet ik dat je ergens mee zit, maar dan zet je jezelf ertoe om alle problemen in je eentje op te lossen. En je laat anderen ook niet meegenieten als het wél goed gaat,' zei Haruki.

Zeke was sprakeloos.

'Als we haar die avond in de stad niet waren tegengekomen, zou je me dan überhaupt over haar hebben verteld?' vroeg Haruki.

Zeke bleef zwijgen.

'Nee, je zou niets gezegd hebben,' zei Haruki, met een teleurgestelde klank in zijn stem, waardoor Zeke zich begon af te vragen hoelang zijn beste vriend al zo over hem dacht. Hoelang alle mensen om hem heen zich al zo hadden gevoeld.

'Het spijt me,' zei Zeke, want dat was het enige wat hij wist te zeggen. 'Je vond haar echt leuk, nietwaar?'

'Een beetje,' zei Haruki schouderophalend, maar zijn uitdrukking was zo neerslachtig dat Zeke wist dat Haruki zich op de vlakte hield. Een ogenblik bleven ze zwijgend staan. Zeke had geen idee wat hij moest zeggen.

'Haruki, je bent mijn beste vriend. En ik vind Olivia heel leuk. Maar ik zou nooit een vrouw tussen onze vriendschap laten komen. Als het een probleem is, zal ik...'

'Zeke, hou op.' Deze keer klonk hij niet verdrietig, maar geïrriteerd. Echt geïrriteerd. 'Tot gisteravond kende ik haar achternaam niet eens. Denk je dat ik daarom boos ben?' zei Haruki, hoofdschuddend alsof Zeke het punt volledig miste.

'Ik dacht...'

'Ik vond Olivia wel leuk, Zeke, maar dat is niet het probleem.' Hij schudde zijn hoofd en keek Zeke toen aan. 'Je bent mijn vriend, mijn beste vriend. Maar je deelt niets met me. Je praat niet met mij over je angsten, ook al weet ik dat je die voelt. Je praat niet met mij over je gevoelens. Waarschijnlijk zou je anders eerst zes maanden met Olivia uit zijn gegaan voordat je überhaupt had laten vallen dat je met iemand uitging. Je bent een goede vriend voor mij, gast, een van de beste mensen die ik ken, maar op deze manier kan ik geen goede vriend voor jou zijn.'

Haruki had gelijk. Iedereen was zo bezorgd om Zeke geweest toen zijn vader was gestorven, dat ze hem met fluwelen handschoenen aan hadden gepakt. Dat vond Zeke maar niets. Hij hield ervan om in het middelpunt van de belangstelling te staan als het om hardlopen en wedstrijden ging. De goedbedoelde, maar verstikkende aandacht die hij had gekregen op het moment dat iedereen hem begon te zien als de jongen die zijn vader te jong had verloren, had hij niet kunnen verkroppen. Dus had Zeke zijn uiterste best gedaan om te doen alsof het hem allemaal niets deed. Maar ergens in de loop van de tijd was dat verlangen om mensen gerust te stellen veranderd in het niet toelaten van mensen. En daardoor had hij zijn beste vriend buitengesloten.

'Het...' Zeke dacht na. 'Het spijt me. Ik realiseerde het me niet eens,' zei hij eerlijk, en hij dacht aan alle dingen die hij Haruki niet had verteld.

'Geeft niet, ik snap het. Onze geest is ingewikkeld. Deel gewoon af en toe iets met me, oké?' zei Haruki, terwijl hij hem op de schouder klopte.

'Ik zal het proberen,' zei Zeke knikkend. Hij wist dat het een tijdje zou duren voor hij zich weer aangepast had, maar het feit dat er een last van zijn schouders gevallen was tijdens zijn gesprekken met Olivia, was genoeg om hem te laten beseffen dat hij zich beter zou voelen als hij zichzelf niet dwong het allemaal alleen te dragen.

'Alles is oké, Zeke,' zei Haruki, maar hij voegde daar met een blik van pure ergernis aan toe: 'Maar je weet wel dat ik je nooit zal vergeven dat je mij liet zitten en de keuken insloop om te vrijen met een vrouw die ik leuk vond, en je wist het ook nog eens.'

Zekes ogen werden groot. Hij kon zichzelf niet eens verdedigen.

'Tijdens Uno. Je bent echt een rotzak, weet je dat?'

'Echt, hè?' zei Zeke.

Haruki lachte om de schuldige, beschaamde trek op Zekes gezicht.

'Je vindt haar echt leuk, hè?' zei Haruki, nadat hij hem een tijdje had aangekeken.

'Eh... ja,' gaf hij toe.

'Zij vindt jou ook leuk. Dat wist ik zodra ik jullie samen zag. Dus... je hebt mijn zegen, denk ik,' zei Haruki met een overdreven zucht. Zeke voelde een golf van opluchting. Hij was dolblij dat hij zijn beste vriend terug had.

Maar hij moest het nog wel uitpraten met Olivia. En voordat dat mogelijk was, zou hij de confrontatie met zichzelf aan moeten gaan.

49

Olivia

Dag acht van de Olympische Spelen van 2024

Toen Olivia Aditi met huilerige stem belde, nam Aditi onmiddellijk een taxi, vroeg Olivia het dorp uit te komen en sleepte haar mee naar Athene. Olivia protesteerde, maar haar beste vriendin hield vol dat een ijskoude pistachelatte in een café ver van het dorp tijdens haar lunchpauze precies was wat ze nodig had om het allemaal te verwerken. En ze had gelijk. Olivia had onophoudelijk gepraat sinds ze de olympische ringen achter zich hadden gelaten. Maar ze wilde niet over Zeke praten. Het was te ingewikkeld en het deed te veel pijn. Dus in plaats daarvan concentreerde ze zich op Lars, een onzinpraatje dat veel gemakkelijker was.

'Stel je voor hoe mijn zomer zou zijn verlopen als hij zijn vader niet gewoon om een gunst had gevraagd,' zei Olivia hoofdschuddend.

'Ik haat hem net zo erg als jij,' knikte Aditi terwijl ze een tafeltje zochten.

'Ik zie overal Lars Lindberg,' zei Olivia. 'Die jongens zijn geboren met een zilveren lepel in hun mond, krijgen alles op een presenteerblaadje aangeboden en zorgen dat ze bevriend raken met bekende mensen om hun imago op te krikken,' zei Olivia.

'En met "bekende mensen" bedoel je Zeke?' vroeg Aditi, die geduldig had geluisterd terwijl Olivia over van alles en nog wat praatte, behalve over de persoon die echt in haar hoofd zat.

'Ja, het feit dat hij bevriend is met Lars Lindberg zorgt ervoor dat ik me ga afvragen wat voor soort man hij is. Wie gaat er graag om met dat verwende rijkeluiszoontje? Lars heeft niet eens echt een persoonlijkheid. Wat zegt dat over Zeke? Waarschijnlijk heb ik hem vanaf het begin helemaal verkeerd ingeschat,' zei Olivia, terwijl ze woedend een slok van haar ijskoude latte nam.

'Liv,' zei Aditi met zachte stem. 'Zou het kunnen dat je je concentreert op hoezeer je Lars haat om niet te denken aan het feit dat Zeke je gevoelens heeft gekwetst?'

'Nee,' zei Olivia, maar het klonk niet overtuigend. Ze roerde met haar rietje in haar glas en staarde ernaar, in de hoop dat ze antwoorden zou vinden in het schuim met pistachesmaak. Maar er verscheen er geen.

Aditi had gelijk. Olivia had Lars de afgelopen tien minuten compleet afgebrand, omdat dat makkelijker was dan onder ogen zien wat haar echt van streek maakte. Ze wist tenminste hoe ze daarmee moest omgaan. Ze zou gewoon harder werken en alles blijven doen wat nodig was om een plaats aan tafel te krijgen. Ze zou voortdurend in ruimtes zijn met mensen die haar het gevoel gaven onzichtbaar te zijn, en droombanen najagen die haar gedesillusioneerd achterlieten. Dat kon ze wel aan, maar de manier waarop ze over Zeke dacht was een stuk ingewikkelder.

'De foto's zijn nog niet eens het ergste,' zei ze, ook al voelden de foto's als een harde klap in haar maag. 'Het komt doordat hij niet achter me aan kwam.' Nu ze zich niet langer op haar woede op Lars richtte, kon ze niet langer verbergen hoe gekwetst ze was.

'Liv,' zei Aditi weer, terwijl ze haar een zakdoekje aangaf.

Olivia had niet eens gemerkt dat ze huilde. 'Ergens ben ik er kapot van, omdat ik hem nog steeds heel leuk vind,' zei Olivia, waarbij de tegenwoordige tijd haar niet ontging. 'Maar ergens ben ik ook opgelucht, omdat de foto's me een snel, makkelijk excuus gaven, voordat ik er tot over mijn oren in zat.'

'Begon het een beetje te...' begon Aditi.

'Echt te voelen? Ja.'

Sinds ze hem had ontmoet, was Olivia minder op haar hoede geweest... En dat maakte haar bang. Ze wilde niet aan de kant gezet worden en zat er niet op te wachten om eind augustus opnieuw haar hart te laten breken. Maar wat haar echt angst aanjoeg, was dat ze zich zo kwetsbaar op moest stellen dat iemand haar hart zag. Het was niet zoals die zomer met Tiago, waarin ze zich een paar weken een ander mens had gevoeld. Nee, het was precies het tegenovergestelde. Telkens wanneer ze tijd met Zeke doorbracht, voelde ze dat ze meer van zichzelf blootgaf dan ze eigenlijk gewild had. Ze voelde zichzelf lichter, vrijer en meer zichzelf worden.

Verliefd worden was leuk, totdat het voorbij was. Met Tiago was ze zelfs een beetje opgelucht dat ze hem de schuld daarvan kon geven. Een pijnlijk, snel einde was altijd beter dan een hele zomer waarin de genegenheid voor de ander langzaam begon te vervagen. Dus telkens wanneer ze voelde dat de interesse van iemand begon af te nemen, was zij degene die het uitmaakte. Ze zou haar hart niet zo gemakkelijk laten breken.

'Maar met Zeke was het anders. Misschien ben ik daar wel voor weggelopen. Als hij me echt had gewild, zou hij achter me aan zijn gekomen,' zei ze, niet in staat de tranen tegen te houden toen Aditi om de tafel heen liep om haar te omhelzen.

Olivia's lunchpauze duurde maar een uur, dus ondanks Aditi's overredingspogingen moest Olivia terug naar het dorp. Ze leidde zichzelf af door een enorme stapel goodiebags te vullen. Maar al snel kreeg haar gepieker weer de overhand. Dus zette ze het volume van haar koptelefoon hoger en pakte haar telefoon.

Het was haar telefoon geweest waardoor ze in de put was geraakt, maar toch zocht ze er verstrooid naar. Ze was aan het scrollen terwijl ze probeerde niet aan Zeke te denken, toen haar vinger bij een foto belandde die een adrenalinestoot door haar lichaam joeg. Olivia klikte erop en verstijfde. Het was een bericht dat Valentina zojuist de wereld in had gestuurd. Het was een carrousel met vier foto's met het onderschrift 'mensen van wie ik hou'.

De eerste foto was een zwart-witfoto van haar met haar turnteam, terwijl ze hun medailles omhooghielden en de winnaarskransen in de lucht wierpen. De tweede was een foto van haar, Zeke en Haruki, terwijl ze in een bar dansten op de avond dat ze haar gouden medaille had gewonnen. En toen zag Olivia de derde foto. Het was een foto waarop Valentina hand in hand danste met een vrouw die haar recht in de ogen keek. Ze keek verliefd. De laatste foto was een foto van Valentina met datzelfde meisje in kleurrijke kleding bij een parade, terwijl ze elkaar zoenden.

Olivia staarde nietsziend naar de foto. Zeke had haar gevraagd hem gewoon een kans te geven, in hem te geloven in plaats van uit te gaan van het ergste scenario. Maar ze had voor dat laatste gekozen. Toen ze naar de foto's keek, voelde ze een klein sprankje hoop. Het was nog niet te laat om het uit te praten.

Olivia keek de goodiebagkamer rond en keek toen weer naar haar telefoon. Het was twaalf minuten voor zeven. Ze moest Zeke vinden, en snel.

50

Zeke

Dag acht van de Olympische Spelen van 2024

'Zeke?' zei ze, verbaasd opkijkend van haar bureau.

'Is het goed dat ik hier ben?' vroeg hij toen hij binnenkwam, inmiddels veel zenuwachtiger dan hij was geweest toen hij het besluit had genomen naar de andere kant van het dorp te lopen om haar te zien.

'Natuurlijk, ik ben blij je te zien,' zei Fiona, de therapeut van het Britse team, terwijl ze achter haar bureau vandaan kwam en naar haar gebruikelijke stoel liep.

'Ik kan ook een afspraak maken,' zei hij.

Eigenlijk had hij het hele dorp willen doorzoeken totdat hij Olivia had gevonden. Hij had zich willen verontschuldigen dat hij niet achter haar aan gekomen was, uit willen leggen wat het verhaal achter de foto's was en vertellen wat hij echt voor haar voelde. Maar toen hij een nieuwe golf van angst over zich heen voelde spoelen, had hij besloten te doen wat hij al jaren uitgesteld had: in gesprek gaan met zijn therapeut. Voordat hij zichzelf kon bedenken, opende hij zijn mond en begon te praten.

Hij vertelde over het moment dat de ambulance zijn vader had weggebracht. Over de uitnodiging van het Britse team, die hij net een week later ontvangen had. Over hoe hij zijn negatieve gevoelens had onderdrukt, zodat hij met het verdriet kon leven. Ze luisterde terwijl hij uitlegde dat hij gefaald had om de man te worden die zijn vader voor ogen had gehad. Dat zijn vader er altijd van gedroomd had dat hij zou strijden voor het Zimbabwaanse team, maar dat hij nooit het lef had gehad om de zekerheid van het bekende achter zich te laten. Zeke legde uit dat zijn borst soms samenkneep als hij aan zijn wedstrijden dacht en dat, hoewel hij de finale wilde winnen, de gedachte aan hoe het zijn leven zou veranderen hem 's nachts wakker hield. Hij had gezien dat de levens van Haruki en Valentina waren veranderd nadat ze gouden medailles hadden gewonnen. Ze waren vaker gaan samenwerken met grote merken en te zien in allerlei talkshows, maar het bracht ook een intense online controle met zich mee en de druk om niet alleen hun land te vertegenwoordigen, maar ook een voorbeeldfunctie te vervullen, bij sommige mensen geliefd, bij anderen gehaat.

En toen vertelde hij haar over Olivia.

Hij kon weer wat ruimer ademhalen. Ze hadden er een puinhoop van gemaakt, maar hij kon niet anders dan glimlachen terwijl hij over haar sprak. Hij vertelde hoe ze elkaar hadden ontmoet, bekende welke intense gevoelens hij voor haar had en legde uit hoe ze uit elkaar waren gegaan.

'Waarom ben je niet achter haar aan gegaan?' vroeg Fiona, zonder een zweem van oordeel in haar stem.

Zeke had daar de hele dag over nagedacht. Hij zweeg even en gaf toen antwoord. 'Ik denk dat... het misschien gemakkelijker was om haar nú weg te laten lopen dan verliefd op haar te worden en haar later van gedachten te zien veranderen,' zei Zeke. 'Want mensen veranderen van gedachten. En dat idee is zo moeilijk te verdragen, dat ik hier liever niet aan begin.'

Hij wist dat het waarschijnlijk te maken had met het zo plotselinge verlies van zijn vader. Hij had zich al op jonge leeftijd gerealiseerd dat verdriet iets was wat bij liefde hoorde.

Fiona keek hem even aan, om alles wat hij had onthuld op hen beiden te laten inwerken. 'Soms handelen we tegen ons eigen belang in, zodat we de situatie onder controle kunnen houden,' zei ze.

Zeke knikte terwijl hij luisterde.

'We kiezen voor de veilige weg; door de dingen die we willen, los te laten.'

Hij had gelezen over atleten die soms bewust een wedstrijd verloren die ze gemakkelijk hadden kunnen winnen. Hij begreep het gevoel. Soms was het makkelijker om jezelf in te houden en te verliezen, dan het risico te lopen alles te geven en toch niet te winnen. Dat was niet zoals het moest, maar het had iets geruststellends om jezelf de schuld van een verlies te kunnen geven in plaats van slachtoffer te worden van het lot.

'Een wedstrijd weggeven,' zei hij met een knikje.

'Precies,' zei Fiona.

Voordat ze hun gesprek konden beëindigen, werd er op de deur geklopt; het was tijd voor Fiona's volgende afspraak. Dus nam hij afscheid, maakte nog een nieuwe afspraak en liep toen weer naar het dorp.

Zeke deed al aan hardlopen zolang hij zich kon herinneren. Zijn moeder vertelde aan vrienden altijd dat hij had leren rennen voordat hij kon lopen, en als hij video's uit zijn kindertijd zag, begreep hij wat ze bedoelde. Sinds zijn jeugd bewoog hij zijn voeten sneller dan zijn lichaam aankon. Als peuter had hij altijd door het huis, door de tuin en achter zijn oudere broers aan gerend. Zo snel dat hij vaak over zijn eigen kinderschoentjes gestruikeld was. Op de basisschool was tot uiting gekomen hoe competitief hij was en hoeveel hij hield van de overweldigende vreugde na het winnen van een wedstrijd. Destijds had hij altijd een doel voor ogen gehad om naartoe te rennen: zijn familie, zijn vrienden, de finish.

Maar toen zijn vader was gestorven, was er iets veranderd. Hardlopen was niet langer iets wat hij deed omdat hij ervan hield, maar het was iets waaraan hij zich op kon trekken. Het gestage gebonk van zijn voeten op een atletiekbaan had gevoeld als een hartslag; een constante te midden van een tijd waarin niets zeker was. Wanneer hij zich angstig voelde, ging hij hardlopen. Elke keer wanneer hij het verdriet voelde opkomen, ging hij hardlopen.

Terwijl hij midden in het dorp voor zich uit stond te staren, realiseerde hij zich dat hij de eerste veertien jaar van zijn leven had gerend op weg naar alles waar hij van hield, en dat hij de laatste tien jaar was gevlucht voor al zijn angsten. Het besef kwam zo duidelijk dat hij stil bleef staan.

Waar wachtte hij op? Hij moest Olivia zoeken. Ze had niet op zijn telefoontjes gereageerd, dus stond haar telefoon uit of had ze hem geblokkeerd. Als ze nog in het dorp was, dan was ze waarschijnlijk in het atletencentrum. Maar toen hij een sprintje begon te trekken, stond hij oog in oog met... coach Adam, die na zijn maaltijd de kantine verliet.

'Nog tweeëntwintig minuten voor je avondklok ingaat,' zei coach Adam met een zangerige stem terwijl hij hem passeerde. Het was acht minuten over halfzeven.

Zeke keek op zijn eigen horloge en toen om zich heen. Het zou hem minstens acht minuten kosten om naar het atletencentrum te lopen en nog eens twaalf minuten om terug te lopen naar het Britse appartementengebouw. Als hij zich niet aan de avondklok zou houden, zou coach Adam hem voor altijd onder de neus blijven wrijven dat hij dacht dat hij boven de regels stond. Als je eenmaal een slechte reputatie had opgebouwd onder de coaches van het Britse team, was het bijna onmogelijk om die van je af te schudden en hij wist dat de gevolgen hem de rest van zijn carrière zouden achtervolgen. Zeke had al twee overtredingen begaan. Hij wist dat hij op dun ijs liep.

Maar Olivia was het waard, méér dan waard. En Zeke was letterlijk een van de snelste mannen ter wereld. Dus begon hij te rennen.

Zeke was de afgelopen tien jaar weggelopen voor zijn angsten, zijn ongerustheid en het aanhoudende gevoel dat hij alles verkeerd deed. Maar nu was er iets om naartoe te rennen. Er waren geen garanties in het leven. Hij had geen enkele zekerheid dat Olivia naar hem zou luisteren of dat de passie die hij had gevoeld, in de bedwelmende nevel van de zomer zou worden beantwoord. Maar wat ze hadden, dat spetterende, romantische, overweldigende gevoel dat hen steeds weer naar elkaar toe dreef, was meer dan genoeg voor hem om even niet meer weg te lopen van alles wat hem bang maakte en op weg te gaan naar wat er voor Olivia en hem in het verschiet lag.

51

Zeke

Dag acht van de Olympische Spelen van 2024

Zeke zette de ene voet voor de andere en rende sneller dan ooit tevoren. Hij bereikte het atletencentrum in recordtijd. Hij stak zijn hand uit om de deurklink vast te pakken, maar voordat hij die beethad, ging de deur open. En daar was ze.

'Zeke,' zei ze, verbaasd naar hem opkijkend terwijl ze in de deuropening stonden. Het warme vroege avondlicht scheen door een raam achter haar naar binnen en gaf haar silhouet een gouden randje.

'Olivia,' zei hij, terwijl hij zijn hart voelde opzwellen. Hij was zo blij haar te zien.

'Ben je hierheen komen rennen?' vroeg ze, kijkend naar het zweet op zijn armen. Het was bloedheet in Athene, maar ze was het waard om de hitte te trotseren.

'Ik moest je vertellen...' zei hij, op adem komend. Haar ogen waren een beetje rood. Hij kon het niet verdragen haar verdrietig te zien, vooral omdat hij wist dat hij de reden was. 'De foto's zijn niet wat ze lijken... Ik kan het uitleggen...' begon hij.

'Ik weet het. Ik zag Valentina's bericht. Sorry dat ik voorbarige conclusies trok,' zei Olivia.

'Sorry dat ik gewoon bleef staan,' zei hij. Een ogenblik was het stil. Hij zag dat ze zenuwachtig aan een van haar vlechten trok. Hij zag het verdriet op haar gezicht. 'Ik had achter je aan moeten komen,' gaf hij toe. 'Maar meende je echt wat je eerder zei? Dat het gewoon... een zomerliefde was?' vroeg hij. 'Want als dat zo was, is dat prima, dat begrijp ik. Maar voor mij was het altijd meer dan dat.'

Ze keek een beetje paniekerig. Zeke voelde een vlaag van angst, maar toen begon ze te praten. 'Zeke, ik bedoelde niet dat het een zomerse affaire was. Ik probeerde te zeggen dat ik me in de zomer het meest mezelf voel,' zei ze terwijl ze naar hem opkeek. 'En de laatste tijd begon ik me voor te stellen hoe het zou zijn om me de hele tijd zo te voelen. Om altijd bij je te blijven. Ik vind je leuk, Zeke Moyo. Zo leuk dat ik er een beetje bang van word,' zei ze.

Zijn hart begon sneller te kloppen.

'Ik ben niet altijd zoals nu, Zeke. En hoe graag ik je ook mag, ik ga mezelf niet veranderen in een perfecte, warme, zonnige vrouw van je dromen. Ik ben trots op wie ik ben,' zei ze, na een korte aarzeling.

'Je bent goed zoals je bent, ik vind je altijd leuk. Ik weet dat het zomer is en dat iedereen gemakkelijker, zorgelozer en nonchalanter is als de zon schijnt...'

'Dat ben ik trouwens allemaal niet,' zei Olivia met een plechtig knikje. 'Ik ben niet gemakkelijk, nonchalant of zorgeloos. Ik vind alles belangrijk. Je kunt me beter "chalant" noemen.'

'Ik zou je nooit zorgeloos of nonchalant noemen. En ik ben ook niet op zoek naar een vrouw die zorgeloos of nonchalant is.' Zeke keek haar in de ogen. Als hij dat deed, voelde het alsof hij naar buiten stapte op de eerste lentedag van het jaar en de zonnestralen op zijn armen voelde. Alsof hij wakker werd onder een zachtblauwe hemel aan het einde van een lange winter. Hij wist al dat het te laat was om nog te kunnen stoppen.

'Olivia, ik ben doodsbang dat ik dit verpest,' gaf hij toe terwijl hij naar haar keek. 'Ik weet dat ik zeker van mezelf lijk...'

'Knap, charmant én bescheiden,' zei Olivia, niet in staat zich in te houden.

'Ik ben het allemaal, schat,' zei hij met een glimlach. Maar toen vervaagde die en Olivia kneep even in zijn hand toen hij weer begon te praten.

'Maar ik ben elke nacht doodsbang dat ik verkeerde keuzes maak... op elk vlak. Dat ik iemand ga teleurstellen, mijn potentieel verspil, de verkeerde beslissing neem, het mindere pad bewandel of mensen in de steek laat. Ik wil het niet bederven, en het is gemakkelijker om dat te bewerkstelligen door het niet eens te proberen,' zei hij, terwijl hij besefte dat hij nog nooit zo open en eerlijk was geweest tegen iemand anders.

Hij trok haar zachtjes dichter naar zich toe; ze hief haar hand op om langzaam de zijkant van zijn gezicht te strelen. Hij veegde een losse lok uit haar gezicht en stopte die achter haar oor, zodat niets zijn zicht op haar kon belemmeren.

'Ik vind je echt leuk, en ik zal alles geven. Omdat ik denk dat we iets kunnen hebben... iets kunnen zijn.'

Bij die woorden leunde ze naar hem over, de afstand overbruggend, terwijl hun lippen een zachte, veilige, tedere plek vonden en samenkwamen. De zon begon langzaam te dalen en bedekte elk oppervlak met een warm, helder, goudkleurig licht. Maar ze waren zo op elkaar gericht dat al het andere om hen heen vervaagde. De zomer zou niet eeuwig duren, maar als die voorbij zou zijn – hoe die ook zou eindigen – hadden ze er in ieder geval het beste van gemaakt. Op dat moment was het genoeg om alleen maar te leven met die hoop.

52

Olivia

Dag negen van de Olympische Spelen van 2024

Toen Olivia acht jaar oud was, had ze een tactische campagne gevoerd om klassenvertegenwoordiger te worden. Met de strategie van iemand die haar jaren ver te boven ging, had ze een lijst opgesteld van de meest invloedrijke kinderen in elke vriendengroep, te beginnen met het meisje dat de boekenclub leidde en de doelman van voetbalclub KS2. Ze had gedurende twee maanden vóór de verkiezingen op subtiele wijze vriendschap met hen gesloten, hen verteld over alles wat ze op hun school wilde veranderen, en campagnebeloften gedaan met de strategie van een doorgewinterde politica. Het zou een fluitje van een cent zijn om een stapel nieuwe boeken voor de boekenclub te regelen. En natuurlijk moesten de voetbaljongens tijdens gym kunnen doen wat ze zelf wilden. Ze had gefluisterd en beloftes gedaan, anderen om haar vinger gewonden, zichzelf kandidaat gesteld en de verkiezing voor klassenvertegenwoordiger met een grote meerderheid gewonnen. Olivia kon elke situatie aan en wist die altijd in haar voordeel te laten werken. Ze wist precies hoe ze kon krijgen wat ze wilde.

Dus toen ze de volgende ochtend het dorp binnenliep, had ze een helder doel voor ogen. Ze wist wat ze wilde en niets zou haar in de weg staan. Eerst moest ze Noah vinden – de slappe hr-manager – en hij zou zich aan haar wil moeten onderwerpen, zoals ze tegen Arlo zei. Want Olivia was nog steeds dezelfde. Ze was het alleen even kwijt geweest.

Zij en Arlo liepen langs de olympische gevangenis en Olivia wierp, naar ze hoopte, de beveiligers die haar die eerste dag vast hadden gehouden, een woeste blik toe. Maar ze leken het niet te merken. Vervolgens gingen ze het kantorencomplex binnen, dankzij de toegangspas die Arlo op de een of andere manier had verkregen doordat hij bevriend was met vrijwel iedereen in het dorp.

'Ik weet niet of ik dit wel kan,' zei Olivia terwijl ze de trap op liep en haar zenuwen haar dreigden te overmeesteren.

'Olivia, ik heb je in mum van tijd achthonderd goodiebags zien realiseren en in je eentje een team potige, intimiderende maar ook heel knappe Australische rugbyspelers zien overtuigen om hun feest na een wedstrijd in hun eigen appartementengebouw te houden. Ik heb je de kantinechefs zien overhalen om een verjaardagstaart te bakken voor de receptioniste van het Nederlandse appartementengebouw en ik heb gezien hoe je een manier vond om in je eentje achttien balen hooi door het dorp te vervoeren. Jij kunt alles, Olivia.'

'Je hebt gelijk, ik kan alles,' zei ze, terwijl ze probeerde zichzelf daarvan te overtuigen. Ze liep naar Noahs kantoor en klopte op de deur.

'Binnen,' zei Noah.

Olivia duwde langzaam de deurklink naar beneden en liep naar binnen. Noah typte iets op zijn laptop, een pen in zijn mond. Toen hij opkeek, wist ze dat hij haar onmiddellijk herkende.

'Olivia, leuk je weer te zien,' zei hij met een paniekerige blik in zijn ogen. Zíj was niet vergeten dat ze naar de olympische gevangenis was gebracht, maar híj ook niet, te zien aan zijn gezicht.

'Hallo Noah, mag ik plaatsnemen?' vroeg ze kalm.

Hij keek geschrokken, maar stak zijn hand uit in een uitnodigend gebaar. 'Hoe is het met je? Ik wil me nogmaals verontschuldigen voor de...' begon hij, terwijl het schuldgevoel er duimendik bovenop lag.

Olivia had echter geen tijd om hem gerust te stellen. 'Ik heb mijn onnodige detentie achter me gelaten,' zei ze ronduit, en vervolgens nadrukkelijker: 'Ik ben er ook achter gekomen dat mijn stage vergeven werd aan iemand wiens familie sterke banden heeft met de organisatie.'

Noah had het zwaar.

Ze leunde achterover in haar stoel en was ineens volkomen op haar gemak toen ze besefte dat voor de eerste keer in haar leven zíj degene was die het voor het zeggen had. Ze genoot ervan. 'Ik weet dat het Internationaal Olympisch Comité zich heeft uitgesproken voor inclusie en diversiteit in en buiten de stadions. En ik weet hoezeer de olympische organisatie zich inzet voor de strijd tegen corruptie.' Ze wachtte even om haar woorden te laten bezinken en keek Noah recht aan.

Hij kromp ineen en berekende welk schandaal Olivia zou kunnen veroorzaken als ze met de pers zou gaan praten.

'En ik weet hoe belangrijk de toekomst van de Spelen en de volgende generatie sporters is,' zei ze met een kleine glimlach. 'Ja, toch?'

'Juist,' zei Noah, te verstandig om uitspraken te doen die ze later tegen hem zou kunnen gebruiken.

'Daarom wilde ik vragen of je mij ergens mee kunt helpen.'

Toen ze het kantoor verliet en de deur sloot, stond Arlo buiten te wachten, nieuwsgierig naar de afloop.

Olivia schudde zwijgend haar hoofd en ze liepen de gang door. Ze liepen de trap af en verlieten vervolgens het kantoorgebouw. Ze volgden de weg langs de olympische gevangenis, totdat ze ver genoeg van het gebouw verwijderd waren en Olivia naar Arlo kon grijnzen. Ze vertelde hem wat er was gebeurd. 'De vrouw die voor je staat heeft net een baan bij de Verenigde Naties gekregen,' zei Olivia.

'Nee!' riep Arlo ongelovig.

'Ja. Ik wilde hem eigenlijk gewoon tips vragen met betrekking tot een sollicitatie voor een stage in het najaar. Maar hij keek zo benauwd dat ik besloot dat ik wel wat verder kon gaan,' zei Olivia voordat ze alles begon uit te leggen.

Met Aditi had ze de avond ervoor detective gespeeld en uit de informatie die ze online vonden bleek dat Noah slechts een jaarcontract bij het Internationaal Olympisch Comité had. Daarnaast was hij hr-manager bij de Verenigde Naties. Dus had Olivia haar cv uit haar tas gehaald, dat naar Noah toegeschoven en hem precies verteld waarom zíj de juiste persoon was, misschien zelfs wel overgekwalificeerd, voor een vacature die ze een paar dagen eerder op hun website had zien verschijnen. Het betrof een fulltimebaan bij de VN-afdeling Sport voor Ontwikkeling en Vrede, die bestond uit het samenwerken met sportorganisaties over de hele wereld om recreatieve en professionele sporten toegankelijker te maken voor kinderen met verschillende achtergronden. Ze wist meteen dat zij geknipt was voor de baan.

Dus had ze een dag door het dorp gerend om elke belangrijke vrijwilliger en afdelingsmanager die ze had geholpen sinds ze in Athene was aangekomen, te vragen een lovende referentie over haar te schrijven. Het hoofd Transport van het dorp gaf haar een klinkende recensie waarin hij een overzicht had opgenomen van alle complimenten die hij had gehoord van atleten die ze door het dorp had rondgereden. Het hoofd van de afdeling Facilitaire Zaken gaf haar een referentie van twee pagina's waarin alle crises werden beschreven die zij had helpen voorkomen.

En de manegehouder schreef een brief waarin hij haar prees dat ze 'altijd bereid was zich ergens in te verdiepen, zelfs als dat betekende dat ze paardenpoep moest opscheppen'. Noah las elke referentie die ze hem had gegeven door en verliet toen het kantoor om te bellen.

Toen hij terugkwam, vertelde hij haar dat hij had gebeld omdat hij oprecht geloofde dat ze perfect was voor de rol. Toen had hij haar in niet mis te verstane bewoordingen verteld dat als ze ooit nog eens zou proberen hem te chanteren, hij haar een levenslang verbod zou opleggen om ooit nog op de Olympische Spelen te verschijnen.

Ze had geglimlacht en gezegd dat als ze ooit het vermoeden zou krijgen dat hij haar ergens van uit zou sluiten, ze stukje bij beetje, maar gestaag elke oversekste roddel die ze ooit over het Internationaal Olympisch Comité had gehoord naar de pers zou lekken.

Noah lachte, schudde haar de hand en zei dat ze ooit een geweldige politica zou worden. Olivia zei dat ze hem nog wel zou zien als ze de top bereikte. Toen verliet ze het kantoor, dolblij dat ze de baan had gekregen, maar ook wat ongemakkelijk vanwege alle compromissen die ze zou moeten sluiten. Toch was ze blij dat ze nu tenminste dapper genoeg was geweest om te onderhandelen over wat ze wilde en kreeg wat ze verdiende.

Op een gegeven moment had ze geleerd om niet té gefocust te zijn op dingen die ze wilde; om hard te werken, maar het nooit te graag te willen. Het was niet de bedoeling dat vrouwen te veel macht kregen en vooral zwarte vrouwen zouden er niet zo schaamteloos hun best voor moeten doen. Maar Olivia wilde dit graag, dus had ze zichzelf eindelijk toegestaan om haar kans te grijpen. Ze wist dat mannen als Lars er geen moeite mee hadden om rond te bellen en om gunsten te vragen, dus waarom zou zij dat dan wel hebben? Natuurlijk zou iemand het op een gegeven moment tegen haar gebruiken; haar machtsbelust of 'lastig' noemen. Maar door haar persoonlijkheid te verloochenen, kreeg ze alleen maar het gevoel dat ze zichzelf kwijtraakte. Olivia wilde dolgraag hogerop komen, de top bereiken. Het maakte haar tot wie ze was en het was niet meer nodig zichzelf weg te cijferen. Er waren al genoeg glazen plafonds, ze zou niet toestaan dat haar eigen gedachten er ook een zouden zijn.

'Olivia, ik heb altijd geweten dat je een machiavellistische inslag had,' grijnsde Arlo.

'Ik heb gewoon gewacht op de juiste gelegenheid om er gebruik van te maken,' zei ze schouderophalend, met een ondeugende glimlach.

'Ik ben er voor negentig procent van overtuigd dat dit jouw verhaal als antiheldin gaat worden... maar ik ben er zo voor,' zei hij lachend. 'Nou, wanneer begin je? En waar?'

'In oktober in Genève,' zei Olivia opgewonden, zich realiserend dat ze voor het eerst in haar leven een hele maand niets gepland had. Meestal werd ze overvallen door een gevoel van angst als ze niet wist wat ze de volgende dag zou doen. Maar terwijl ze nadacht over alle activiteiten die zij en Aditi konden afvinken van hun bucketlist, alle plaatsen die Arlo aanbevolen had, en alle avonturen die ze met Zeke aan zou gaan, werd ze overspoeld door een golf van vreugde. Deze zomer zou in ieder geval tot de herfst gaan duren.

'En hoe ga jij van je eerste vrije dag genieten?' vroeg Arlo, die oprecht blij voor haar was.

'Nou, niets kan het vrijwilligersfeestje voor de openingsceremonie overtreffen,' begon ze, terugdenkend aan de dag waarop ze Arlo ontmoet had. 'Maar wil je naar het op een na beste kijkfeestje van de stad?' vroeg Olivia, terwijl ze twee vipkaartjes uit haar zak haalde.

Een uur later stonden ze bij de poort van het stadion. Eindelijk was de dag van Zekes finale van de honderd meter aangebroken.

53

Zeke

Dag negen van de Olympische Spelen van 2024

De meeste atleten hadden mascottes. Dingen die ze vóór elke wedstrijd meenamen naar de kleedkamer, waardoor ze zich op hun gemak voelden als het fluitsignaal klonk. Voor Haruki was dat een oude hoody die hij had gedragen op de dag dat hij zijn eerste gouden medaille won. Veel atleten waren ook bijgelovig wat betreft dingen die ze wel en niet moesten zeggen in de aanloop naar een wedstrijd. Valentina nam nooit de woorden 'winnen' of 'medaille' in haar mond op de dag voor een wedstrijd, maar reciteerde altijd het gebed om kalmte voordat ze het stadion binnenliep. Bijna alle atleten in het dorp hadden vaste gewoontes op de dag van een grote wedstrijd, waarmee ze begonnen zodra ze wakker werden.

Zeke was jaren bezig geweest om die van hem te perfectioneren. Hij stond 's ochtends vroeg op en begon zijn dag met een rondje joggen om het dorp. Daarna nam hij een lange douche en pakte hij zijn notitieboekje om alles op te schrijven waarover hij zich zorgen maakte, om te voorkomen dat hij zijn zorgen de hele dag door moest meedragen. Daarna maakte hij tijd voor zijn familie.

De Moyo's waren de avond ervoor in Athene geland en die

ochtend waren ze naar het atletengebouw van het Britse team gekomen.

'Je kunt het, kleine z,' zei zijn oudste broer terwijl hij hem stevig omhelsde.

'Ga ervoor, leg je hart erin,' zei zijn andere broer, eveneens met een stevige knuffel. 'Papa zou zo trots op je zijn,' vervolgde hij.

Zeke knikte en hoopte dat het waar was.

'Oké, we hebben nog vijf minuten voordat die coach Adam van jou me begint te vertellen hoeveel tijd ik nog met mijn eigen zoon kan doorbrengen,' zei Mai Moyo, die de coach behandelde alsof hij een van haar lastige neefjes was, hoewel ze maar een jaar of tien ouder was dan hij. 'Zoon, je maakt me elke dag trots. Versla die gastjes allemaal en breng goud mee naar huis,' zei ze terwijl ze hem begon te knuffelen, voordat ze erop stond dat ze een van haar oude favoriete hymnes zouden zingen. Toen ging ze bidden. 'Almachtige Koning en Redder!' zei ze, klaar om te beginnen aan het onvermijdelijke gebed van tien minuten, voorafgaand aan elke officiële wedstrijd.

Toen zijn moeder klaar was, nam hij afscheid van zijn familie, rende naar beneden om zijn teamgenoten te ontmoeten en ging vervolgens naar de andere kant van het dorp om zijn favoriete ritueel voor een wedstrijd af te wikkelen.

Elk jaar organiseerde coach Adam een teamontbijt. Normaal gesproken werd dat gehouden op een willekeurige zaterdag buiten het seizoen, wanneer niemand van het team wedstrijden had, maar als er Olympische Spelen gehouden werden, plande hij dit altijd op de ochtend van de atletiekfinale. Het leek wat tegenstrijdig en Zekes vrienden uit andere teams trokken altijd een wenkbrauw op als hij hun vertelde dat hun hoofdcoach hen allemaal had uitgenodigd voor een feest op de ochtend van de belangrijkste wedstrijd van hun leven. Maar er zat wel iets in.

Aan het einde van de dag zouden ze allemaal hebben deelgenomen aan hun laatste wedstrijd van deze Spelen. Voor sommigen betekende dit dat de dag zou eindigen met een overwinning, een medailleceremonie en een nieuw persoonlijk of wereldrecord. Maar voor anderen zou de dag eindigen met een laatste plaats, een blessure of een kleine fout, waardoor hun hele carrière op losse schroeven zou komen te staan. Ze wisten allemaal hoe hoog de inzet was, dus organiseerde coach Adam een ontbijt voor het team om hen eraan te herinneren dat ze moesten vieren dat ze zo ver waren gekomen.

Coach Adam had een privégedeelte in de atletenkantine gereserveerd, de ruimte versierd met Britse vlaggen en de muren bedekt met de foto's die hij van hen had gemaakt sinds ze in Athene waren aangekomen. Funk en soul galmden uit de speakers. De tafels stonden vol met gezonde, kleurrijke ontbijtjes, fruitschalen en kannen met vers sap.

Toen Zeke binnenkwam, viel de opgewonden sfeer in de ruimte hem meteen op. Het hele atletiekteam was er. Teamleden liepen rond en begroetten mensen die ze sinds de vliegreis niet meer hadden gezien. De tijd in het dorp voelde aan als een heel leven en ze hadden het allemaal zo druk gehad met trainingen en wedstrijden dat het ontbijt voelde als een reünie. Ze praatten over hoeveel ze van Athene hadden gezien sinds hun aankomst, maakten plannen voor alles wat ze wilden doen vóór de slotceremonie, en brachten de ochtend door met het maken van foto's, het uitwisselen van verhalen en natuurlijk het ontbijt zelf. Dat alles deden ze zonder over hun wedstrijden te praten. Dat was de enige regel die coach Adam gesteld had: tijdens het teamontbijt werd er niet over de wedstrijden gepraat. Ze waren zich allemaal hyperbewust van wat hen te wachten stond, van alle dingen waar ze aan hadden gewerkt om goed in te worden, en van alle hoop waar ze naartoe renden. Maar dat uur ging het er alleen maar om dat ze samen waren, op een van hun laatste dagen van hun Spelen.

'Goed, ik weet dat wat er in het dorp gebeurt, in het dorp blijft,' zei coach Adam, wat een gezamenlijk gekreun opleverde. 'Grapje. Ik weet dat jullie allemaal zo gefocust zijn op jullie wedstrijden dat jullie niet eens aan feestjes hebben gedacht,' zei hij, terwijl hij naar Camille keek die begin die week nog een feest had gegeven. 'Dat jullie allemaal zoveel aandacht aan de training hebben besteed dat jullie geen tijd hadden om vriendschap te sluiten met een sjeik en een kroonprinses,' zei hij terwijl Anwar lachte en deed alsof hij zijn lippen dichtritste. 'En dat jullie allemaal zo gedisciplineerd zijn geweest dat niemand van jullie huisarrest en een avondklok opgelegd kreeg,' zei coach Adam. Zeke keek schaapachtig.

'Oké, team. Geef alles wat je in je hebt, wees moediger dan je ooit bent geweest en weet dat je alles wat je nodig hebt al hebt bereikt door hier te komen. Wat er op dat veld gebeurt, is slechts de kers op de taart. Jullie zijn de meest hardwerkende, vastberaden en uitstekende atleten met wie ik ooit heb mogen samenwerken.'

'O, coach,' zei Camille met een hand op haar hart.

'En de meest irritante, arrogante, woeste groep mensen die ik ooit heb mogen ontmoeten,' zei hij, waardoor ze moesten lachen. 'Maar ik ben zo trots op jullie. Op wat jullie hebben bereikt en de offers die jullie hebben gebracht, maar vooral omdat jullie zulke geweldige mensen zijn geworden. Drink voldoende water, doe wat rek- en strekoefeningen en zorg ervoor dat je niet in de problemen komt op de afterparty. Ik doe wel net of ik niets van die plannen gehoord heb.'

Iedereen klapte en juichte voordat ze allemaal naar een van de belangrijkste wedstrijden van hun leven gingen.

54

Olivia

Dag negen van de Olympische Spelen van 2024

Toen ze in het stadion aankwam, vervulde Olivia de rol van fotograaf voor Arlo en Aditi. Het klikte meteen tussen de twee, dus Olivia kon de hele middag lachen. Ze kochten veel te dure shirts en andere fanartikelen, wat Olivia rechtvaardigde door zichzelf eraan te herinneren dat ze vanaf oktober een voltijdbaan zou hebben. Arlo ontfutselde een van de vrijwilligers die verantwoordelijk waren voor het plaatsen van het publiek een paar fluitjes en zwaaihanden, zodat ze helemaal in de sfeer van de Spelen waren. Een steward begeleidde hen de trap op, het stadion in en naar het vipgedeelte waar ze bij de familie, vrienden en officials van het Britse team gingen zitten om het atletiekteam te steunen.

Olivia keek vol ontzag om zich heen, maakte vanuit elke hoek foto's van het stadion en beloofde zichzelf dat ze er een paar na zou schilderen op ansichtformaat. Maar toen zag ze dat ze gebeld werd. O nee, dacht ze, toen ze zag wie het was. Het was haar moeder. Olivia had als excuus voor het weinige bellen aangedragen dat de tijdzone anders was en dat ze het beredruk had. Maar eigenlijk had Olivia, afgezien van een paar geruststellende appjes en foto's, haar ouders sinds haar eerste dag in het dorp niet meer aan de telefoon gehad. Ze had ze niet willen vertellen dat ze haar stage niet gekregen had. Dat ze het pak dat ze voor haar hadden gekocht maar één keer had gedragen. En dat het zelfvertrouwen dat ze haar hadden gegeven tijdens haar opvoeding de afgelopen twee weken zoveel klappen had gekregen dat ze begon te twijfelen aan elk aspect van wie ze was. Maar ze wist dat het niet eerlijk was om zich te blijven verstoppen, alleen maar omdat ze het gevoel had dat ze haar eigen doelen niet had bereikt. Dus dit keer nam ze op.

'Olivia!' schreeuwde haar moeder, en haar gezicht vertoonde een blije grijns toen ze op het scherm verscheen. Olivia voelde een intense opluchting toen ze haar moeders vertrouwde stem hoorde en de gezellige, bekende achtergrond zag van het huis waarin ze was opgegroeid.

'Topper!' zei haar vader, terwijl hij zijn gezicht in beeld bracht. Nou ja, de helft van zijn gezicht. Hij droeg zijn bril niet, dus hield hij de telefoon zo dichtbij dat ze alleen zijn grijze, maar verrassend volle haardos echt kon zien.

Olivia had zich niet eens gerealiseerd hoezeer ze hen had gemist. 'Kijk! Ik ben in het stadion,' zei Olivia, terwijl ze een kinderlijke opwinding in zich voelde opkomen zoals altijd als ze bij de mensen was die haar haar hele leven al kenden.

'Ik ben zo trots op je, lieverd,' zei haar moeder.

Olivia moest haar de waarheid vertellen. Over haar stage, over Lars en Noah. Ze moest haar vragen hun familie en vrienden niet langer te vertellen dat ze het echt gemaakt had, omdat ze dat niet had gedaan – althans nóg niet. Ze wilde niet dat ze verwachtten dat zij iets kon bereiken wat ze zelf niet hadden kunnen realiseren. Maar voordat ze hun verwachtingen kon temperen, stak haar moeder haar hand op.

'We zijn altijd zo trots op je,' zei ze. 'Vooral als je gelukkig bent,' zei haar moeder met een warme glimlach. 'Natuurlijk ben je ambitieus en briljant, je bent tenslotte mijn dochter,' zei ze, terwijl haar vader naast haar grinnikte. 'Maar soms denk ik: wauw, Olivia doet al dat soort geweldige dingen, maar is ze wel gelukkig? Geniet ze ervan? Leeft ze echt voor zichzelf? Maar nu zie ik dat je gelukkig bent,' zei ze vriendelijk.

'Dat is alles wat een ouder zou willen,' zei haar vader terwijl hij knikte.

Olivia voelde zich warm vanbinnen. Ze knipperde de tranen van vreugde in haar ogen weg en knikte. Ze had nog niet alles bereikt wat ze wilde, maar ze was goed op weg. Ze wist dat ze altijd haar uiterste best zou doen om hen trots te maken; ze wilde dat ze hun leerlingen en cliënten iets te vertellen hadden. Ze wilde hen laten geloven dat alle moeilijkheden die ze hadden doorstaan de moeite waard waren geweest. Ook al wist ze dat het niet nodig was, ze wilde toch het succesverhaal van haar vader en moeder zijn. Maar toen ze hun de rest van het stadion liet zien en hun vertelde over alles wat ze had ondernomen sinds ze in Athene was aangekomen, besefte ze dat er zoveel meer belangrijk voor haar en haar toekomst was dan alleen de doelen die ze zichzelf al die jaren geleden had gesteld.

Deze zomer was niets zo gelopen als Olivia had verwacht. Ze was hier gekomen voor een stage die ze niet gekregen had en van Athene had ze geen enkele bezienswaardigheid gezien. Maar het was allemaal zoveel beter gelopen dan ze ooit had kunnen plannen. En hoewel het nog te vroeg was om te zeggen dat ze echt veranderd was, voelde ze dat ze eindelijk zichzelf kon zijn. Ze voelde weer de grenzeloze opwinding en ambitie die ze als jong meisje had nagestreefd. Ze hoefde het pad niet stilletjes te bewandelen en haar uiterste best te doen alsof het allemaal een eitje was. Niets aan haar of haar leven ging vanzelf. En door dat eindelijk aan zichzelf toe te geven, voelde ze zich vrijer dan ooit.

Ze keek het stadion rond en zag hoeveel mensen er in het publiek zaten. Het gaf haar het gevoel dat ze gewoon een zandkorrel op het strand was. Ze voelde zich ongelooflijk ontspannen.

'Olivia?' klonk een stem die ze herkende.

'Haruki!' riep ze, blij hem weer te zien. Ze feliciteerde hem met de medaille die hij de avond ervoor had gewonnen en keek geamuseerd toe hoe Arlo en Aditi hem meevoerden om hem te overspoelen met vragen. Toen kwam Valentina eraan.

'Ik ben zo blij dat Zeke eindelijk de moed heeft gevonden om je gewoon te vertellen dat hij je leuk vindt,' zei Valentina terwijl ze zich de trap af haastte.

'Hij zal een hekel aan me krijgen dat ik je dit vertel,' begon Valentina, 'maar het kost hem meestal minstens zes maanden om niet langer na te denken en in ieder geval aan zichzelf toe te geven dat hij iemand leuk vindt.' Ze liep lachend door het gangpad en omhelsde Olivia.

Toen herkende Olivia nog drie andere mensen die ze de trap af zag lopen. Twee lange mannen in shirts van het Britse team, met Zimbabwaanse vlaggen op hun wangen geschminkt, en een rijzige oudere vrouw. Ze daalde de trap af in een felgekleurde jurk en een shirt met Zekes gezicht erop. De vrouw keek naar Olivia en haar hele gezicht lichtte op.

Olivia kende die ogen, ze kende die glimlach. De afgelopen week had ze die gezien bij de man die haar gedachten beheerste. Zekes moeder liep naar haar toe en omhelsde Olivia warm, alsof ze elkaar al jaren kenden.

'Mijn zoon heeft me zoveel over je verteld,' zei de vrouw verrukt met haar hoofd knikkend. 'Nou, eerlijk gezegd is dat niet waar. Hij en zijn broers vertellen me niets, omdat ze vinden dat ik me er te veel mee bemoei en meisjes wegjaag,' zei ze. 'Maar het gezicht van mijn zoon vertelt me alles wat ik moet weten.' Ze lachte en Olivia grijnsde.

'Breng hem niet in verlegenheid, mama,' zei een van Zekes broers terwijl hij geamuseerd naar hen toe liep.

'Nee, dat is onze taak,' zei Zekes andere, oudere broer. 'Wil je foto's zien van Zeke toen hij nog een baby was? Hij was geen schattige baby, geloof me,' zei hij lachend toen de hele Moyo-familie de trap af kwam. Maar voordat Olivia een glimp van die foto's kon opvangen, bruiste het stadion van muziek en licht.

'Dames en heren, geachte gasten, olympiërs, welkom bij de finale atletiek honderd meter sprint voor mannen op deze vierentwintigste Olympische Spelen!'

55

Zeke

Dag negen van de Olympische Spelen van 2024

Het ritueel om de kleedkamer uit te lopen, de tunnel te volgen en het stadion in te komen verveelde nooit. Toen Zeke naar buiten stapte, begon de menigte te juichen. Zeke zwaaide en het publiek werd nog luidruchtiger. Hij draaide zich om en zonder zelfs maar te beseffen dat ze daar zouden zijn, zag hij zijn moeder, broers, Haruki, Valentina, Aditi en Arlo naar hem zwaaien vanaf de supporterstribunes.

Toen maakte hij oogcontact met Olivia. Zeke tilde zijn arm op, bracht zijn hand naar zijn gezicht en blies haar een kus toe. Haar gezicht lichtte op toen ze er een terugblies. Zeke ontspande zich toen hij besefte dat wat er die dag ook zou gebeuren, iedereen van wie hij hield, in het publiek zou staan, klaar om hem te omhelzen als het voorbij was. Nou ja, bijna iedereen.

Hij zette zijn koptelefoon weer op en koos voor ruisonderdrukking, totdat hij alleen nog maar het geluid van zijn eigen ademhaling hoorde. Hij deed zijn rekoefeningen, beoordeelde de baan nog eens, knikte naar zijn concurrenten en glimlachte naar de vrijwilligers, wier ogen groot werden van opwinding.

De rituelen voor een wedstrijd waren echt belangrijk voor hem. Hij was niet bijgelovig aangelegd, maar hij wist dat alles wat hij die ochtend deed, hem hielp om zich volledig te concentreren op de taak die voor hem lag. Daarom begreep hij niet waarom hij nu iets anders deed. Als hij erover nagedacht zou hebben, zou hij tot de conclusie zijn gekomen dat dit de slechtst mogelijke keuze was op de dag van een wedstrijd. Laat staan slechts vier minuten voordat hij zou deelnemen aan de finale van de honderd meter van de Olympische Spelen. Maar het was geen echte keuze, het was een impuls waartegen hij niets kon doen.

Hij pakte zijn telefoon, zette zijn koptelefoon recht en drukte op play om het nummer af te spelen dat hij de afgelopen tien jaar had vermeden. Zodra de gitaar begon te tokkelen, werd hij meteen teruggevoerd naar die ochtend tien jaar geleden. De allerlaatste keer dat hij zijn vader had gezien.

Het was een gewone zomerse zaterdag geweest. Zeke was veertien en maakte zich op voor een regionale atletiekwedstrijd. Hij had het toen nog niet geweten, maar het zou de allerlaatste wedstrijd zijn waar zijn vader hem ooit mee naartoe zou nemen.

Zeke was weer eens laat wakker geworden. En hij was de trap af gerend, klaar om een preek aan te horen over hoe belangrijk het was om altijd op tijd te zijn. Maar in plaats daarvan zat zijn vader te luisteren naar oude Zimbabwaanse muziek, net als de rest van die zomer. Het nummer dat hij die ochtend afspeelde was een nummer van Oliver Mtukudzi, dat klonk als zonneschijn. Het werd gecompleteerd door het zachte geluid van een mbira, de vrolijke tokkel van een akoestische gitaar en warme, soulvolle percussie. In plaats van een preek aan te moeten horen, zag Zeke zijn vader door de keuken dansen. De zon scheen door de ramen van de keuken en zette zijn vader in het middelpunt van licht. Het gaf hem een gouden glans, waardoor hij er jaren jonger uitzag dan hij was. De vreugde op zijn gezicht was zo voelbaar dat Zeke ook begon te dansen.

Zeke was wel gewend aan verdriet. Hij wist dat hij de persoon van wie hij het meest hield nooit terug zou kunnen krijgen. Hij was bang dat de gedachte aan die perfecte, zonovergoten herinneringen hem zo verdrietig zouden maken dat hij zich niet meer in de hand zou hebben. Dus had Zeke tot nu toe zijn uiterste best gedaan om het uit zijn gedachten te zetten. Zeke zat op de grond van de olympische atletiekbaan en glimlachte. Terwijl de laatste klanken van het favoriete liedje van zijn vader speelden, genoot hij van die ene perfecte herinnering. Toen fluisterde hij het advies dat hem altijd de weg had gewezen. 'Gewoon de ene voet voor de andere zetten, maar sneller dan ooit tevoren.'

Zeke wist wat hem te doen stond.

Hij en zijn tegenstanders namen hun plaatsen in op de baan. Mensen van over de hele wereld keken naar de belangrijkste wedstrijd van het jaar. Het stadion hield de adem in.

Het was middernacht in Hongkong. Een groep universiteitsstudenten zat in hun appartement rond de tv, verlangend om de wedstrijd te zien waar ze al sinds de openingsceremonie op hadden gewacht.

Het was elf uur in de ochtend in Buenos Aires en een groep mannen van in de tachtig, die elkaar al sinds hun kindertijd kenden, stonden buiten op de veranda van hun buren naar het beeldscherm te kijken. Het was slechts een kwestie van tijd voordat een van hun kleinzonen zich zou kwalificeren om voor het nationale team uit te komen.

Het was zes uur 's avonds in Harare en de hele Moyofamilie was samengekomen in het huis van hun grootmoeder om hun kleinzoon en neef de wedstrijd te zien lopen. Het huis was gevuld met vreugde, lekkere hapjes en Britse en Zimbabwaanse vlaggen. Ze vierden het al uren. Maar zodra de camera richting Zeke draaide, werd het volkomen stil in de kamer. Trots keken ze naar het scherm terwijl ze wachtten tot de omroeper zijn naam zou roepen.

'Dames en heren, maak u op voor onze laatste wedstrijd, de sprintfinale op de honderd meter van de mannen!' zei de omroeper en iedereen in het stadion brulde.

Nu gaat het gebeuren, dacht Zeke terwijl hij zijn koptelefoon afzette en het lawaai van de menigte over zich heen liet komen. Sommige atleten voelden een adrenalinestoot als ze de baan op kwamen. Anderen begonnen te trillen van de zenuwen. En weer anderen waren kalm en gefocust onder de druk. Zeke was stil, volkomen stil. Zijn gedachten waren helder, hij ontspande zijn spieren en voelde zich volkomen gewichtloos.

Het leek net of alles in slow motion ging. Het geluid van de omroepers klonk alsof het van heel ver kwam. Zeke werd zich bewuster van zijn ademhaling en zette zijn stappen rustig, maar vastberaden. Alles vervaagde, behalve dat ene nummer.

'Op uw plaatsen!' riep de omroeper. De wereld om Zeke heen werd weer scherp.

'Klaar!' riep de starter. Hij nam zijn plaats in, voelde de verwachtingsvolle stilte van het publiek en hield zijn adem in. In gedachten hoorde hij zijn vader zeggen: 'Zet gewoon de ene voet voor de andere, maar sneller dan ooit tevoren.'

Zeke knikte, hoorde het schot en begon te rennen.

Hardlopen voelde alsof je vloog. STAP STAP. Dansen voelde ook alsof je vloog. Zijn moeder begon elke zondag met het schoonmaken van het huis en dan danste ze. STAP STAP. De lucht had dezelfde kleur blauw als toen ze op zijn zesde naar het strand waren gegaan. De blijdschap in elke stap voelde als alle nachten uit met Haruki en Valentina, in steden over de hele wereld. STAP STAP. Vreugde had de kleur groen. Groen als het sap dat hij over Olivia had gemorst. STAP STAP. Op de dag dat hij werd uitgenodigd om deel uit te maken van het Britse team, had het gehageld. Zijn broers hadden hem in de lucht gegooid en hij was met een stralende glimlach op de bank beland. Hij had gehuild toen hij naar boven was gegaan, naar zijn slaapkamer. STAP STAP. Zijn vader was gestorven voordat hij besefte hoe ver het hem zou brengen om de ene voet voor de andere te zetten, sneller dan hij ooit eerder had gedaan. STAP STAP. De wind op zijn gezicht voelde aan als de bries die zijn overhemd had doen opbollen toen hij in mei door Richmond Park had gefietst. STAP STAP. De eerste keer dat hij Olivia had gezien, had de zon een stralenkrans om haar hoofd gemaakt terwijl ze naar hem keek. STAP STAP. Zijn voeten bonkten op de grond van het stadion, zoals elke zomer. Het was een gevoel van puur, vredig geluk, maar tegelijkertijd zorgde het voor een chaotische, overweldigende euforie in zijn binnenste. Het was alsof zijn hele lichaam oplichtte en hem voortduwde. STAP STAP. Het was voorbij voordat hij zich überhaupt had gerealiseerd dat het was begonnen.

'Op de eerste plaats is geëindigd... Ezekiel "Zeke" Moyo!' schreeuwde de omroeper, terwijl de hele menigte in applaus uitbarstte. 'Hij is de winnaar van de finale op de honderd meter. Zeke Moyo is de snelste man ter wereld! Hij heeft zijn persoonlijke record en het wereldrecord verbroken! We eindigen op een buitengewone negen komma negenentwintig seconden!' schreeuwde de omroeper terwijl het publiek zijn naam scandeerde.

Zeke kon het niet helemaal bevatten. Het was zo snel gegaan. Voordat hij het wist, werd hij omringd door fotografen. Gevoed door pure adrenaline liep hij nog een ronde met een Britse vlag om zijn schouders.

Iedereen in het stadion ging uit zijn dak. Coach Adam en zijn teamgenoten gooiden hem in de lucht. Toen rende zijn familie, die er op de een of andere manier in was geslaagd de beveiliging te trotseren en het stadionterrein op te gaan, op hem af en omhelsde hem.

Maar voordat hij Olivia kon traceren op de tribune, kwam hij terecht bij een persconferentie, waar hij onmiddellijk werd begroet door flitsende camera's, microfoons en luidkeelse vragen. Uiteindelijk waren alle gebruikelijke vragen na een overwinning gesteld en vroeg een verslaggever hem of hij van plan was terug te komen naar de volgende Olympische Spelen om zijn nieuwe record te verdedigen. Zeke pauzeerde even, keek recht in de camera en zei: 'Ik ben zo ongelooflijk dankbaar dat ik deze medaille heb gewonnen. Ik ben mijn fenomenale coach, mijn beste vrienden en teamgenoten bij het Britse team en alle mensen die mij voortdurend hebben gesteund zo dankbaar. Het was een grote eer om voor mijn land uit te komen... Op de volgende Olympische Spelen zal ik echter niet voor het Britse team uitkomen.'

De vragen kwamen overal vandaan en camera's flitsten onophoudelijk terwijl mensen speculeerden over een niet-gemelde blessure.

'Ik ben vierentwintig, ik ga zeker nog niet met pensioen,' zei Zeke, die het geroezemoes in de ruimte meteen de kop indrukte. 'Maar de afgelopen jaren – het afgelopen decennium zelfs – ben ik ergens voor op de vlucht geweest. Het was een droom die mijn vader en ik koesterden voordat hij overleed. Het voelde zo belangrijk voor mij dat het gemakkelijker was om ervoor weg te rennen dan de realiteit onder ogen te zien dat ik het zonder hem moest bewerkstelligen. Maar iemand die heel belangrijk voor me is, heeft me eraan herinnerd dat, hoewel we allemaal bang zijn dat dingen niet lukken, je daar alleen achter kunt komen door het te proberen en door je hart op het spel te zetten.

Dus in plaats van zo hard weg te rennen voor de toekomstplannen die me angst aanjagen, ga ik ernaartoe rennen en de komende jaren de tijd nemen om een droom waar te maken die ik altijd al wilde verwezenlijken.' Hij zweeg even, terwijl iedereen in de ruimte aan zijn lippen hing. Hij gaf zichzelf nog een laatste kans om van gedachten te veranderen, maar terwijl hij naar redenen zocht, realiseerde hij zich dat hij volledig vrede had met zijn keuze. Het gevoel van angst was verdwenen, dus besloot hij door te gaan.

'Eind dit jaar zal ik mij bij coach Chikepe en zijn geweldige atletenteam aansluiten om te strijden voor het Zimbabwaanse team. In dat land zijn mijn ouders geboren en het is mijn droom om daarvoor uit te komen sinds ik de allereerste keer een atletiekbaan betrad.'

Alle journalisten maakten foto's en riepen vragen, maar Zeke hoefde zich verder nergens voor te verantwoorden. Dat deed hij dan ook niet. In plaats daarvan keek hij naar coach Chikepe die op de eerste rij zat. Ze zouden samen zoveel kunnen bereiken. Toen keek hij naar coach Adam, die aan de zijkant van de kamer stond en breed naar hem glimlachte. Zeke glimlachte terug toen hij zich het advies herinnerde dat coach Adam hem had gegeven toen hij die ochtend naar zijn kantoor was gegaan om hem te vertellen over de beslissing die hij wilde nemen. Coach Adam had Zeke zijn volledige steun gegeven. Hij had gezegd dat hij zeker wist dat Zekes vader trots zou zijn geweest als hij had gezien hoe ver hij gekomen was.

'Later praten we verder, maar nu wil ik gewoon naar buiten gaan om mijn overwinning te vieren,' zei Zeke terwijl hij opstond en de persconferentie verliet onder het gejuich van zijn vrienden en familie die buiten de zaal stonden te wachten. Maar er was maar één persoon die hij wilde zien. Toen hij Olivia in de menigte zag, gaf de aanblik van haar glimlach hem meer voldoening dan welke gouden medaille dan ook.

56

Olivia

Dag tien van de Olympische Spelen van 2024

Olivia zat op het balkon van haar slaapkamer achter een tafel vol potjes verf en met haar groene notitieboekje op haar schoot. Altijd als ze op het balkon zat, werd ze getroffen door de schoonheid van Athene. De felroze bloemenstruiken die rond elk gebouw groeiden, de stemmen van mensen op de straten onder haar en de warme zon op haar blote armen.

Toen de zon op was gekomen, had ze zich gerealiseerd dat haar ambitie deze zomer niet eens een deukje had opgelopen. Hoewel de afgelopen weken niet helemaal waren gegaan zoals ze had verwacht, hadden de plannen die ze vijf jaar geleden gemaakt had haar wel ergens gebracht. Zo was ze in het dorp terechtgekomen. En bij Zeke.

Ze wilde nog steeds alles bereiken waarvan ze gedroomd had: invloed en macht hebben. Maar ze wilde het niet alleen maar om te bewijzen dat ze het kon, of omdat ze nog steeds geloofde dat alle andere opties gelijkstonden aan falen. Nu wilde ze het omdat ze er gelukkig van werd.

De afgelopen vijf jaar had ze geleefd volgens een checklist. Een vastomlijnde routekaart naar de perfecte Olivia. Maar toen ze haar notitieboekje opensloeg, besloot ze dat het leven vanaf nu een avontuur zou zijn. Een lijst met alle leuke dingen die ze wilde doen, de herinneringen die ze wilde maken en de manieren waarop ze de vrouw zou kunnen worden die ze altijd voor zich had gezien.

Ze maakte eerst een lijst met doelen, en vervolgens maakte ze een lijst met alle dingen waarvan ze ooit had gehouden, maar waarmee ze gestopt was. Toen ze jonger was geweest, had ze besloten dat ze ergens in uit moest blinken om te kunnen rechtvaardigen dat ze er tijd voor vrijmaakte. Maar die zomer veranderde ze van gedachten. Dus schreef ze op: 'Doe alles waar je gelukkig van wordt!' en onderstreepte dat vervolgens drie keer. Langzaam verschenen al haar dromen op de pagina. Het plan werd een manifest over het leiden van een leven dat voldoening zou geven, niet alleen maar een succesvol leven.

'Je vijfjarenplan?' vroeg Zeke, terwijl hij de deur opende en naar haar toe liep op het balkon.

Ze keek om en zag de breedste glimlach die ze ooit had gekend. Hij was zo knap en straalde zoveel warmte uit, dat ze hem daar urenlang in zijn ogen had kunnen staren.

'Volgens mij ben ik je er nog zo een schuldig,' zei hij, terwijl hij zijn hand in de papieren zak stak die hij vasthield en er twee grote bekers met koud, groen sap uit haalde.

Olivia schoot in de lach. 'Ik heb er minstens twintig nodig om de kosten van de stomerij te compenseren.' Maar ze glimlachte terwijl ze hem naar zich toe trok en hem een lieve, vederlichte kus op zijn lippen gaf. Hij sloeg een arm om haar schouder en ze kwam dichterbij totdat ze knus tegen zijn schouder en borst lag.

'Nou, met dit nieuwe vijfjarenplan,' begon Zeke, toen hij haar notitieboekje zag. 'Is er eigenlijk wel ruimte voor mij om je eindelijk mee uit te nemen op die date? Is er nog wat tijd over op jouw pad naar wereldheerschappij?' zei hij terwijl hij haar haar streelde.

Olivia hield haar hoofd schuin en deed alsof ze erover nadacht. 'Nou, ik heb erg veel plannen voor de rest van de zomer.'

'Dat zie ik,' zei Zeke zachtjes terwijl hij een kus op haar rechterwang plantte.

'En ik heb het heel druk met walkietalkieoproepen.'

'Hm hm,' mompelde Zeke, terwijl hij zachtjes haar linkerwang kuste.

'Er moeten nog veel plannen worden gemaakt en er wachten nog heel veel belangrijke afspraken,' zei ze zonder al te veel overtuiging.

'Heel belangrijk.' Hij kuste haar nek. Haar ogen gingen onwillekeurig dicht.

'Maar ik denk dat ik jou er wel bij zou kunnen zetten in mijn notitieboekje,' zei ze. Ze beet op haar lip terwijl hij doorging met het kussen van haar hals. Het was een opwindend gevoel.

Hij trok haar dichter naar zich toe en kuste haar met zoveel tederheid dat het voelde alsof je aan het begin van de lente buitenkwam, de temperatuur voor het eerst weer aangenaam was en de hemel stralend blauw. Ze kuste hem terug en verwonderde zich over de zachtheid van zijn lippen. Zo zaten ze daar urenlang in het warme, gouden licht en vertelden elkaar hun favoriete verhalen. De lucht kleurde langzaam roze en paars en verdiepte zich uiteindelijk in die magische, vertrouwde blauwtint. Helder genoeg om elkaar nog te kunnen zien, maar donker genoeg om de straatlantaarns aan te laten gaan en een warme gloed te geven aan de straten onder hen. Talloze mogelijkheden hingen in de lucht. Een nieuwe zonsondergang boven de skyline van Athene en terwijl de rest van de stad langzaam vervaagde in de schemering, beseften Olivia en Zeke dat ze het liefst de rest van de zomer elke avond op deze manier zouden doorbrengen, aan elkaars zijde, terwijl ze de dag zagen overgaan in de nacht. Over een paar dagen zouden de Olympische Spelen van 2024 ten einde lopen, maar het verhaal van Olivia en Zeke was nog maar net begonnen. En wat ze hadden was beslist meer dan een zomerse affaire.

Olivia wist dat ze van hem zou gaan houden. Van de manier waarop hij verwachtingsvol glimlachte voor het hardlopen, van hoe hij weer een tiener werd in het bijzijn van zijn broers en van hoe hij haar ooit, op een dag, mee zou nemen op spontane avonturen waardoor hun harten vervuld zouden worden met stille verwondering.

Zeke wist dat hij ook van haar zou houden. Van de manier waarop ze elk idee dat om twee uur 's nachts in haar opkwam in een spreadsheet van zeven pagina's omzette, van hoe ze lachte tot de tranen over haar wangen liepen om oude sportfilms die ze al tien keer had gezien. En van hoe ze ooit, op een dag, hun keuken in een dansvloer zou veranderen, en ze elke avond samen zouden dansen, draaiend op de klanken van oude liefdesliedjes.

Ze wisten niet wie ze zouden zijn als deze zomer voorbij was. Eerst stonden hun nog vele zonsondergangen te wachten om vanaf het balkon naar te kijken, gouden uren om over geplaveide straatjes te lopen en lange, diepblauwe nachten om in te worden meegesleept. Ze hadden geen zekerheid nodig. Het was genoeg om te weten dat ze thuis waren als ze samen waren. Het was genoeg om te weten dat ze verliefd aan het worden waren.

Olivia liet haar hoofd tegen Zekes schouder leunen. Hij glimlachte en legde zijn hoofd tegen het hare. De blauwe lucht werd zwart en de stad viel in slaap. Zeke en Olivia hielden elkaar vast en sloten hun ogen. Eindelijk konden ze gewoon zijn wie ze waren.

Dankwoord

Er was een dórp voor nodig om dit boek te schrijven, een enorme gemeenschap die op het juiste moment in mijn leven kwam en het ten goede veranderde. De mensen die de grootste impact op mij hebben gehad zijn vaak de mensen die ik niet zo goed kende; mensen die ik toevallig ontmoette, van wie ik een glimp opving of met wie ik een kort praatje maakte, van wie de woorden een keerpunt in mijn leven veroorzaakten. Maar er zijn een paar mensen, mijn dorp, die mij en dit verhaal hebben gevormd op manieren die ik niet eens kan uitleggen. Dus als dit het einde zou zijn van de slotceremonie, en het tijd werd voor de credits van mijn boek terwijl het laatste vuurwerk boven het stadion verscheen, zouden dit de namen op het scherm zijn.

Mam, bedankt dat je me eens in de twee weken naar de bibliotheek bracht, me liet verdwalen tussen de planken en me knipsels gaf van de kinderverhalen in je tijdschriften. Pap, bedankt dat je exemplaren van *Reader's Digest* en *Trots en vooroordeel* mee naar huis hebt genomen, en dat je me de onwrikbare (tot op zekere hoogte) overtuiging hebt meegegeven dat ik alles kan bereiken. Bedankt voor jullie gebeden, lessen en liefde. Ik zou dit boek niet hebben geschreven als ik niet drie zomers langer bij jullie had gewoond dan gepland. Ik voel me ontzettend bevoorrecht dat jullie mijn ouders zijn.

Ruvimbo, bedankt dat je me altijd weet te motiveren en dat je me aan het lachen maakt. Ook bedankt voor alle uren die je naar me hebt geluisterd terwijl ik op dat kleine witte krukje elke gedachtegang uitspon die ik sinds 2020 heb gehad. Takomborerwa, bedankt voor al je begrip voor mijn visie en voor het feit dat je me helpt om alles eruit te halen wat erin zit. Jullie twee zijn een grote hulp en brengen het beste in mij naar boven. Op jullie kan ik rekenen.

Lydia en Kukuwa, jullie zijn de beste redacteuren en lezers waar ik ooit op had kunnen hopen, dank jullie wel! Er zijn niet genoeg uitroeptekens om uit te drukken hoe dankbaar ik ben voor jullie inzichtelijke aantekeningen, doordachte bewerkingen en de opmerkingen in het manuscript die me deden glimlachen tijdens mijn schrijfsessies om twee uur 's nachts. Bedankt dat jullie me hebben geholpen om de beste versie van dit verhaal te schrijven en voor het feit dat het zo'n leuk proces was. Jullie zijn echt een dreamteam.

Jemima, ik kan me nog precies herinneren waar ik was (op de derde verdieping van Sports Direct in New Street in Birmingham) toen ik die zondagmiddag je e-mail las waarin je reageerde op het einde van het verhaal en aanbood om mijn agent te worden. Bedankt dat je al vanaf die eerste e-mails zo enthousiast bent en dat je gedurende het spannendste jaar van mijn leven hebt gepleit voor dit boek. Hartelijk dank aan Allison Hunter, Natalie Edwards en iedereen bij Trellis voor de uitstekende begeleiding en voor het feit dat jullie mijn droom hebben waargemaakt om een boekwinkel binnen te lopen en dit boek in de schappen te zien liggen. En heel veel dank aan Giulia Bernabe, Sophia Hadjipateras, Georgie Smith, Emmanuel Omodeind, Sanskriti Nair, Kim Meridja, Sam Norman en iedereen bij David Higham die dit mogelijk hebben gemaakt.

Sam Chivers en Sandra Chiu hebben de adembenemende, prachtige Britse en Amerikaanse omslagen voor dit boek ontworpen. Bedankt dat jullie Olivia, Zeke en het olympisch dorp perfecter hebben vormgegeven dan ik me ooit had kunnen voorstellen.

De grootste, oprechtste dank gaat uit naar elk lid van mijn persoonlijke Britse team (Viking) en Team USA (Flatiron Books) voor alles wat jullie hebben gedaan om dit boek in minder dan een jaar te realiseren! Het was de race van mijn leven en ik ben zo dankbaar voor jullie aanmoedigingen en vertrouwen in dit boek. Zoals bij elk team zijn er veel meer mensen dan ik kan noemen of zelfs maar van naam ken, maar in het bijzonder dank aan Ellie Hudson, Juliet Dudley, Brónagh Grace, Lucy Chaudhuri, Karen Whitlock, Maris Tasaka, Bria Strothers, Emily Dyer en Isabella Narvaez.

Dank aan de bibliothecaris van JHNCC, omdat je me altijd de schoolbibliotheek uit liet gaan met drie boeken meer dan ik van plan was om te lenen, aan mevrouw Moran, omdat je mijn eerste favoriete lerares Engels was, en aan mevrouw Crehan, omdat je mijn laatste favoriete lerares Engels was. Dank aan de bibliothecarissen van Kents Moat Library en Yardley Wood Library voor het creëren van plekken vol magie en verwondering. Dank aan Rachel van de University of Surrey, die me de verhaalstructuur heeft aangeleerd die ik heb gebruikt voor alles wat ik sinds februari 2017 heb geschreven, en dank aan Amy, Paul, Liz, Claudia en Angela voor hun feedback op mijn studieopdrachten. Ik heb deze opgeslagen en teruggelezen wanneer ik er even aan herinnerd moest worden dat ik een aantal goede zinnen heb opgeschreven.

Bedankt Izzy, Liljana en Yoanna, omdat jullie de eersten waren die dit boek hebben gelezen. Juweyriya, Brandon en Sophie, jullie ook bedankt, omdat jullie me er altijd aan herinneren wat ik in me heb. Mia, bedankt voor het lezen van al mijn creative writing-opdrachten. Arr, bedankt dat je altijd al mijn creatieve bezigheden ondersteunt. Bedankt, meiden op Goldsmith Avenue, omdat jullie mij hebben overtuigd om vijf weken lang aan hardlopen te doen. En bedankt Nyasha, Rhyanna, Charlie, Natasha, Lucie, Hollie, Chiedza, Nicollah, Nancie, Demi, Megan en Erin voor het ruilen van boeken toen we nog kleine meisjes waren.

Duizendmaal dank aan de diverse mensen en groepen die te kampen hebben gehad met de Olivzekiel-achtige neigingen die mij hebben gemaakt tot de persoon die ik nu ben. Inclusief, maar niet beperkt tot, mijn mentorgroep uit het derde jaar van de middelbare school die mij met een verbluffende meerderheid tot schoolraadslid heeft gekozen. Dank aan mijn boekenclub uit het zesde jaar, en aan de vrienden die niet geïrriteerd raakten toen ik hun vertelde dat mijn boek uitgegeven zou worden, terwijl ik hun überhaupt niet verteld had dat ik een boek had geschreven. Dank aan het socialemediateam van Birmingham 2022, omdat ze mij van dichtbij kennis hebben laten maken met een olympische zomer. Dank aan het TEDx-team van de University of Surrey, dat mijn fanatisme accepteerde en zelfs aanmoedigde. Dank aan de vriendelijke, slimme en bedachtzame schrijversvrienden met wie ik menig cafeïnerijke schrijfmiddag heb doorgebracht. En dank aan de vrijwilligers bij FoodCycle, Raindance, grace, TEDx, en kerken en scholen, die mij eraan herinnerden dat vrijwilligerswerk de dankbaarste taak ter wereld is.

De grootste kansen in mijn leven kwamen van mensen die mij niet zo goed kenden, maar vriendelijk waren toen ik dat het meest nodig had – die de ladder naar beneden lieten zakken, mij een plaats aan tafel gaven, een e-mail stuurden of mij een boek leenden. Ik ben hen allen eeuwig dankbaar en zal de rest van mijn leven hetzelfde proberen te doen voor anderen.